戴國煇全集

採訪與對談卷‧五

◎未結集3：談日本與亞洲（二）

目次
contents

未結集3：談日本與亞洲（二）

輯一　亞洲未來進行式

打造預見未來之鏡／李尚霖譯　　　　　　　　　　005
——亞洲與日本座談會

對西元2000年的摸索／李尚霖譯　　　　　　　　053
——宇井純vs.戴國煇

展望後越戰時代／蔡秀美譯　　　　　　　　　　063
——新亞洲與日本座談會

不被公開的檯面下霸權論戰／劉靈均譯　　　　　071
——匿名對談

凝視東南亞華僑／劉俊南譯　　　　　　　　　　099
——華人社會：何謂祖國座談會

中國科技的革新與創造／劉俊南譯　　　　　　　107
——技術：以原點為中心座談會

重探日本人的中國觀／劉俊南譯　　　　　　　　117
——十五年戰爭：善意與侵略之間座談會
　　座談會評論（戴國煇）　　　　　　　　　　127

在國際化中前進／劉淑如譯　　　　　　　　　　　　　139
──國際合作的現狀與展望座談會

「神轎社會」的精神結構／劉俊南譯　　　　　　　　167
──日本社會與日本人座談會

輯二　認識亞洲之心靈

美味求真與農業復權／劉淑如譯　　　　　　　　　　189
──日本人的飲食生活與食糧危機座談會

東南亞的心與近代化／李尚霖譯　　　　　　　　　　207
──「亞洲人懶散嗎？」座談會
　　　一、何謂東南亞式勤勉　　　　　　　　　　　207
　　　二、思考標準的差異　　　　　　　　　　　　218
　　　三、東南亞傳統的心　　　　　　　　　　　　225
　　　四、華人與原住國民　　　　　　　　　　　　239
　　　五、何謂東南亞型的近代化　　　　　　　　　244

對大學再生的期待／李毓昭譯　　　　　　　　　　　255
──永井道雄vs.戴國煇

「援助」方與被援助方／劉俊南譯　　　　　　　　　273
──亞洲的民族主義與日本座談會

尋求真正的經濟合作：與亞洲的連帶為起點／蔣智揚譯　293
──穗積五一vs.戴國煇

思考亞洲與日本／劉俊南譯　　　　　　　　　　　　311
──飯田經夫vs.戴國煇

譯者簡介　　　　　　　　　　　　　　　　　　　　328
日文審校者・校訂者簡介　　　　　　　　　　　　　330

戴國輝全集 22

採訪與對談卷‧五

未結集3：
談日本與亞洲(二)

翻　　譯：李尚霖‧李毓昭‧蔡秀美
　　　　　劉俊南‧劉淑如‧劉靈均
　　　　　蔣智揚
日文審校：于乃明‧吳文星‧林水福
　　　　　林彩美‧徐興慶
校　　訂：何思慎

輯一

亞洲未來進行式

打造預見未來之鏡
——亞洲與日本座談會

◎ 李尚霖譯

時間：1974年2月23日

地點：亞洲經濟研究所

與會：安宇植（前朝鮮大學教師、評論家）

　　　戴國煇（亞洲經濟研究所調查研究部主任調查研究員）

　　　大野力（評論家）

　　　鶴見良行（國際文化會館囑託、評論家）

今日的亞洲與日本

　　鶴見良行（以下簡稱鶴見）：今天我想以盛行於當今日本的所謂亞洲論，以及亞洲其他國家對日本的批判，將日本與亞洲的狀況，彙整成三點進行討論。

　　第一點，日本與亞洲現況的認識問題，是所有討論的出發點。第二點，大部分的言論都一致認為日本與亞洲間有問題，因此，為了解決這問題，必須改變日本與亞洲的關係，衍生這種言

論是必然的。為了解決這問題，或者說試圖改善這種關係之演變方向、過程，我們將之稱為運動論也好，或政策論也罷，但在這裡，我所說的運動論，並非學生運動、勞工運動等狹義的運動論，而是廣義的應用在每個人該如何思考這問題、改變觀念，以及如何落實在自己的生活中。

接下來第三點是理想論。使用「理想」這兩個字，往往立刻就會被人說成觀念論，並且被認定就是觀念論。在這種狀況下我仍決定用「理想」兩字，是想要探討在沒有互相榨取、歧視、壓抑的關係下，亞洲與日本民眾的生活狀況是怎樣的情形？我認為對此種狀況，到目前為止，像這樣大膽的議論都未曾進行過，因此，我將這個最高目的稱為「理想」。彙整成上述三個問題來討論，不知各位覺得如何？

再回頭來看第一點的出發點問題，對於現況認識的問題，大致上可以由兩個方向來看。第一個方向或許可以稱作態度論。這方向主要的問題在於日本方面的態度，因此有日本一方的自我批判，片面的認為日本都是錯的。批判的重點不外乎是日本對亞洲的態度是大國主義的狂妄自大、人種歧視、日本的文化結構中脫亞入歐的傳統，以及恩惠主義、指導者意識等議論。

因為戴先生、大野先生等人來到這邊，我在態度論這點上，想要討論的是「亞洲是日本的鏡子」這個問題。這句話大野先生雖也在他的著作《昭和五十年——挫折與再生》〔《昭和五十年——挫折と再生》〕（鑽石社）中寫過，但未必是大野先生第一個講的，事實上，田中宏先生也曾寫過，說不定這句話、這種想法在更早之前就有了。

除此之外，戴先生也曾說過很有趣的話：相對於「自分」，日語也該有類似「他分」這樣的詞語！日本沒有「他分」，換言之，無法站在對方的立場思考。戴先生指出日本並未擁有與「自分」同格的「他分」。

大野力（以下簡稱大野）：我第一次前往亞洲其他國家，是參加產業界「青年之船」活動。因此一開始就與日本的企業界人士一起行動。那時，我印象最深刻的，是為祭祀因戰爭亡歿的日本軍將兵所做的慰靈祭。我是去菲律賓，到那裡才首次得知，有將近五十萬人在當地戰死的事實。一起去的人，與軍隊有關的人，無不慟哭、悲泣，青年們也受到極大的衝擊。好不容易出國，想為戰死當地的日本人慰靈，這種心情雖然可以理解；更何況，其中也有因父親戰死當地的人，想要弔祭，是理所當然的。但在舉行此慰靈祭的國土上，當地的人民、國民，畢竟死於戰爭的人數是日本人的一倍以上。因此，我提出質疑，指出不考慮這點就舉行慰靈祭的話太過片面，後來的慰靈祭仍然排除了當地人，成了只有日本人的慰靈祭。並不是說不可以辦慰靈祭，而是這種作法好嗎？裡頭其實包含很重要的問題，不是嗎？這個疑問，是我開始關心亞洲的契機。

戴國煇（以下簡稱戴）：大野先生所說的部分與我在談論「他分」的問題上，有一部分相關。例如，日本帝國主義、日本軍國主義首先殖民台灣、朝鮮，進而侵略中國大陸，最後再侵略東南亞，這是歷史上的事實。而現在，則拚命地舉辦慰靈祭，四處收集遺骸。這種行為從被侵略者的立場來看，不得不讓人認為只想到「自分」而已。之所以這麼說，例如，在日朝鮮人以及與

中共建立外交關係之前的中國人，這些人在回國掃墓時，都會被
日本當局多重查對。然而，日本人要去時，便呼籲「讓日本人去
中國吧、讓日本人去西伯利亞吧」之類的，提出許多要求。當
然，有些地方個人無法自由前往，體制差異的層面是有的。在這
點上，我某方面能理解。但是，被強行帶來日本勞動的朝鮮人，
如要回父祖之地掃墓，日本人便會說有政治上的疑義，多方查
對，這就很奇怪了。

　　姑且不論侵略與被侵略的歷史關係，僅就國際外交的邏輯上
而論，這也極為奇怪。站在人道主義的立場來看，人道主義是不
能只考慮到自己而不包容別人，否則只會遭受指責。由被侵略方
來看，擅自越界侵略，之後又來拾集遺骸，舉辦只弔祭自己人的
慰靈祭，對被侵略的人來說，真的會如大野先生所說，覺得欺人
太甚不能忍受。日本人鄉愿慣了，沒有感覺，也或許是因為天
真，因此我才不顧僭越，如此地指摘說日本人沒有「他分」。如
果心中有「他分」的話，慰靈祭的作法，當然應該也會隨之改
變。隨著日本搖身變為經濟大國，加害亞洲的體驗、反省，把亞
洲人當成與自己同格的他分關懷，我覺得都愈來愈淡化。

　　與這有關的是，對大野先生大作中的副標題「挫折與再
生」，我有一些問題想請教。關於日本再生的發想，目前非常
多。最近小島晉治等人編輯了《中國人的日本人觀100年史》
〔《中国人の日本人観100年史》〕，這本書中也用了「再生」
這兩個字。此書是編輯、翻譯中國方面的對日言論而成，時代以
鴉片戰爭以後為主，也就是所謂的近代中國到中華人民共和國的
成立，再到最近。剛剛鶴見先生引用的一句話「亞洲是日本的鏡

子」，若論及這本書與這句話的關係，書中所列舉的歷史證言才真的是日本的鏡子。因為中日友好運動之故，這本書的出版雖然不免讓人覺得晚了些，但透過此書，應可以提供一般日本人一面友好的證明和明鏡。雖然常有人說以史為鏡或以史為鑑之類，欠缺正確歷史認識的歷史之鏡，不過是面輕薄的鏡子，我們不需要有口無心的懺悔鏡子。原本有口無心的懺悔不具備生產性，無法成長為人類生存的原則。這類的東西，馬上便會消失。日本不曾體系化地整理被侵略者的聲音，一味地推行友好運動，社會氣氛對這樣的作法亦不覺得有什麼不妥，因此會在曾侵略過的土地舉行只為日本人的慰靈祭，也是意料中的結果。大野先生，在這種狀況下聽到「日本的再生」，我不禁擔心起來。因為所謂的「再生」，是指「原本」的東西再復甦不是嗎？而那「原本」的東西對日本而言到底是什麼？再生之後，是不是有「轉生」，只一味的推動單純進化的再生，是否是好事？關於這一點，今天我務必要請教大野先生！

鶴見：一開始便發生大論爭！

大野：那並不是我下的標題。

戴：不，我並沒有說標題不好！

大野：只是，「挫折與再生」的表現方式，年輕人接受度非常高，讓我愣住。原本標題是「『近代日本』的挫折與再生」，所謂的「再生」，我的原意是指圍繞著『近代日本』的危險要素有再生之虞，但，沒想到被解讀成日本國力恢復式的再生……

戴：現在，我再補充一點，小島晉治等人的工作所呈現的是，歸根究柢日本侵略亞洲的原點是甲午戰爭。他們提出了一個

問題，就是即便思考的問題是我們現在所面臨的，亦有必要再次重新審視日本近代的這個根源。在此意義上，他們與大野先生宗旨相同，也用「再生」。我想請問的是，以昭和50年的階段來說，日本民族以歷史進程的哪裡為原點而再生呢？

「再生」就如同大野先生所說的，對年輕人而言，挑動他們的心，魅力無窮。這兩個字帥勁十足。然而，仔細想想的話，這「再生」到底想回到哪裡？如果是想返回明治的機制，返回到那結構的「再生」，對我們亞洲其他國家的人來說，可傷腦筋了。而且，戰後日本高度經濟成長的再生，如果只是單純進化式的再生的話，問題也出自那裡，並不能解決現在所面臨的問題。因此，到底「再生」之後，「轉生」是否會發生？我現在這個問題不單只是針對大野先生，而是針對全盤情況發問。

鶴見：大致來說，我覺得並不存在返回原點。現在的日本，相當盛行回歸過去的主張。例如，因為發生公害問題，所以有人主張再度返回農業時代，這樣的主張，雖可明白是一種鄉愁式的表現，但我總覺得不可能再回到過去了……。這是我初步的推測，雖說類似直覺，但就是這種感覺。

再者，亞洲方面，現在若說回歸原點的話，這又是一個爭議性十足的問題。例如，菲律賓至今獨立過三次。最早一次的獨立，是在1898年，由西班牙的手中獨立。總之，也就是荷西・黎剎、亞昆諾杜（Emilio Aguinaldo）的時代。但是，與此同時，這獨立的過程，也就成了賣身給美國的過程。因此，即使是在菲律賓史研究上，主張黎剎、亞昆諾杜是國民英雄的看法，亦受到相當強烈的質疑，因此無法回歸這個時間點。更何況第二次的獨

立，這是日本的東條英機在1943年所給的獨立，若要回歸此時，更是蠢不可及。雖然，有人主張回歸到最後一次1946年美國所給予的獨立，但這對民眾而言，亦不是具有魅力的原點。

如此一來，回歸祖先該回溯到哪個時代才好？回歸到哪裡才算是原點？在菲律賓、東南亞諸國中，很難找到這樣的原點。因此，說到回歸原點，很難說要回到哪裡。總之，在民族主義的文化問題上，這問題極難解決，並且在歷史問題上亦非常棘手。而這方面，在朝鮮半島似乎亦是問題。例如，如何評價1945年8月15日？安先生，這問題我們該如何思考……

安宇植（以下簡稱安）：我也曾拜讀過大野先生的大作，不僅是再生的問題，事實上，我也很在意「挫折」的表現方式。我覺得這是非常漂亮的表現方式。所謂的「挫折」，也就是失敗。亦意謂著從失敗的地方想辦法再一次開始。日本確實是想辦法重新開始，但是否是由「挫折」東山再起？這點，由觀察「敗戰紀念日」被改成「終戰紀念日」的現象，不是很明顯在騙人嗎？

日本在太平洋戰爭中戰敗受挫，而一旦「再生」，作法又有直接連結到戰前「八紘一宇」的可能性。如此一來，今日所謂的經濟動物，不就是在太平洋戰爭前侵略政策的延長線上，因此不應該是什麼「挫折」吧？

這問題即使與剛剛戴先生所說的「他分」問題結合一起思考的話，我不得不說厚生省的倉庫裡現在還留存著戰前朝鮮人軍屬的遺骸，據說有幾千具！如此一來，當然有遺族存在，而且遺族也當然理應會尋覓遺骸。然而，他們卻無聲無息地被埋沒了將近三十年。這不禁讓我懷疑，日本戰前的作法、日本對殖民地的歧

視，是否真的受到挫折？原本這問題便必須與日本人集體搜尋遺骸的事一同思考。更具體來說，雖不清楚被強制帶來日本的中國勞動者的情況，但若以戴先生的方式來表現的話，日本人的意識中，朝鮮人的存在，不是沒被視作「他分」嗎？如果到北海道等各地去看，可以看到所謂的「殉難者慰靈碑」，這是戰爭結束後不久，朝鮮人在各地建立的。所謂的殉難者，便是被強制帶來日本，遭人活埋、遭人殺害的朝鮮人。我也曾在北海道見過幾個殉難碑，但不知道後來這些碑如何？埋葬在那裡的靈魂，是否回歸故國？

另有更為實際的問題，我覺得這現象非常有趣，在回歸朝鮮民主主義人民共和國的歸國運動發生時，新潟市內有條街兩邊栽種柳樹，以象徵友好、親善。另外，小諸車站站前、日比谷公園等地首開風氣，當時日本各地建了許多親善紀念碑。我聽說這些碑在這十幾年間，都被拆掉了。如果這是事實，那麼，到底當時的友好、親善算什麼？我亦曾聽說，有人討論是否要拆日比谷公園的紀念碑。我不曾確認過，但聽說已被拆掉了。

如果將我至今所說的話做個整理，朝鮮人，不管是北韓的還是南韓的，當然有來日本尋找遺骸的條件，但日本政府卻不允許。朝鮮人原爆受害者的問題也是如此。一直到最近，才好不容易狀況好轉，看到一些解決的徵兆。

漠視日本內部如此的亞洲相關問題，卻無論如何都要對外大放厥辭。特別是對於最近的朝鮮問題，日本方面的動向不正可謂如此。雖說目前對這問題，日本以前所未有的認真態度面對，但累積其中數十年間的未解決事實，就這樣消逝、付諸流水，只被

眼前最新的問題吸引，一下聲援金大中、一下支持金芝河〔譯註：南韓詩人、思想家。因一再發表諷刺韓國獨裁政權之作品，並領導學生運動，1974年被捕後，被宣判死刑，因而引發當時國際知識分子之救援活動〕。因此，支持金大中的話，關心的對象便僅止於金大中；支持金芝河的話，便只參加聲援金芝河的運動，似乎並未發展至與日本人的問題有何關聯，藉以改變此後全體日本人的想法、思想。雖然最近在《世界》雜誌中，大江健三郎的論文好不容易才漸漸地注意到這點，但由整體運動來看，還是沒有回歸到日本人的問題上。總之，由於未將欠缺「他分」的想法視為自己的問題所在，因此治絲益棼，不是嗎？

鶴見：如果換個通俗的講法解釋「他分」的話，就是以對方的立場思考，日本現在好不容易才進入這樣做的階段，開始質問自己的生存方式，我覺得，這是還在前面一步之距的階段。另外，日本有很多對戰爭一無所知的世代，來自「他分」的發言，多多益善！

例如，包括我在內，在聽到安先生剛才的話之前，也一點都不曉得日本有朝鮮人慰靈碑之類的東西存在。其他例如日本國內在銚子建有菲律賓陣亡將士的慰靈碑，我也是最近才知道。而且碑文是尾崎士郎〔譯註：小說家，1898～1964〕寫的，相當有名。漸漸明白這些歷史後，知識不就會橫向擴展開來？啊，原來如此，讓人不禁聯想，這樣的話，菲律賓都如此，朝鮮不也如此？或者，印度也說不定如此！這樣的發想便會開始湧現。在日本，關於亞洲，只能以日本之中的事物去觸動人心，雖說這樣的變化極為緩慢、緩和，但我覺得除此之外，別無他法可以啟發日

本人。

　　安：請讓我再發言一下！

　　最近發生8月15日的事件（韓國總統朴正熙遇刺事件），我讀了幾種週刊，並接受許多人的電話訪問，突然發現到，對我而言，8月15日乃是解放紀念日。因此，我一說解放紀念日，那些編輯都不曉得，會重新問我：「是不是獨立紀念日」？我忽然意識到一件事：朴正熙的南韓是在5月10日創立大韓民國，那是1948年時。而金日成的朝鮮民主主義人民共和國是在同一年的9月9日獨立。不管哪一邊，國家的獨立都是上述兩個日子。如此一來，8月15日只是剛由殖民統治解放，應該處於無政府狀態才對，為什麼日本人會稱之為「獨立紀念日」？這樣的落差到底從何而來？我覺得很意外。在大韓民國，這天稱之為「光復節」，也並非獨立紀念日的意思。這天與日本的戰敗有著最深切關係，日本人對這件史實，表面似乎了解其實完全不明瞭，不是顯得膚淺嗎？

　　因此，這樣的感覺，與將敗戰紀念日改成終戰紀念日的舉止不就是有重疊的部分？不是都不做嚴謹的理解便敷衍了事嗎？

　　鶴見：沒錯。這不求甚解的問題是個相當大的問題。如果以剛剛的菲律賓為例的話，1943年日本給了菲律賓的獨立，到1945年菲律賓又再一次回到美國的殖民地、屬地。總之，回到聯邦自治領（commonwealth）時代。1946年，也就是7月4日，在美國的獨立紀念日，美國擅自訂定時程表，決定讓菲律賓獨立。因此，菲律賓的獨立變成這樣的形式：在1943年，有一次偽獨立；1945年回歸美國屬地；1946年又有一次偽獨立或者說第一次獨立。關

於這方面的問題，日本人完全不了解。總之，以日本方的理解來
說的話……

戴：不好意思，我想插個話反駁鶴見先生。剛剛您說的「他
分」的意思即為站在對方的立場思考，這並非我的「他分論」的
本旨。

　　總之，鶴見先生所說的站在對方立場的感覺，日本的一般民
眾也是有的。「不站在對方的立場不行」之感，做為一種氛圍、
一種倫理觀，日本人是有的。我的「他分論」，總而言之，問題
意識在於日本人由於不認同他分之故，以致也無法認同日本人的
自分，以歐洲式的講法來說，便是無法建構所謂真正的個人主
義，在無法確立「個人」的狀態下，被潮流沖著走；我的問題意
識並非必須站在對方立場思考的情緒層次上問題。總之，不曾承
認對方，本來就不可能站在對方的立場思考。舉個例子，我曾發
表有關昭和5年（1930）10月台灣霧社事件的研究論文，這篇論
文也收錄在最近〔1973年〕出版的評論集《日本人與亞洲》（新
人物往來社）之中〔參見《全集1‧霧社蜂起事件的概要與研究
的今日意義》〕。這篇論文的書評登在新左翼的《情況》（1974
年3月號）雜誌上。我當然不認識寫書評的伊藤一彥先生。他在
書評的最後寫道：「我每每思及霧社蜂起為何以運動會場為中
心？思及戴先生絲毫未提及遭受襲擊的主婦（多為警官之妻）、
小孩之死，這點，讓我不得不痛感我與戴先生之間的差距。」
正是伊藤先生的這種感觸。姑且不論個人的距離感，站在研究
者的立場上來說，誰才是真正的受害者？對這方面的問題，不求
甚解、置之不理的思考方式，令人無奈。當然，我在人性的層次

上，也反對殺害警察、殖民地官僚，以及小學老師、郵局的日本職員的妻兒。

　　但是，事件的發生背景，在殖民統治這種肅殺的架構之中，存在著壓迫者與被壓迫者，侵略者與被侵略者，或者說殖民者與被殖民者的關係。漠視這種關係，將其與「人情」層次的問題，與自分、「他分」的問題混淆、淡化，實在令人不敢恭維。我希望日本人在真確的事實下承認「他分」，在清楚的釐清問題後，再進入人情或者說人性的問題。

　　與這有關的，是大野先生所說的「鏡子」的問題。我認為日本人擁有調整自己姿態的鏡子。很抱歉以下純屬個人經驗，我父親非常反日，這是因為受到日本人統治之故。然而，他認為日本人有幾點非常突出的優點，日本人愛好清潔、遵守規律並對外一致團結。第三點是──這點特別有趣，便是過去的日曆上，幾乎每天都有反省的訓詞。

　　鶴見：每天翻的日曆嗎？

　　戴：沒錯！日本人以這些反省的訓詞為鏡，聚精會神修養。我父親老是對我們兄弟說：「你們要學習這點！」

　　由反日的中國人來看，日本人擁有反省之鏡。然而，「反省」一事，本係出自中國古籍《大學》的德目，亦即修身、齊家、治國、平天下。然而，清末以降的中國，《大學》中所提倡的德目，已被拋諸九霄雲外，有名無實。之所以如此，乃因為中國不管是國家還是家族，都已分崩離析。因此修身無法齊家，齊家也無法治國，而平天下，無論如何都是不可能的。然而，日本明治時期，對當時大多數人來說，個人與家庭、國家，真的是有

關聯的，甚至連平天下都連接在一起，這也連結到大東亞戰爭八紘一宇的主張。對這狀況，姑且不論是非對錯，至少由明治維新到八一五〔譯註：日本宣布無條件投降之日〕，雖然有少數的反戰論者，但大多數的日本庶民，不管是在上者或在下者，在勵求修身同時，即使是在下者，也會以修身、齊家以回報君主或者說日本帝國。而在上者對這些回報，在某種程度上也必須分送些許利益的狀況，因此「修身、齊家、治國、平天下」的德目，依舊發揮著作用。

因此，這意謂著，對日本而言，始終都有鏡子存在著，即反省的鏡子。只是，若論及與這個人倫理層次鏡子的不同鏡子，也就是對外的鏡子，日本根本不將同時代的亞洲放在眼裡。日本的鏡子，與其說是鏡子，不如說是借鑑，做為典範的借鑑始終都是歐洲。若要舉例的話，大日本文明協會不正是最好的例子嗎？大隈重信等人創辦此協會，並在明治41至42年間（1908～1909），出版鉅著《歐美人的對日觀》〔《欧美人の対日観》〕。印行這本書的主要目的，在於由歐美人對日本人的批判及種種看法中改進學習。而且，這本書係為頁數達3,224頁的鉅著，從明治41到42年，花了整整一年的時間仔細翻譯而成。我雖然沒有檢查原文，但這是本不得了的書。而且，這書是免費贈閱，以非賣品的方式發行。雖然我沒有追查書贈送給哪些人，但不難想像，這本書耗費了許多心力。如此的書籍，即便是戰後日中友好運動中，也不曾出現過。雖是個人管見，就我所知，戰後出版的《外國人所見到的日本》〔《外国人の見た日本》〕的戰後篇（加藤周一編，筑摩書房），依舊是以歐美人為中心，除中國人外，幾乎沒有收

錄其他亞洲人的文章。因此，明治以後的日本還是有鏡子的，並不是沒有，只是這面鏡子是尋求老師、尋求典範的借鑑。對日本人而言，歐美人的對日觀，等同於《論語》；說日本人以歐美為師、向歐美尋求典範亦並不為過。打個比喻，以《朝日新聞》的「天聲人語」專欄來說，歐美的典範對日本人而言便是「天聲」，是「上天的聲音」！

　　然而，亞洲民眾就成了「人語」，不用說是借鑑，連整理儀容的鏡子都不是。因此，現在好不容易才出現大野先生的書、小島晉治先生的書，以及我僭越本分所提出的「他分論」，反之，我希望日本人能承認我們亞洲人身為人的價值，也希望日本人聽進「人語」。這時，不先承認「他分」，聽進「人語」，鏡子是無法產生作用的。歐洲是老師，是天聲！但就連歐洲也不是「他分」，終究是老師，地位並不對等。如果此後日本在結構上能重組，接納「人語」，我認為這樣或許能順利「轉生」；也因此，比起日本的再生，我期待日本的「轉生」，也希望日本與亞洲的對話，能更順暢的進行以促進雙方的相互理解。

　　安：其實，我昨天也讀了德富蘇峰的論文，這篇論文為〈從外部所看的日本人觀〉〔〈外より見たる日本人觀〉〕，主題與今天類似；除此之外，也讀了海老名彈正所寫的類似文章，那時候的人，以各種形式談論著歐洲方面的日本人觀、日本觀。而這樣的狀況，證明他們以歐洲為借鑑，收錄上述論文的書，應該是《明治思想全集》中的一冊。其中，島田三郎所寫的〈朝鮮統治論〉也收錄在裡頭，他與《每日新聞》淵源深厚。接著，我試著查了一下島田三郎，他在日俄戰爭以前就主張統治朝鮮的型態必

須模仿英國與愛爾蘭的關係。這樣的主張，完全地出現在剛剛說的文章中。而年輕時的吉野作造事實上正受到他的影響，因而創立了「朝鮮問題研究會」。

　　然而吉野作造關於大正民主時代的文章相當多，但對這類的事，大致上切割得相當乾淨。至少，在日俄戰爭以前，由島田三郎上述的言論可以佐證當時有很多人已有類似的發想。日俄戰爭發生在1904年，那時朝鮮還不是日本的殖民地，這時期，台灣問題才漸漸浮現。在其時，上述對歐洲與對亞洲的對應方式，已出現典型的差異。關於這點，至今日本從未討論，以致產生錯覺，好像亞洲論是像新發生的問題般。

　　戴：就如同安先生所說的，在明治相當早的階段，日本的好議之士，為了追上歐洲，其主張的底流，正如福澤諭吉〈脫亞論〉所主張，已打算斬斷與朝鮮人、中國人等鄰國的往來。這類的主張，雖然在感情上我認為是豈有此理，但對他們的邏輯，姑且還算能夠理解。但，現在的日本諸位朋友，不管你們是想要重新建構過去明治百年的「光榮」結構，特別是日本與亞洲的相關結構；或者是明白這樣下去的話會造成嚴重後果，如果不調整鏡子的形式，不將鏡子調向包含亞洲的「人語」這一方的話，不可能發展順遂。況且，由於日本人的教育水準很高，已不需要借鑑，在映照出自己生活方式的鏡子中，將亞洲也納入其內，不是對今後的日本比較有用嗎？很遺憾的，即使是今日這個時間點，如同大野先生所指出的，日本人還無法完全與明治的前賢們劃分清楚，藕斷絲連的情況依舊持續著。因此，我想說的是，這樣的話，大家不是都不好過嗎？因此，日本並非沒有鏡子。而是雖然

有鏡子，卻是以歐美為中心的借鑑，並以這些借鑑為伍，侵略亞洲。如何活用這些歷史教訓？如何透過亞洲的鏡子修正路線？如何在不壓抑、榨取亞洲的方式下擘劃共存？是日本今後的課題！

安：只是，這種狀況應該不是只有日本人要重新設置、組合鏡子而已。

戴：當然我們這一邊也必須重組。

安：這是相對的問題。

戴：中國的話，從清末到民國初期，也有為數眾多的知識分子，一邊向明治維新學習自身的近代化，一邊同時向歐洲聽取「天聲」。這些行動，是以留學歐美的知識分子為中心。

因此同一時代中，魯迅可說代表同時代最特殊的存在。如果問起他將鏡子設定何方？他向東歐照看。因此積極的翻譯東歐文學。而且是在中國革命的動亂之中。當時向歐洲尋求「天聲」的人們後來土崩瓦解，以「人語」為鏡，魯迅所代表的這一方，最終獲得優勢，獲得民眾支持。如此，日本的近代化與中國的近代化，兩者方向的差異，我認為也呈現在這鏡子設定的差異上。

安：這是戴先生若干狹義的理解，不管是看日本還是朝鮮的近代文學史，事實上東歐作品的翻譯，在近代初期都占了壓倒性的大多數，不只有魯迅翻譯而已。

戴：是這樣嗎？

安：例如「William Tell」〔譯註：瑞士建國英雄威廉・泰爾的故事〕也在初期就有人翻譯引進了。其他與亡國史有關的故事，國家、歷史毀滅的故事，這類的作品，一直都有翻譯。這一點，具有相當程度的共通性。

戴：這種情況在日本也看得到嗎？

安：日本與朝鮮一樣。由1900年代初期到1910、1920年左右為止，大致上，在所謂的啟蒙文化期，翻譯作品幾乎都是這類型。另外也翻譯中國的作品，連當時梁啟超的文章，無論是朝鮮或日本，都受人重視，以各種方式介紹、翻譯。甚至連梁啟超翻譯自國外的東西，也以這種形式轉譯引進。

戴：關於這點，我幾乎沒有相關素養。只是，即使如此我依然想強調，1920、1930年代的中國知識分子，在多元的志向中，最後還是由魯迅所代表的志向，得到民眾的共鳴，成為主流。相較之下，日本的主流不是法國文學、英國文學、俄國文學嗎？當然，中國內部也存在有「天聲」的鏡子。

鶴見：這沒錯。不是也有洋務運動？

安：我再稍微多談一些，談到鏡子，對於中國，中國學者或者從事中國研究的層面廣泛，由於人才濟濟，而日本人在這方面的耕耘，即使不完全，也花費不少心血。無論「天聲」，或「人語」，中國成為日本人鏡子的比重，都比朝鮮為高。介紹朝鮮的事物的，依舊是朝鮮人。至少在戰後是如此，並不是日本人。

鶴見：不，即使如此，朝鮮的狀況我覺得與東南亞相比，層面還算廣且厚。

安：沒錯。由於在日朝鮮人的仲介多少有發揮功用。東南亞連這點都辦不到。

鶴見：只關於東南亞的，不管何種鏡子都沒有。

大野：對於「鏡子」，我們一般有兩個解釋。一個是「鑑」，即典範之意，以及如理髮店的「鏡子」，映照自己的鏡

子。我的用法是非常簡單、單指用以映照自己的鏡子。

　　鶴見：我也大概是在這個意義下使用。

　　大野：以剛剛的例子來說，日本的陸海將士，大概有將近五十萬人死在菲律賓；菲律賓以及美國人的死亡人數，則達一百萬人上下。我很明白，不設身處地為對方設想不可。也因此，我認為自己腦袋清楚，所以不會受到影響。

　　然而，參加幾百人的出國團體，眾人拚命、努力辦理只弔祭日本人的慰靈祭，處在這感動人心的情景，本已明白的道理，也就變了樣。我畢竟還是日本人，不禁想到：對眼前的狀況還可以保持沉默嗎？我覺得重點就在對「他分」的理解法。因此我覺悟到，如果不投身其中、改變狀況的話，不算真的明白！我一直在閱讀《來自亞洲的直言》〔《アジアからの直言》〕，其中不是有一段提到「儘管被批判到這地步，日本人的思考裡也不認為是自己的問題」，雖然飽受外人批判，但一般日本人都理解成那是商社的外派人員不好、是出國觀光的人不好！這一點，我認為非常重要！

　　方才戴先生的發言中提到，在二戰敗戰的時間點，原本似乎存在的民主主義，隨著日本搖身變成經濟大國，因而消逝。但是，如果由這種認識來看問題，消逝的現象不是隨著經濟發展而來，而是出在對敗戰的理解方式上；一般日本人認為自己是可憐的庶民（日本人），是受害者，大家在險惡環境下並肩同甘共苦、奮力求生，這個接受方式本身就有問題。在敗戰以前，至少國家與日本人（庶民）是一體化的，然而以敗戰為轉捩點，「國家」與「個人」，在感覺層面上變成不同的東西。做壞事的是國

家，或者是政治家、大財閥，與我個人不相干，因此，日本人原諒起自己來。由於有這樣的結構存在，日本人的庶民，至今始終認為自己對亞洲人沒什麼歧視感，也沒做對不起他們的事。

即使到海外團體旅行，非常多人認為，在海外獻醜的是其中一部分的日本人，我沒做什麼壞事。

因此，鶴見先生在《來自亞洲的直言》中提到「（身處亞洲的日本人）粗暴」，確實，那或許可說粗暴，但在我的觀察範圍內，即使是行為確實相當粗暴的人，30人的話大概也只二、三人左右吧！

在韓國首爾的王宮，導遊說明「這是國王的親戚、貴族通行的大門」時，有人很大聲的問：「那小老婆走哪道門？」我路過時心想，這人真惹人厭。但仔細一看，大部分的人，還是都皺起眉頭來。但是，為了團體的和諧，沒人出面譴責。如此一來，外國人對日本人的全體印象，就變得粗暴；但在他們的自覺裡，卻抱著30人中僅一個或二個人沒禮貌的感覺而回國。

因此，亞洲對日本觀光客的批判，大部分的日本人也沒有感受到。

我之所以說亞洲是日本的鏡子，意思是指只有自己直接接觸，才能思考、體驗到身為日本人該如何行動。關於這點，我再舉一個例子，我參加今年舉辦的海上研修團隊，上船時，一開始，我給某個團體出了三道題目，「反日情緒」、「慰靈祭」以及「伴手禮（購物）」，　問大家這三個問題中最關心哪一個。結果購物占了壓倒性的大多數。

鶴見：我想也是如此。

大野：這真的是壓倒性的。其次是「反日情緒」，選「慰靈祭」的人出奇的少。因為在場的以三十歲左右的人居多。

戴：認為與自己無關吧！

大野：是，認為與自己無關的人很多吧！但，絕對會有人關心購物。至於，如果進一步追問為何那麼在意購物一事，有人就會回答，因為收了人家的賀禮，因為大家選我代表公司來到這裡，回公司必須有些表示。就這樣，大家由各個角度談論這件事，主持座談的講師都會下這樣的結語：「被選為代表，再加上初次出國，拿了人家賀禮，回國時送朋友適當的禮物，是我們日本自古以來的美德；對這樣的美德……總之，大家都把國內的美德帶出國去。」如此一來，大家身在國外，到底在思考些什麼呢？不外是在想送什麼給課長？部長與課長的禮物，差距要如何拿捏？如果想的都是這些事的話，那好不容易出國來，不是就沒意義了？雖然我對大家這樣說，但總是沒人了解。

然而，實際接觸當地轉了一圈，而且禮物買的多到提不動，這時，才會有人恍然大悟說，我們果然是購物狂，原本以為我們比農會的人聰明，結果和農會的鄉下人沒兩樣！亞洲的現實狀況，映照出自己的真實樣貌，讓人得以省視己身……

戴：有這樣的自覺，也是因為有大野先生在他們身邊的關係，不是嗎？與農會的人沒兩樣，普通是不會意識到的。只要事關己身，大部分的人都認為自己比較聰明，與農會的人不一樣。

大野：慰靈祭也是如此。一般人畢竟仍認為自己是戰爭犧牲者，因此會說舉辦慰靈祭是件非常好的事，認為是做善事。但是如果問大家慰靈的對象是否包含當地的亡靈時，這樣的想法就會

發生動搖。看到之前所未見的，感到困惑。透過鏡子所能發現到的，便是這個關係。

戴：只是，如同現在大野先生所說的，慰靈祭中的「慰靈」，當然存在著自己是戰爭受害者的意識。

但除此之外，我認為日本佛教，或者說放諸流水的日本審美感，不是與這種想法也有關係嗎？例如，有個非常有趣的例子，鎌倉有一間寺廟奉祀著攻打日本的元寇……

鶴見：神風的元寇嗎？

戴：嗯……我不記得是在報紙上看到的，還是從記者那裡聽來的，好像是中國大使館的人去鎌倉玩，一行人問寺方奉祀的是誰，住持回答包括蒙古人在內的陣亡將士。聽到這回答，中國大使館的人就反問：「蒙古人那時對你們來說不是侵略者嗎？為什麼還要祭祀侵略者？」住持因而回答：「不，這不正是佛教的精神所在！」與佛教的審美感、價值觀，我想有某種程度的關係。

大野：因此在觀光旅行時，並非只遊山玩水的觀光，也順便慰靈，說起來辦慰靈祭的舉動，有點像是自我肯定的感覺。

戴：同時，弔祭戰死者的靈魂，我總覺得也是種世界性祭禮。每個國家的總統、元首如果出國，一定會在無名戰士墓前叩頭行禮，他們叩頭時，心中到底在想什麼，我真的很好奇！

安：問題如果只停留在慰靈祭層面的話，還算有點可愛，日本人到處辦慰靈祭，有意識地尋找古戰場祭祀，這不知是否可能也與靖國神社法案有直接的關聯性？

鶴見：確實可能有關聯。

安：如此一來，可能會變成軍國主義的跳板，這問題，畢竟

還是必須要檢討一下。

此外，說到關於日本人的亞洲觀光旅行，大野先生，你去首爾時，應也看到市中站著身穿迷彩服的武裝士兵，及停在街上的戰車。所看到的光景，在在都讓人想起戰前日本。據說日本人去年全年有將近四十萬人到韓國去，日本觀光客是以怎樣心情觀看這樣的光景？如果覺得眼中所見正是自己分身的亡靈，有這種感受的話，也算是一面鏡子，一面反面教師的鏡子。然而，對這點至今仍未有人提出強調。同時，成群結隊地湧到韓國的日本人觀光客們，對韓國人心裡做何反應，也毫不關心。

韓國方面，恐怕他們就算碰到日本人，也很難說出真心話。但是，我讀了一些文章，這些資料或可視為韓國人內心的告白；舉例來說，首爾的東急大飯店，有98%的資金是東急提供的，雖然表面上日、韓的投資金額是各半。類似的現象，僅以飯店來說，首爾現在便已陸陸續續蓋了20到30間。其中大概有60%以上是日本資金。而隨著這種現象的發生，風景區、文教區等種種的管制，也不斷地被破壞掉。更嚴重的是，為了收留日本的觀光客，整個文教區全被鏟除，新蓋起的建築由阿哥哥舞廳到大飯店一應俱全。這些都是韓國的報社記者所寫、所介紹的東西。

這樣的現象，在韓國的民眾中，現在變成了反日運動或是反日情緒的基礎之一。朝鮮發生的反日運動，與其他國家相比，倒有些不同。

鶴見：不一樣，是非常的不一樣。

安：雖然不同，但有一部分恐怕是因為相乘作用發生效應的關係。不久之前，韓國人對待日本人觀光客還笑咪咪的，總是帶

著可能轉化成其他情感的笑臉；而現在，只是顯出另一副臉孔而已，我是這樣看的，對這一點，日本人觀光客能理解多少呢？

　　幾乎不理解不是嗎？在首爾所看到的情景，所住的飯店，就已蘊涵著問題；即使已有鏡子，日本人也無法從中汲取任何教訓，只能說讓人覺得很無力。另一方面，日本的大眾媒體，現在盛行著討論南北韓問題。然而，有因此理解什麼東西嗎？我覺得似乎無法理解。頂多是下了個「韓國是可怕的地方」之類的評語。

　　如此，將日常生活的問題，無釐頭地突然連結到更大的問題上，不知該說是性急，還是老好人。其他還有類似的例子，我曾參加某次集會，剛好是舉辦在朴正熙遇刺事件發生的大前天夜裡。我在集會中說了不少話，但有些人的提問令人相當困擾。

　　有人不久前才到首爾去待了幾個星期。在那邊遇到幾個民青學連系的學生在集會，就立刻提出，說他們那樣說，這樣說之類的。而當時他們的發言相當慷慨激昂，說朴正熙快倒了，革命應如何進行云云。然而，他們遇到的是否真的是民青學連系的學生，還十分有疑問。他們只稍微去一下，立刻就會下結論，好像什麼都知道了似的。

　　接下來再說個例子，幾個隸屬某拍攝電視節目團體的年輕人來找我，說日本的公害企業發展到韓國與朴正熙互相利用勾結，因此想要到韓國去拍攝這種互相勾結的狀態，揭發日本大企業如何散播公害。當我一問他們，你們具體的追蹤的對象是哪家企業時，他們立刻回答目標是「大昭和製紙」。因而我告訴他們，大昭和製紙的總公司在富士市，而在富士市，該公司又引發何種狀

況？富士市的市民如何抵制大昭和製紙？你們當然必須先調查過日本內部發生的問題，必須研究大昭和製紙在日本受到市民怎樣的抵制，然後怎樣到韓國投資。韓國的民眾恐怕也清楚公害的相關問題，但在清楚這些問題下，又接受大昭和製紙前往設廠，是因為韓國有怎樣的檢查機制？大昭和製紙被如何接受檢查，以及在怎樣的狀況下該公司欺瞞眾人？你們必須調查到這地步。我問他們是否調查了日本方面的問題，他們回答說什麼都沒調查。總之，他們打算就抱著資料，直接到某個國家去，揭露日本的企業如何地以經濟侵略外國，因此不可原諒，大家必須趕快阻止。我告訴他們，自己腳邊的東西先好好調查。韓國的事，韓國的民眾遇到問題會自己做，最後他們帶著忿忿不平的神色回去。

　　對自己的問題視而不見，在隨意且逕自的善意下，立刻踏出國門去。我想對從事救援金大中、金芝河運動的人們說，即使是金大中或韓國的在野黨，也許也包含金芝河在內，他們共通的意識形態基礎是反共。因此，這些抱著反共意識的人們，反對主張反共的朴正熙，進行民主化抗爭，其中代表著什麼意義？他們應該思考這個問題，並思考這些人的反共意識形態與朝鮮民主主義人民共和國——這一邊是社會主義——如何對應，再從事救援運動才是。金芝河的話，以他現在的意識形態來看，即使變成共和國體制，他也可能會同樣地「抵抗」也說不定。我告訴他們，在邏輯上，必須以這些為前提，他們反而露出非常意外的表情。那表情像是說，這傢伙非常可疑，而反過來懷疑我的思想。

　　戴：如剛剛安先生所說的，現在日本的年輕人，以這種武斷型的行動家特別多。作家小田實不知何時曾在報上寫過一篇文

章，主張由亞洲的吃飯方式開始認識亞洲，有個學生很有趣，讀了他的文章，馬上就要去東南亞待一個禮拜，只是專心觀察東南亞人吃飯的方式及煮飯的方式。（笑）

還真是敗給他了。在行動力上，倒是值得稱讚，但無視內在的關係，只是有勇無謀地飛奔出國，我想外國也很頭痛。年輕人如此，政治界、財經界的大人物也有這樣的缺點。例如，貿易大學或在最近國際協力大學的設立為例也可以看到，對外的國際化，異常熱心於以歐美為重點的對外國際化，但對內的「國際化」，卻不知是視而不見，還是毫不在乎。他們似乎無法理解如果沒有內在的「國際化」為基礎的話，是無法達成真正的對外國際化，實在遺憾！

鶴見：在日本舉一會反十，非常令人頭痛。為何這麼急性子！

安：加藤周一在很久以前曾寫過，「日本人不知為何，一面倒類型的人多得離譜。」一有什麼，大家馬上往同一邊跑。

戴：我想把話題稍稍轉回剛才大野先生所說的粗暴論上。我覺得以一元論的方式剖析粗暴論不大好。粗暴有二種型式。一種是基於人性的弱點所產生的粗暴，例如看到女孩子就搭訕一下、吹個口哨，或做一些低級的舉動，這種是源自人性弱點的粗暴；另一種粗暴的型式源自日本傳統上對亞洲的蔑視，或者說對朝鮮人和中國人的蔑視。這兩種粗暴我覺得必須區分開來。人性弱點上的粗暴，美國人、朝鮮人、中國人身上，當然也看得到。

安：確實看得到這類的舉止。

戴：因此，由於將這兩種粗暴以一元論的方式討論，有些層

面，批判便沒有反應。我有這樣的感覺。

鶴見：讀了日本人批判的文章，有些因為找到可以套用批判模式的人，而自己與此模式無關而安心起來。

戴：日本人態度論的另一個問題，是我的個人經驗。例如，入管鬥爭〔譯註：發生於1970年代的反入國管理法之社會運動〕最激烈的時候，有人來找我，對我說，戴先生，你雖然寫了很多東西，為何不對入管鬥爭發言？為何不參加集會？是你怕法務省找你麻煩是不是？

我怕不怕、會不會被趕出日本，姑且不論這樣的問題；我首先問對方，大家是為了什麼從事社會運動？如此一來，他們便這樣回答：我們是為了保護劉彩品，為了聲援在日朝鮮人、中國人而參與運動。他們這麼一說，我就說不對，入國管理法是好是壞，不正是每個日本人的選擇問題？如果說大家贊成或反對這條法律，是因為這條法律就日本的民主主義而言並不恰當，或者說是認為若想要在世界中與其他民族正常交往，入管法的現在樣貌有不良影響，或者說不完備，這樣的理由我都可以了解。但你們一開始卻說反對入管法是為了朝鮮人、為了中國人，算了吧。因此我不需要回答你們一開始的問題。我對他們說，請研究後再來。之後他們就不再來了。

像這樣，完全不審視自己內在的問題，只會拿著施恩於人的大旗行動，即是個大問題。因此，我們一起在平凡社出版的書，標題為何不是「亞洲之中的日本」，而是「日本之中的亞洲」，很多人感到不可思議，而且不大能理解。許多人即使讀過，也無法理解我們的用意，實在很令人難過。

安：關於這點，有件事我覺得非常有意思，講「有意思」可能會遭人誤解。早川及太刀川兩位在韓國遭受逮捕的日本人，據說他們在一審階段，期待日本政府能為他們出力，這點我覺得很有意思。他們回到日本，大概屬於反體制陣營吧！而且，大概也是因為施恩於人的心態才去韓國的。然而，到了國外，身陷囹圄之際，卻要日本的政府體制幫助他們，又絲毫不覺得矛盾。這種現象確實可怕。對國外的狀況不清楚的話，有可能被迫做不實談話、被套話，即使與金芝河、韓國學生在法庭上的態度相比，他們兩人的表現不得不讓人擔心。早川與太刀川兩人還有日本這個地方可以回來，韓國人卻沒有，這個差異很清楚的顯現出來。

──：這在《討論日本之中的亞洲》中，某種意義上，裡頭的發言成了預言，戴先生不是在書裡說了：「多管閒事不管是左派還是右派，都敬謝不敏。」早川與太刀川兩人正是左派，這也使韓國本身奔向極端國家主義的契機之一。

鶴見：這問題十分有趣。而且在早川、太刀川事件發生後，我覺得自己說不定也會變得像早川、太刀川一樣。

戴：鶴見先生，你十分可能喔。（笑）

鶴見：不，就在菲律賓馬尼拉灣填海造陸的納沃達斯市（Navotas）事件發生時，針對這個問題打電話給與當地有關的企業，有人便受威脅，你難不成也想重蹈早川、太刀川的覆轍？因此，我想這家公司可能在當地有那方面的關係。

所以，如果我變成那樣，第一時間還是不得不努力向日本大使館施加壓力，要他們好好硬起來。可是，接下來呢？還是不能不去與體制做了結不行……

再加上，在韓國被捕，如果全靠日本政府的保護、政治折衝，結果便淪為背叛韓國民眾，而且也背叛了日本的民眾，或者說運動。因此，這方面的問題十分棘手。拖拖拉拉、毫不乾脆的話，反而會完全被自己所反對的體制利用。因此，早川、太刀川兩人，不只為了受壓抑的韓國民眾，反而也必須為了日本的民主主義努力。

安：確實如此沒錯。

大野：台灣觀光局曾與日本的觀光協會一同召開懇談會。席間同行的一人，問了一個問題，說為什麼女性來「進攻」多到令人心煩？台灣觀光局的幹部回答說，這是因為日本的旅行業者以性消費為前提，招攬日本的觀光客過來。因為這個關係，我們這邊的業者，為了面對這個態勢，不得不做因應。他們回答觀光的基礎是建立在此種關係上，確實這關係是一大原因，但同時，對一個觀光旅行者而言，也不可否認，有被推銷的感覺。在這方面，日本人被批判是尋芳客，與實際經驗是有落差的。「反省」往往流於表面的理由，不也出於這原因嗎？

鶴見：性外交已完全產業化了。並不是只有日本人才特別好女色。

戴：確實如此。

安：這些性工作者，自我評價，說自己是「爭取外匯第一線部隊」。

戴：這與從前日本天草的女性類似。反對性產業的人，總只能講出倫理方面的理由。

安：日本與亞洲的關係是個與這問題糾纏在一起的奇妙現

象，這是事實。在飯店中，只穿著一件長內褲便到處晃的日本人，看到女性就上前搭訕，有這種輕佻的現象才會不斷的擴大。

戴：這某方面，是因為亞洲各國上流階級的子女，太過依賴日本的反對運動，他們不曉得日本女性養尊處優，這些反對運動是建立在日本女性潔癖觀與倫理觀，因此忽略了產生性觀光的本質層面的問題。

安：當然有這層面的問題。

鶴見：由這層意義來看，我認為在態度論上還有另一個問題，日本對亞洲雖然有態度論上的問題，但亞洲一方，對日本也存在著態度論上的問題。太過仰賴日本的態度的傾向非常強。

安：這倒是十分明顯。

鶴見：因此，對這一點，戴先生在《討論日本之中的亞洲》曾說過一個問題，「被殖民地化者之中，存在著被殖民地化的軟弱。」為何只有台灣被殖民地化呢？思考這問題，我覺得如要追根究柢必須由亞洲和日本雙方同時並進。

戴：這問題與剛才鶴見先生所說的菲律賓的問題也有關係，雖說大家都說要回到原點，但問題出在哪裡才是原點？只有深入追究，才能發現自我認同的原點，同時才能建構、確立自己的主體性。

如何變革？

鶴見：思考日本與亞洲的關係，我們不應該只將問題還原於個人層面的態度問題，而必須更進一步探討如何尋求兩者關係結

構的根本改變。我認為在試圖改變日本與亞洲關係結構的想法中，可區分成兩種明顯不同的志向。第一類對各國國內的階級關係乃至權力關係，總而言之，就是視而不見，僅試圖調整國家間的關係。左派的議論中，也有相當多這種想法，但具體來說，諸如現代總研所提出的各種主張正屬此類，而努力想制訂各種投資憲章、投資導覽的日本企業、資本，也很明顯有這種趨向。

　　或者換個說法，地域經濟圈的構想、產業分配論等，正是最好的具體例子。這類的議論，主張日本只保留腦力集約的部門，或者說知識集約的部門，其他勞動集約的部門，則遷往第三世界或發展中國家之類的地方去。除此之外，長洲一二先生的看法如下，他提出「1970年代樓梯間說」，他主張日本爬樓梯到現在這個階段，為了往上爬，便必須邀其他國家一起，或等候其他國家。在他認為，1970年代不過是發展途中的一段樓梯間。

　　一般來說，這類的議論，特徵在於對日本國內，舉凡社會、政治、階級上的問題，都暫時擱下不論，對外國的內部問題，也以保留現況為前提，只著眼於調整國家與國家間的關係。

　　除此之外的第二類議論，與第一類剛好成對比，這類的議論將不同國家、社會內部的變化，與不同社會乃至不同民族與民族關係的變化，聯動起來一起思考。雖然我也贊同第二類的議論，但若論起實際的問題，這類議論在目前這時間點非常薄弱。總之，不知是氣勢不足還是對其他具體、實質的探求還不夠。例如，日本的左翼或者說所謂革新陣營的團體，要舉實例的話，類似總評之類的組織也好，說是社會黨、共產黨也好，如果問這些組織中是否有提出什麼具體的議論、實質的計畫？我想是完全沒

有。大野先生你認為如何？

大野：如何理解日本與亞洲之關係結構，我不知是否能回答這問題，但我認為最近特別需要這樣的觀點。

這是因為，日本的外交，特別是與近鄰的關係，最近常常發生狀況。在與台灣的關係方面有航空協定的問題，還有與韓國間最近發生的一連串問題。這些狀況看來，與日本的經濟侵略，或者說「擴張」，層次又稍有不同。這些事態，一方面，畢竟是由日本與中華人民共和國建交所引起的；另一方面又發生以前的「友邦」關係，變成不再是「友邦」的狀況。這點，最有趣的是《東亞日報》的介紹中提到，「日本採取中立政策，但不能看成獨獨與我國（指大韓民國）間的友邦關係」。所有問題的關鍵都在這裡吧！觀察最近韓國的要求——政府的要求——總而言之，就是要求日本政府取締朝鮮總聯〔譯註：即旅日朝鮮人總聯合會，簡稱總聯或朝總聯，屬於北韓的團體〕，嚴禁一切反南韓的舉止。亦即要求日本政府明確地表明「友邦」的立場。這也牽涉到日本戰後國內法的問題。這現象前所未見，是在冷戰結構的前提下產生的！

我認為不管是對日本的外交，還是對日本人與亞洲的接觸而言，這都是戰後才發生的問題。

鶴見：我大量涉獵戰時日本軍人有關東南亞的戰記類，以及美國的戰略資料、日本參謀本部的資料、海軍軍令部上陳給參謀本部的資料。日美雙方一貫的是，所謂的東南亞，由美國一方來看，他們關心的是如何看待東南亞與日本、英國的關係？換句話說，他們只把東南亞當作東西或場所看待。日本這一方，在這點

上也完全相同。把東南亞視作擺布於戰略中的物品。說起美國，大約到1960年代末期，都還持續抱著這種「物品」觀。換句話說，越戰是這種「物品」觀的轉捩點。越戰剛開打之初，美國人與其說是認為在與越南人作戰，不如說是認為是在與蘇聯、中國作戰，把越戰物化。

但是這種態度大錯特錯，之後開始出現的言論，總之，在在提醒美國人，越南人也是人、我們打仗的對手也是有血有肉的。因此，我認為現在美國所面對的感覺是，第三世界中，在這樣的地方中，也有「人」存在。如何把他們拉進自己的陣營，如果失敗的話，超級大國美國也就垮了。因此，日本雖然後知後覺，回到大野先生剛剛說的話，朝鮮半島，不管是北韓還是南韓，也都存在著「人」。不管是中國大陸，還是台灣，也都存在著「人」。事態的演變，會讓日本人不得不與其他國家的人接觸。至今的輿論，都未將韓國、東南亞的人，視作「人」來看待，真的！大家都只當作是「物品」、「地方」或者「產物」來看。

戴：如果以歷史教訓的角度來看問題，美國所受越戰的教訓，其實日本在「八一五」中已經驗過了。甲午戰爭以及殖民台灣、朝鮮，說起來都只是日本與當時的腐敗政權之間的戰爭。台灣雖然發生抗日游擊戰，朝鮮人也發生激烈的抵抗運動，但當時的歷史階段，卻都未發展到全民族性的抗日運動。然而，為了對抗日本帝國主義加諸的壓力與動作，中國的民眾漸漸覺醒，抵抗外來壓力，內部強化團結。在這新階段的戰爭，也就是所謂的民族戰爭，轉化成整個民族與日本軍閥的戰爭。

所以本來啊，歷史教訓在日本的歷史上早已有了。對覺醒的

民族興起整個民族規模的戰爭，帝國主義一定是戰敗的一方，我認為美國在越戰中的敗退，正是因為無法汲取世界史的階段性歷史教訓。

大野：說到理解反日情緒方式，出現在日本的、批判日本人態度好壞的所謂日本人批判，與出現在韓國等亞洲諸國的、源自於現實關係的批判，有些地方不大相同。這類的批判與日本的經濟，或者說與我們日本人的維生方式大前提的關係很深，因此，往往以現實問題、以日本今後的生存方式，或者日本人的生活問題的方式呈現。這一方面的相關議論，現在正進行當中，這也是我們日本人吃飯方式的問題，因此非常難處理。這也是政府、企業所進行的事，與如何掌握自己與政府、企業之間關係的問題。

戴：關於這方面，我想請教安先生，剛才大野先生不是說《東亞日報》提到日本應該提供友邦之誼，搗碎朝鮮總聯之類的嗎？搗碎朝鮮總聯，姑且不論好壞等價值判斷的問題，這樣的說話方式，真的百分之百是韓國政要的真心話嗎？還是只當作一種政治手段利用？我搞不清楚！如果是當作政治手段的話，這種說話方式算是一種要脅，反而會引起日本一般民眾的反感。

安：已經引起反感了。

戴：一般會認為，到底在講什麼。

因此，我想探討的是，鶴見先生方才雖然說東南亞被物化，但對由強權政治角度來分析的人而言，多極化，也就是以力量為基礎以極去區分，將人捨棄。另一方是無視「極」，只以倫理的角度來論述，變成一種理念論。

鶴見：倫理，或者是做為幻想的民眾性！

　　戴：沒錯！事實上，這兩方的互動造成世界的變動。在這層意義上，到底現在韓國的邏輯是什麼？是倫理嗎？還是強權政治？

　　安：搗碎朝鮮總聯乃無理的要求，不可能被允許。這事暫且不論的話，寫出此論調的人之中，相當多的人還是屬於反朴正熙勢力。總之，他們因而顯現最激進的一面。這激進面，如果問起在韓國或者整個朝鮮的政治意識形態上到底要歸類何方？反而應該說是屬於右翼民族主義的勢力。然而，這類的言論擁有雙重結構，有時又會在外面包一層糯米紙，裝作非常進步的外貌。

　　反過來說，韓國所謂的反日運動、反日示威，本身也擁有雙層結構。總之，就是擁有在現象面上要求搗碎朝鮮總聯，或是要求日本善盡友邦之誼的態度，有著如此法西斯的一面，與反對日本經濟侵略進步的一面。事實上，關於前者，如果不是日本的保守勢力這陣子衰弱不振，我想與韓國的右翼民族主義的步調會非常一致。日本與韓國像是連體嬰一般，換句話說，可以理解成類似德國的納粹與義大利的法西斯。

　　在韓國右翼民族主義能夠成長，我認為與韓國國內的資本結構或者累積遠優於東南亞其他國家，訂定個人全年所得達1,000美金的目標，賺取百億美金的外匯實績不無關係。更明白的說，所謂的「新村運動」，朴正熙推動的農村改革，相對的算是進行順利——雖說我認為與日本的農村相同，最後終將走向荒廢——再加上，重工業陸續整備妥當，韓國民眾自身支持朴正熙的一部分，也逐漸變成了培育右翼民族主義的基礎。因此，即使現時韓國國內的反日運動與東南亞的反日運動類似，但事實上，在刺激

日本的法西斯化同時，韓國也蘊涵著愈來愈朝右翼民族主義的危險道路邁進的一面。

　　——：雖是題外話，大野先生前面說過在首爾，大約二十人中，舉止粗暴的頂多二至三人，說不定有四至五人，這個比例吧！然而，在這之中，也會有一兩人左右，雖說與剛才提到的鏡子不同，在一瞬間掌握到改變類似自己生存方式的要素，我想也有一部分人是這樣子的。

　　此外，剛才戴先生說了「人語」，或許可改稱為「亞洲人語」，在面臨如何因應「亞洲人語」，傾聽「人語」後該如何行動等問題時，日本的民眾恐怕無法全變成平凡的白領階級的社會運動家或是研究家。現實如此！只要一不小心，又會再變成與早川、太刀川同樣的境遇。在這種狀況下，使用「亞洲人語」的每個亞洲人，希望能對日本平均的普通白領階級說些什麼？期待日本人有什麼行動？

　　我們希望能聽到亞洲人對日本人的期望，或者說「亞洲人語」，這些言語能使我們點頭同意，讓日本平均的白領階級能領悟的期望。我想請教這「亞洲人語」到底是什麼，從接觸的範圍來說。

　　大野：我認為不需要特地談什麼亞洲，我們需要的是在日常生活中承認異質性，或者說日本人自己清楚地相互自覺到，日本社會、社會集團中存在著異質性。在企業的一體感中封閉自己的視野，又想要同時睜開眼睛面對亞洲，這是辦不到的事情。在日常的生活方式中建構這種精神結構或許與亞洲沒有直接關係，但對日本人來說，卻是非常重要的課題。

鶴見：對剛才的質詢，我不清楚亞洲人對我們有什麼期待，但我可以說，我想這樣做。而這可從兩個方面來說，一是就個人而言，我們無法全部認識為數龐大的亞洲大眾，但總之在自己個人認識的範圍，我們若認識泰國的某個人、菲律賓的某個人、印尼的某個人，與他深交，絕對不背叛對方，就只是這樣一回事！對方覺得我是說到做到只這一點，同時也是最終點。

另一方面，明確地說，我覺得結構上的理解，無論如何還是有必要的。總之，在某層意義上，就是必須對日本這國家與亞洲各國形成關係結構的理解。例如日本，比如在曼谷蓋了間工廠，我們會想，這對你們國家的人也有利。有時狀況複雜，對公司有利，未必對對方有利。這種時候，我們自己該如何處身其中？有結構性的理解，比較能讓我們的判斷，不致背叛亞洲人這「他分」。因此，明白地說，意識形態並非天生，而是後來的產物；結果，我們必須盡心盡力的，不就是以己度人，必須不背叛對方？

戴：在這裡，我想說明一點，大野先生所說的承認國內的異質性，或許不是亞洲的問題，但我認為，其實這直接就是亞洲的問題了。因此，現在羅馬俱樂部之類團體，倡導在人類共同體的層次，以及全球性的警告世人核子公害、人口、資源危機等問題，這些行動都可理解為人類全球規模的內部告發。不認同這樣的內部告發，地球終將沉沒。

因此，不好意思，接下來我要說的話非常地理念化，我想站在民眾的角度，重新組織並發展羅馬俱樂部的理念而且使之擴展。不管是日本國內還是個別的企業，現代史發展到現在，已到

了只能透過允許內部告發的運作，才有辦法殘存下去的狀況，體制與個人都要認清，只有包容異質的世界觀、人類觀，才能讓日本、亞洲、地球等人類共同體，成長得更為豐碩，這是人類的睿智。不久前的日本帝國，越戰中美國所得的教訓，都告訴我們，異質是無法透過武力征服的。因此，如何緩和與亞洲之間的緊張關係，這個日本當今面臨的問題，與包容異質的生活方式直接相關。

鶴見：戴先生這裡的主張，我有相當不同的看法──對於內部告發一事！

戴：因此，我才一開始就講明，這是理念論！

鶴見：確實，在資本主義的陣營，不包容內部告發不行。但是，理念自身不會去行動。將理念做為變革的主體，民眾要據為己有，理念必須變成民眾的所有物，怎樣才能讓理念成為民眾的所有物……

戴：我現在所說的，是不分體制內外的理念論。除此之外，反體制的一方，也就是試圖推動秩序變革的一方，這陣營該如何奪取領導權的問題。

安：確是如此！

戴：或者說，政權該如何維續生命力的問題。就是這樣一回事！

鶴見先生，實踐的部分，是我們研究者發言範疇以外的東西。這樣講或許你會不悅，例如說，竹內好先生很早以前即提出要將明治百年的歷史以民眾的層次加以定位，不然領導權便會被當權派奪走，有這樣的前例不是嗎？

鶴見：早就完完全全被奪走了。

戴：完全是嗎？那麼，如大野先生的《昭和五十年──挫折與再生》這本書所象徵的，圍繞昭和時代50年，大眾媒體的詮釋不是將會很精采！先不管媒體的問題，昭和50年之後，日本的生活方式重組的領導權，不是可看作當權與反體制兩方現時交鋒的中心課題？

安：不，那也已逐漸被當權派奪走了！

戴：我也感覺他們占優勢。但是，我想說的是，不管重組的領導權握在誰手中，這是日本的內政問題，是日本人的問題，像我這樣的外國人，不能干涉這種問題。對我而言，話說得這麼清楚，只這樣便讓我感受到很深的僭越感。

安：嗯，這樣子！沒錯！

未來的亞洲關係

鶴見：我們談了許多的話題，差不多也該把焦點轉到理想論上了。亞洲現在確實存在著許許多多的緊張關係，但若只討論現時點的緊張問題，從人類是創造歷史主體的這一立場來看，不免有所偏頗。反過來說，正因為放眼所見盡是緊張的情勢，我們才應該做一下思想的冒險，探討將來的問題。然而，對日本及亞洲而言，理想何在──理想現在早已沒有了，誰也不願探討理想。雖然當權派批評左派人士一味紙上談兵，不負責任，但是反過來說，當權派所說的，才是對將來的問題毫無責任感可言。

安：沒錯，不只是日本的問題。不管是對哪個國家，都可一

口咬定，你們國家不是這樣子嗎？這樣不是不行嗎？不管是對內也好，對外也好！

　　因此，最好能把所有的人都集中在一個地方，互相辯論，說不定能激盪出什麼東西來。

　　鶴見：最好是能夠召開世界人類大會之類的會議，當然，這樣的會議不可能召開得成。但是，我覺得現代這個年代，即使困難重重，但正因為摩擦、衝突不斷升高，所以才無論如何必須解決。舉例來說，人口問題也是大問題，資源問題也很重要，此外，還有石油等種種問題。

　　安：全都牽涉到民族主義……

　　鶴見：此外，還有文化、傳統等方面的問題。這些問題，大家不集思廣益的話，根本解決不了。但是這種提案，如果由日本提出的話，有可能變成大東亞共榮圈之類的東西。有好像是日本的弱點的東西。

　　安：日本也存在有不會牽涉到大東亞共榮圈的問題。例如核子污染的問題。特別是最近核子實驗很多，日本反而應該更積極提出這個問題。

　　鶴見：嗯，沒錯。核子問題說不定是最好的議題。

　　安：我覺得可以有突破口。而且，假如新大東亞共榮圈之類的企圖也包含在提案之中，立刻會受到其他國家攻擊。因此，我覺得對這問題，日本可以不需要客氣，放手去做！特別是原爆問題，這是日本實際上可以提出的問題。

　　大野：理想往往難以啟齒。之所以如此，不光只是因為理想的實現困難……而是理想面對的問題太過巨大。

　　最近我身邊發生這樣的事情。主角是某大學老師的夫人，這老師的家成了韓國留學生的「現住址」。安先生，這是必須的手續嗎？

　　安：就是保證人。

　　大野：那夫人吃驚的告訴我，「聽留學生說，在日韓國人沒有選舉權！」……

　　安：這夫人真是個幸福的人！

　　大野：雖說幸福，但即便如此，她總也算是比起一般人來更關心社會的人。因此，我告訴她，不管有沒有選舉權，在日外國人都必須納稅，卻無法享受福利政策的恩惠，因為非日本「國民」不得享用福利，我這樣說之後，她又嚇了一跳，說：「是這樣的嗎」？她完全沒發現自己所擁有的親切心與國家政策的乖離。這種人非常多。

　　安：不用說，他們也沒注意到，日本人不願提供宿舍給東南亞來的留學生。

　　大野：即便是要在日本民眾的這種傾向下談理想，如果沒意識到這種傾向本身，便會有問題，什麼理想都說不成。我對這點感到心灰意冷。

　　戴：像剛才大野先生所說的例子所在多有。我也有過類似經驗。我家附近住的都是日本人，那裡是新興的住宅區，居民大多是中產階級。而且，每個人都是好人，也知道我是中國人。然而選舉一到，便有人來拉票。那次候選人的夫人來了。不是革新黨的，而是自民黨的。

　　我對她說：「不，夫人，我們家沒有選舉權。」她也因此嚇

了一跳。只能說：「是嗎？但老師不是有繳稅金嗎？」把稅金與選舉權連起來思考，這當然也是因為日本實施普通選舉時的想法，依舊殘存至今之故。

　　暫且不談選舉權的問題，我們在日外國人，即使與日本人一樣繳納稅金，也不能住進住宅公團的住宅。也進不了都營住宅〔譯註：住宅公團與都營住宅都是日本提供低收入戶之國宅〕。

　　另一方面，那些大人物們，卻拚命倡導日本人必須成為國際人。這是因為在國外受到反彈，不得不表示一下對應的態度而已。但是，剛才也說過，日本列島內的「國際化」卻遭人忽視，被視而不見。因此，日本內的亞洲問題，現在所面臨的是，日本內部同質中的異質部分，以及在日亞洲人的問題，而歐美人的問題不大成為問題。至少，在日本人本身，為了成為國際人，必須推動內部的國際化，這樣的想法、運動如果不產生自日本內部，日本人便不可能成為真正的國際人。遺憾的是，目前的狀況，一般的認知水準停留在如大野先生所說大學教授夫人的程度，庶民大眾連這問題都沒注意到。

　　安：讓我稍微補充一下，戴先生的體驗來自自民黨，我在這次的參議院選舉時，則有得自共產黨員的體驗。我家的牆壁貼了很多共產黨候選人的海報，因此他們才會過來。一見面，我立刻說：「不管你們對我說明幾小時，我都無法投票給你。」他們聽了後，嚇了一跳。「我是朝鮮人，如果你們可以給我選舉權的話，要我怎麼投都行。我自出生便沒有住過日本以外的國家，但卻一次投票的經驗也沒有，能讓我投個一次嗎？」我開玩笑地如此一說，他們立刻打消遊說的念頭。連共產黨黨員也不曉得在日

朝鮮人沒有選舉權。而且，聽了我的話後，他們立刻打道回府。
（笑）連為何沒有選舉權也不問。

大野：和推銷員沒兩樣嘛！

安：而且，我們也真的有好好的繳稅！不管是在日朝鮮人還是在日中國人都一樣，都進不了日本的住宅公團、公營住宅。在申請書上就會要你填明國籍。

然而，大野先生你不妨再問一次那大學教授夫人看看，看她知不知道在日朝鮮人沒有自由出國的權利。知道這件事，恐怕她會再大吃一次驚。反而是來自國外的留學生，或是李恢成〔譯註：在日朝鮮人作家，早稻田大學畢業，曾獲芥川賞〕所說的，與「不管北韓或南韓」與政權有關係的人，總之會有可能性。但沒有這種管道的朝鮮人，出個國也不行。總之，只能說是日本的俘虜，一直以來像是被密封在罐子裡。

說起我個人對未來展望，不久的將來，北韓恐怕也會與日本締結邦交。如此一來，現在所使用的「朝鮮」這名稱，按日本政府的官方見解，至今都不承認這是國名，只承認是記號。我是記號人！而且，像我這種記號人，出生在世的，在現實中很多。當然，也遺留下如何處理這些人的問題。

事實上，對我來說，金芝河的問題雖然很重要，但這問題更為迫切。

鶴見：剛才大野先生提到，若對現代的不良傾向毫不掛意，則無法討論理想論。但是，我覺得正因為有現在這樣的傾向，及現狀如此，反過來說才必須討論理想。

例如，剛剛所說的投票權問題也是如此。以及，例如方才也

提到，該如何與亞洲相處的問題，政府還是主張產業分配論，打算之後創造一個經濟圈，打開天窗說亮話，這種主張就是打算把亞洲人當作工業勞動者使用！正因為日本淪為美國的承包人，在幹這種事。另外，左派以何種方式思考未來？就現狀而言，幾乎是完全沒在思考。

除此之外，共產黨的公害對策要我們使用含硫磺成分少的石油。但硫磺成分少的石油生產國家，不過中國、印尼等寥寥數國，而且產量也不是非常多。這些國家若將石油賣給日本，那印尼、馬來西亞本國的石油消費，只有使用從中東買來的石油。如此一來，共產黨的公害對策，只不過是在日本以外的地方製造更多公害而已！是以這種貧乏的方式構思日本與亞洲的未來！

關於日本與亞洲的未來論，因為現實如此，站在民眾的角度談未來論，如說是未來論，有一些語病。理想論，我們不是需要我所定義的理想論嗎？總之，說明白點的，理想，亦或是鏡子，我們必須打造做為鏡子的理想。

戴：預見未來的鏡子……。

鶴見：沒錯，我主張必須打造預見未來的鏡子！

由於時間已相當晚了，先請大野先生以產業記者的身分發言，再請戴先生以在日亞洲人、研究者的身分發言，之後再請安先生以同樣的身分發言，最後則換我這個如同街頭藝人般的研究者；除此之外，也請各位以一句話簡單介紹往後自己的計畫如何？先請大野先生開始！

大野：日本企業、產業的未來走向，在相關亞洲諸國的實際事務上，愈來愈多白領階級內心躊躇不安，覺得這樣下去好嗎？

鶴見：沒錯，我也這樣認為。

大野：例如，就我今年所經驗到的，派往菲律賓的日本上班族，對當地的感想，就我所見，大概有五成覺得貧富差距過大、失業者多，而且百業待舉，日本應該更多加援助，這是最多的感想；有三至四成的人會對什麼是幸福這種基本問題感到疑問；剩下的一、二成是不久將長期派駐在菲律賓的外派人員。這些人是公司派往當地做預備研修……

鶴見：被公司派去的。

大野：正是這類的人。周圍的人祝福他們，說他們很棒。但是，當事人卻表示，老實說我即使到這裡來，也不教人技術。這裡的人，個個上進心都很強，在這裡教了他們，我們馬上會被趕上，這樣一來我們公司的優勢就會消失；因此要盡量不教他們，只使用他們的勞動力。做為這種負責人，其實我感到憂心忡忡。這類人或許不到一成，但也占了百分之五左右。我希望他們能超越一家企業員工的立場，擴展他們的視野。對亞洲的同伴一視同仁的企業人，必須更加增多才行。

另外，還有一點與其說是理想論，不如說好像是空想論，國與國之間，畢竟還是有隔閡、緊張等之類的問題，如從這一角度來看，更廣泛的混血不就好了。例如，日本人到韓國去，常說韓國女性的身材很好；到台灣去，也常稱讚台灣女性很棒；到菲律賓去，也對菲律賓女性稱讚有加。特別是各國女性的美，對實際接觸到的日本青年來說，很具有吸引力。我覺得，在個人對美的感受、憧憬之前，民族的壁壘，未必高不可攀。提到國際通婚，我們往往立即想到日本人與美國人結婚、日本人與法國人結婚，

彼此習慣如何不同云云；但我覺得，國際通婚，不也有往亞洲更加推廣的可能性？如此一來，血緣主義式的國籍意識，將有巨大的改變。這完全是無責任的推測論、未來論，但不也是我們要更加注意的要素？

安：很有意思！

戴：做為一個研究者，在我的專業領域範疇之外，我希望能以更正確、更客觀的方式，如實地傳達給日本的納稅人，也就是日本國民，告訴所有的人，東南亞民眾今日、現在所擁有的是得以延續到明日的時代精神！這工作，我認為即使不起眼，也必須持續地做下去。我也盼望自己能為這工作提供助益。

鶴見：我想做的事，大野先生剛才說的，都幾乎說完了。對我自己而言，無論如何，我希望自己莫因善小而不為！自己所知道的、感受到的，如果一味地敝帚自珍，不是完全無法改變狀況嗎？所以，首先必須傳達給大眾。但不管怎麼說，我認為剛才所說的，不背叛亞洲人的信任，這種身邊小事，必須多加重視才是。

戴：日本今後與東亞、東南亞，已不知是孽緣還是什麼緣，不同舟共濟的話很明顯的會一同沉沒。因此，我認為在大學中，不能光舉辦歐美講座，也必須多舉辦一些亞洲關係講座。像中國有八億人口，世界人口中五人中便有一人是中國人。日本有這樣的鄰居在旁邊，雖然安先生說，日本中國研究者的人數比朝鮮研究者多，但，百分之百討論中國關係的講座，在日本卻沒幾個，這是今後困擾的事。這種事由我這外國人來開口，是非常的僭越無禮。身為日本人的各位，如果還不積極重視這件事，會跟不上

狀況。

　　大野：我在相模原舉辦的自衛隊研究會，討論過一個主題，現在有將近一萬名自衛隊隊員學習朝鮮語，這有何意義？一方面，也與政府的推動有關吧！

　　安：在那裡教朝鮮語的，聽說很多是舊朝鮮總督府有關的特高警察。

　　鶴見：是警察的人嘛！

　　安：而且，據說修完自衛隊的朝鮮語班後，可以升學進入天理大學的朝鮮語科，做最後的修業。

　　大野：這麼說來，我所用的朝鮮語文法教科書，也是天理大學出版的。

　　安：所以，天理大學具有這種形式的功能。因此，天理大學一方面令人十分頭痛；另一方面，朝鮮關係的資料，也是最豐富的。

　　鶴見：下一個輪到安先生了！

　　安：我雖說是朝鮮人，但卻是日本產的。

　　鶴見：即使日本產也是朝鮮人吧……。

　　安：那沒什麼兩樣。在昭和20年時，朝鮮族據說有2,000萬人，這30年間，增加到5,000萬人，以現在南北韓合計的話。

　　這5,000萬人，與中國的8億、日本的1億合計的話，光只東亞三國，人口數就不得了了。而這些人口，好壞不論，又與東南亞關係錯綜複雜，仔細思量的話，意義十分深遠。因此，特別是朝鮮與日本的關係非常複雜，在這一點上，我首先希望朝鮮的統一，對身處日本的朝鮮人能讓日本人如何參與而有幫助。不管這

統一是以何種形式實現，都比南北分裂的狀況好。分裂成兩國，不是好事。

　　除此之外，還有一點，我雖然是第二代，但接下來還會衍生到第三代、四代。因此，我希望我自己的生存方式，以及日本第二代、三代的朝鮮人的存在意義，能刺激日本人思考其中的涵義！在日本大聲談論朝鮮的統一，以及朝鮮的政治動向，是非常不得體的事。而且，也可能被祖國的人罵，說我們靠分吃日本經濟的高度成長的殘渣維生，有什麼資格高談闊論！無疑的我們無法負起主體性的角色。不過，即使不是主體性的，我想在日本的我們應該也有我們的角色吧！因此，我個人是日本產，日本畢竟是我出生的故鄉。在這意義上，我必須以在日朝鮮人身分，以嚴厲的眼光率直地說出我對朝鮮與日本的友好，以及亞洲問題的想法，這是我回報日本的方式之一！

　　──：耽誤各位寶貴時間，謝謝各位！

本文原收錄於鶴見良行編，《アジアからの直言》，東京：講談社，1974年12月20日，頁135～200

對西元2000年的摸索
——宇井純vs.戴國煇

◎ 李尚霖譯

時間：1975年1月1日

地點：北海道新聞社

與會：宇井純（反公害抗爭運動先鋒。曾任職於日本ZEON。參
　　　與此對談時，任東京大學工學部助教）

　　　戴國煇（亞洲經濟研究所調查研究部主任調查研究員）

　　在經歷石油危機與公害洗禮的昭和50年，迎接戰後30年的日本，
正來到劇烈變動的時代。未來愈來愈難預測，好像經濟與生活也誤入
了死胡同。轉換比以往更被嘶喊、什麼樣的未來才有現實的可能性。到
2000年還剩下25年的這個元旦為契機，特別邀請與居民運動共同行動的
宇井純和做為亞洲人之一，一直凝視著日本的戴國煇，就「日本的明
天」進行對談。

沉痛的高成長代價──「公害」、「資源枯竭」的重擔

宇井純（以下簡稱宇井）：對明日日本之預測有兩種看法。一種是站在至今的延長線上，這種看法認為稍微緊縮的話，日本百分之七的年成長率，勉強會持續下去。另一種看法認為自昭和30年代以來，高度成長的沉痛代價如公害等問題將會發作。實際上，二者是糾結並行的。前者因循的前提是我們一如往常取來周遭的資源以利成長，後者則是透過高度成長，大家吃下AF-2*[1]、農藥等會讓子孫發生畸形的毒物，這些影響會如何？我擔心不知是否能活到2000年。未來是有點灰暗。

戴國煇（以下簡稱戴）：我在意的是，日本儘管與美國、英國不同，缺乏物質資源，經濟卻有如此的成長。高度成長的代價推卸方式，不知是否也與其他國家不同？

已無法期許成為「小型的美國」

宇井：在戰後的高度成長當中，日本人在廉價的薪資下工作、儲蓄……。但現在此種作法已行不通，只有在島國中償還代價，或是變成小型美國般。但連這樣都不容易。

戴：沒錯。日本至今內部還無法完全消化這些累積的問題，便向外推出去。但中國已壯大，北韓與越南也都力爭上游，這種作法也行不通。如此一來，日本是不是只有毅然進行核子武裝？

---

*1 AF-2〔2-（2-Furyl）-3-（5-Nitro-2-Furyl）Acrylamidel〕，被證實為有致癌性的食品添加物，在日本曾被廣泛使用。

宇井：不管如何都沒有成功的可能性。然而，說起公害，光化學煙霧的發生成了一種劃時代的區隔。在這之前，被害者都是區域性的，而且是窮苦人家。而這種公害的範圍廣布，包含高級住宅區，連上層的人士也受害了。另外smon病（亞急性脊髓視神經症）也因過度醫療之故，有錢看醫生的人反而容易得病。

戴：更嚴重的是稻米的汞污染。因為這是大家每天都吃的東西。

宇井：漁業也因為沿海岸受污染，而往外海捕魚，但因領海擴大等問題受到國際抵制。日本的前途茫茫，陷於僵局，再沒有比這更適切的象徵了。

近代化路線的失敗

戴：另一方面，東南亞近來因為收音機、電視等的普遍，資訊交流十分旺盛，沉睡至今的人們的意識也開始產生變化。在近代化的名義下由外國引進資本，利用廉價的勞動力以謀求工業化。這種作法因為現在的不景氣而碰壁，近代化的路線面臨失敗。雖然可說是世界性的普遍現象，即人類的調整機能跟不上大量生產的機構。到目前為止都是靠戰爭來打開困境，但如果發生核子戰爭，地球恐怕會毀滅，可見連戰爭也不可行。

宇井：公害也有與南北問題相同的層面。資本與被開發的一方的開發中區域發生對立，這現象在日本之中也發生了。

戴：亞洲的學生也已注意到這點。之前主張「雖說有公害，但我們想要煙囪、汽車」的聲浪很強。這狀況現在明顯改變，開

始感受到由上而下的近代化近似虛妄。去年〔1974〕一月，田中首相在雅加達被抗議民眾圍堵，始終脫不了身，即使如日本的核子動力船「陸奧」發生事故，最後也只能在海上停留，進不了港。如果是以前的話，還可以哄騙，使得上力。話說回來，宇井先生對「陸奧」這件事有何看法？

過度富裕的日本，現在才是火煉真金之時

宇井：說是輻射外洩只是找藉口逃避，但核子反應爐如果100%運作，船內便會充滿輻射，那就如火燒油輪般除了「擊沉」之外別無他法（笑）。技術上還很脆弱，再加上有偷工的問題也變成所謂的資本效率最好，而技術上也無能檢查。

戴：雖然能源發生問題，但找不到替代能源嗎？還是只有依賴核融合？

宇井：技術上有很多困難。再加上我們的技術力事實上極為薄弱。就如同常有人說技術的水準取決於失敗多少次，不做做看不曉得結果。另一方面，設備越大型，失敗的話後果越不堪設想。專家點頭說好就讓它「go」的「陸奧」，便是最好的例子。

戴：如果視消費者為國王的模式再繼續持續下去的話，不知會如何？我最搞不清楚的是面紙，接著是免洗筷。我雖然尊敬日本人愛乾淨，但為何不用能長期使用的漆筷？路旁也常散放著還能使用的電冰箱、錄音機。

漠視資源有限的生活觀

宇井：對於產品使用壽命的想法變得很奇怪。現在大學所教的是，產品如果有長效的部分就降低該處的材質。配合最脆弱的部分，一起縮短使用壽命就是技術，在製作過程中，並不會去考慮資源、勞動力都有限的問題。

戴：說起日本為何能達到這麼富足的生活水準，當然日本人的勤奮也是原因，但另一方面日本非常幸運也是事實。現在也必須承認這些條件都正在消失當中。

宇井：幸運說不定會轉變成不幸、負面要素。

戴：接下來將是尋求日本人真正價值的時候。數年前我曾請教過農林省的官員，他們說：「沒有想過糧食的儲備問題。」沒有儲蓄的餘暇，只是如騎腳踏車般不停地運轉以維持高度成長，然而這卻將停頓，所以是不得了的事情。

建議「北海道獨立」，保護免受收奪與破壞

戴：日本的官僚體制還具有發現內部敵人的活力，或許這也反映在最近盛行的日本人論上，不知曾是駐哪國大使的河崎一郎＊2 的《日本的真面目》〔《素顔の日本》〕，以及另一本《家畜人鴉俘》〔譯註：沼正三，《家畜人ヤプー》〕很暢銷。連像河崎這樣的外務省高級官僚都能夠如此進行內部告發，這是日本民主

＊2 河崎一郎曾任日本駐阿根廷大使。

主義的希望所在。

宇井：還有由海上保安廳官吏進到東京都公害局的田尻宗昭。日本中產階級的人數眾多是一大武器。我到市、町、村等現場去時，遇到很多抱有堅實問題意識的人。

戴：近代雖然統一了所有的矛盾，但沒有必要勉強地統一。外國也有很多寬鬆統一的例子。

宇井：所以我才說「答案在北海道獨立論」。歷史上日本只有一次（死守五稜郭的榎本武揚）採取總統制之地……（笑）。因為隸屬日本的○○市，所以被來自中央的資本搞得亂七八糟。北海道也已被收奪百年以上，現在連鮭魚都沒有。一級到三級產業全被東京的資本連根拔走。如果將這些全課上關稅的話……。

但是，汞、PCB*3在像北海道如此極為乾淨的地方很容易累積。美麗的自然很脆弱。因此，就這意義來說，苫東的開發，東京的人也不應該說三道四的。

戴：與技術的關聯如何？

宇井：之前有東南亞的學生跑來問我：「無公害的開發有可能嗎？」我回答：「最終問題在所有權上。」村裡的人擁有開發的手段，只製造自己必需品的話便不會有公害。

戴：例如能源之類又如何？

---

*3 PCB，又稱多氯聯苯。富含PCB的產品報廢後，所產生揮發的物質會對環境造成危害，尤其以魚和貝殼類容易遭到污染。

即使稍微不便也要忍耐

宇井：大量使用電力、水的話，價格就會變便宜，如果試著調高價格，改變價格體系的話呢？即使僅僅如此，產業的結構也會改變。如能思考合理性分配的話，總會有辦法的！另外，也要縮小生產會造成公害的化學工業要素氯化乙稀基，只要能限制在最低限度使用，也將會有巨大的改變。

此外，剛剛有提到降低生活水準，事實上，已經有出現抗拒較好的物質生活、服務的傾向。據說在伊達等地有些人過著素樸的生活，即使再怎麼不方便，也不用電力。因為不這樣，日本全體會崩潰。這不是在先進工業國之中的日本首次產生的「哲學」嗎？在這點上倒是有希望的。

戴：對資方與勞方的共同鬥爭也出現批判。

宇井：居民抗爭運動即使最初發展自地區的自我意識，也必須內省地思考全球問題。人類的可能性在於有不得不做改變的地方。

挽救之道在居民抗爭運動——中止一味的開發

宇井：因此，令人困擾的是，教育乃為了支援高度成長的教育。連東大都像是業種別職業訓練所，一旦碰到阻礙便派不上用場。巨型化到無法停止運轉的企業也最令人頭痛。

戴：本來應是資訊最集中的政府、大企業卻沒有發現問題的能力。好不容易在聯合國的主導下人口、環境、糧食問題被提出

討論，但到底能解決到何種程度？即使有羅馬俱樂部〔譯註：Club of Rome，1970年在羅馬成立的民間智庫，主要為解決全球的糧食、人口、環境破境等問題〕的警告，在欠缺區分已開發國家與開發中國家的觀點下，這樣不要緊嗎？另外還有一點，人心腐敗到只做表面工夫，因此才會有北海道瓦斯公司之類的事故〔譯註：1974年10月在進行熱量調整施工時，因操作不慎，造成一氧化碳中毒七人死亡的事件〕。

宇井：如果要思考2000年，基本上在內部必須為償還負債而努力，弭平先前的代價；在外部必須不以鄰為壑，互相交流。已經不能再有戰爭，說來也有好處。

戴：也沒有條件可以再開發開發中國家，增加進口。然而，有辦法降低一定社會階層以上之人類生活水準嗎？

宇井：我覺得只有這條路可走。不扒光一次衣服不行！所以我吹牛說，說不定能夠以居民抗爭運動拯救世界（笑）。

戴：50年後再看看！因為現行無法發現自己內部敵人的體制將被取代，現在卻以居民抗爭運動的方式來發現人類共通的內部之敵。

宇井：公害反對運動是要抵制連價值觀都想加以數量化的想法。而伊達等地的火力發電反對運動雖然人數極少，少到連是否能與電力公司吵得起來都有問題。但是，這樣的小團體竟讓全國三十幾處的發電場建設踩煞車，中止資本主義的爆炸性膨脹。其中，最近慢慢冒出許多不畏懼官大爺的人們。一到地方去，看到這麼多認真從事抗爭運動的人，讓我湧現希望，日本人不會全滅亡。

停止依賴他人 ── 自己思考探索可能性

戴：常有人說要向歐洲、亞洲、拉丁美洲學習、反省之類的話，這種論調不說也罷。不管是學習還是反省，結果都是配合外部調整，絕不是「自己思考」。連反省也是說聲「對不起」之後就付諸東流（笑）。

宇井：確實，反省不會產生行動。因此不要再依賴他人，只有自己思考、行動。例如，不過是半年之前，無法想像政治獻金會減少，也無法想像參議院選舉，與企業狼狽為奸的候選人會落選。反托拉斯、拒買運動等成果積累，意外地可行。只有一件一件地徹底執行下去。

戴：除此之外還有透過對話，不是有句話說「苦口相勸才是真正的朋友」。最近好不容易日本注意到東南亞，但如果缺乏對話的話，又會像石油危機般，不火燒屁股不曉得事情的嚴重性。

宇井：只有努力探求活到2000年的種種可能性了。如果發現與隔壁鎮不同又行得通的事，便做做看。由上而下全國一起做，或大家都以為來到東京就能搜羅些好主意的話，不是就活不了了嗎？

本文原刊於《北海道新聞》，1975年1月1日，第25頁

展望後越戰時代
——新亞洲與日本座談會

◎ 蔡秀美譯

時間：1975年5月2日
地點：北海道新聞社
與會：中川融（外務省顧問，前聯合國大使）
　　　戴國煇（亞洲經濟研究所調查研究部主任調查研究員）
　　　菊地昌典（東京大學助教授）
主持：大久保（北海道新聞社外報部長）

　　長久以來，一直把亞洲各國籠罩在陰霾中的中南半島戰爭，已在民族解放勢力的完全勝利下，宣告結束。這意味著，向來主導第二次世界大戰後國際政治之依據的骨牌理論的對立結構崩潰，也可說是在大國的邏輯敗給以民族主義為基礎的小國的邏輯之意義上劃時代的事件吧！正因為如此，可想而知，「中南半島戰爭結束」為國際政治潮流帶來的衝擊絕對不小，尤其是在亞洲，包含戰爭留下的「教訓」，毋寧可預想影響是深遠的。北海道新聞社以中南半島和平的到來為契機，邀請中川融、戴國煇、菊地昌典等三位先生，以被迫進行再檢討之日本外交應從

越戰學到什麼為主題，討論後越戰的亞洲展望和課題。

　　大久保：並非「越戰已結束」，也可說「這才開始」。整個亞洲也展開新的一章。首先，如何看待越南三十年戰爭的意義及其對周圍鄰國的影響呢？

越南三十年戰爭之意義與影響

　　中川融（以下簡稱中川）：確實是「三十年戰爭」沒錯，但30年間未必同調。初期，關於民族獨立的方法，已分別爭論要維持向來的社會制度，還是在社會主義下推動，法國以維持殖民地為目的介入；接著，美國根據冷戰思想，進入其中。然而，由於美國的政策是對抗共產主義威脅的方針，漸次把比重放在維持自己的威信。加上對美國而言，冷戰結構的多極化、複雜化聯繫到新的危機。以《尼克森主義》〔譯註：又稱關島宣言（Nixon Doctrine / Guam Doctrine）美國總統尼克森於1969年7月於關島首度提出美國要與亞太地區維持友好關係，施行和平政策，亦以此前提從越南撤軍〕尋求解決之「軌道」雖已鋪設，但最後，美國尋求以和談解決的期待落空，遂衝向軍事對決之路。

　　此一「三十年戰爭」有種種意義，並不限於單純是美國戰敗，或是帝國主義輸給社會主義，似乎是隨著世界模式的改變而產生之不可避免的情勢。

　　戴國煇（以下簡稱戴）：您說並非美國戰敗與否的問題，但我從另外的角度來看，認為是解放勢力不只是戰勝「外部」，也

戰勝「內部」的自己。稍微誇張地說，也包含克服漢（中國）文化的影響，並取回自己的革命主體，以自己的力量完成解放，在上述有機的關聯中掌握其意義。

菊地昌典（以下簡稱菊地）：我於四月底剛訪問中國回來。旅居北京期間，正逢金邊解放、時任北韓主席的金日成訪問中國，而深感世界轉變甚大和以中國為先鋒的第三世界正在發展的情況。三十年戰爭的意義在於，如實地證明無論使用如何強大的武器或手段，也無法壓制民族解放的戰爭。也可說是新殖民主義終結的開端。同時，在美國漸次退出東南亞的過程中，中國與蘇聯的對立日後如何展開，變成非常重要。在此一意義上，這也是另一個新時代的開端。我認為，由於前途並不平坦，所以若不具有新的世界史認識，將導致無法因應的情況。

大久保：越南今後的展望及其與中蘇對立之關係如何？請各位深入談論。

菊地：民族解放，在某種意義上是容易理解的，但之後的內部問題非常複雜。例如，有「階級問題」。雖然尚未清楚地呈現出來，但可確定的是，南越遲早將走向社會主義。若是那樣的話，如何將民族資產階級拉向社會主義呢？此外，與此相關的國內建設問題是複雜的。

戴：這沒有事實根據，但我有一個推理。也就是，這次金日成訪中的共同聲明並未出現霸權問題（要求蘇聯不要在亞洲擴大其支配力）。關於這點的推理，由於中南半島解放勢力的勝利，今後將出現以越南、柬埔寨為中心的新的「重組」。金日成主席似乎正適時扮演調解中、蘇對立、給中南半島「重組」適當時機

的角色。當然，中、蘇之間將持續原則性的論爭，但似乎會以某種形式謀求一些戰術性的妥協。由於有「最近金主席將訪蘇？」的新聞，所以我想似乎可這麼想。

菊地：你的推測很有趣，但我不這麼想。首先，我讀「中朝（北韓）共同聲明」時，雖然並未出現「霸權」、「社會帝國主義」等用詞，但北韓方面對文革的「批林批孔」評價甚高，這是全面接受毛澤東路線。也可理解為間接地贊成批判蘇聯修正主義。然而，今後的越南、柬埔寨將擁有何種的社會型態？以何種過程走向社會主義？——可以想作中蘇一面關注上述變化，一面保持「距離」。蓋因中蘇兩國均強烈主張民族的自主獨立、尊重主權的立場。

中川：仲介說做為一種推測雖然有趣，但我也不這麼認為。畢竟對北韓而言，若中蘇關係良好，將如何呢？中、蘇對立時，對其獨立似乎具有有利的條件。而且，若考量越戰後亞洲整體的方向，今後各國將更向中立的方向傾斜。例外的是韓國，其強化國防的同時，可能更強化目前的國內體制。若是那樣的話，令人擔心的是似乎將擴大國內的摩擦吧！

大久保：西貢（胡志明市）之後就是南韓，南韓有這樣的危機感。金日成主席的訪中與共同聲明，在美國引起回響，也微妙地影響其對南韓政策。但做為現實問題，是否深化此一「危機意識」？

戴：關於朝鮮半島的危機，一般大多認為「由北向南」，然而，必須考慮的，事實上是存在於南與北雙方。金日成訪中，也是因應中南半島情勢的反作用，其認為美國方面的態度反而可能

更加強硬，因而也具有預先採取示威動作的一面。我認為並非只是北方打算「南進」，或是骨牌向南傾倒的看法，相反的場合也必須整體去掌握。北韓和北京均意識到「危機感」，是理所當然的。

菊地：現實上，南越和南韓均具有共通點。就南韓而言，若無美國的軍事援助（含經濟援助），其如何維持將是疑問。朝鮮民族也與越南民族相同，均希望國家統一，這是無法否定的歷史潮流。朝鮮與南越情況不同，南與北之間的裂痕甚大。因此，我不認為美國會對南韓輕易地放手。無論如何都應該試著維持下去，在其過程中，日本被要求扮演的角色會逐漸變大。我想強調的是，由這次中南半島情勢之展開而獲得的教訓可知，日本必須重新考慮根本地調整外交路線。

中川：事實上，日本的外交是站在更加艱難的立場。可視為與明治初年「朝鮮外交」的情況相似，因朝鮮半島的問題將直接影響日本的安全。我不禁想到過去的歷史大事件都是因誤算而發生。南韓可能誤算北方的威脅，因而壓制由此產生的民心恐慌的動靜且強化對言論的規制及管制，以致擴大內政的混亂。正因為如此，我們切望避免一味的高壓政策。

朝鮮半島與日本・亞洲

大久保：在中南半島之後是朝鮮半島說法的情勢下，應如何思考日本所處的位置呢？

菊地：就外務省的外交觀之，關於民族統一的看法仍一如往

常的僵硬，尚未發覺錯誤。如同越戰所呈現的，民族統一是超越階級鬥爭問題的基本願望，就歷史觀之，也未見該願望被改變的例子。日本外交不要一味援助南韓，而應採取讓朝鮮民族自主決定政體的立場。我感到現在過於傾全力支持朴政權，是非常危險的。日本似乎要從越南的經驗學到新的外交作法，而應採一起摸索民族統一的手段和方法之態度。

戴：我基本上贊成你的意見，但日本也一起摸索，是不可能的吧！因日本並未有民族分裂的經驗。毋寧不要將民族統一的願望以「有色眼鏡」看成共產主義運動，避免過度介入比較好吧！

中川：我也認為將民族自決視之為有如流水平穩地流動，落實到一個地方最為正確。然而，現實是北韓不同於南韓，儼然存在著共產政權，無法期待談判解決。越南最初也是如此，但由於法、美兩國所支持南越過於殖民地主義之故，所以最後西貢政權對於民眾喪失吸引力。朝鮮尚未到那個地步。強國片面地支持確實不好；同時，若說北韓代表朝鮮民族，而南韓不代表，也不正確。兩者都是朝鮮民族所建立的國家。我國的經濟援助不要傾向只支持一邊，任憑朝鮮民族自己選擇其體制，落實於一個方向，我想基本上是好的。

大久保：關於越南情勢對於亞洲各國有何影響之問題，東協之「脫離美國」是難以避免的嗎？

菊地：就大國邏輯觀之，已經難以抵擋民族自決的潮流。我認為東協各國脫離美國一事是非常清楚的，今後就亞洲情勢而言，重要的，毋寧是中、蘇對立。由於中、蘇對立，所謂社會主義陣營已無法存在。尤其是對中國而言，美國只是「受傷的帝國

主義」，蘇聯則是「正在興起的帝國主義」。今後的東南亞似乎
處在脫離美國與中、蘇對立，以及日本經濟外交之「多次元方程
式」的複雜糾葛之中。日本的外交已不再是等距外交之漂亮說詞
就可搪塞吧！

中川：柬埔寨、越南的新政權究竟選擇什麼體制，還不清
楚，但均會選擇「獨自的社會主義」之道，我想亞洲的社會主義
國家是形形色色的。在此種情況下，日本外交的選擇，並非可從
理論推斷來決定，而必須因應現實的「均衡」。關於具體的方法
論，重要的是，對於所有要素應採取可充分疏通想法的態勢，不
拘泥思想或意識形態，要準備與任何國家都可對話。

戴：向來所謂無原則就是原則，也就是說始終以有彈性的結
構對應過來，但今後這樣的狀況將會行不通吧！似乎不得不思考
如何從「無本萬利的日本外交」付出成本、如何寫收支平衡表
吧！在要求「海外派兵」以維護經濟的擴張時，或被對方國挑選
經濟援助時的對策，不確立相當的主體性，將有所不安。

菊地：我聽到革命政府進入西貢的消息時，感到有如1917年
俄國革命列寧政權誕生一般。當時，革命政府翌日就開始平常的
活動，當地的日本大使館建議早日承認列寧政權，但日本政府最
後卻出兵西伯利亞而慘敗。六年後才承認。對越南也未根本地考
量民族自決的重要性。過去曾發生在俄國的事，現在則發生在越
南，以後可能發生在朝鮮半島。

中川：然而，等距外交乃是在中、蘇對立等的現況下有效，
而是考量不被捲入任何一方的現實外交吧！當然，我認為對美一
面倒，即使從日美兩國的利益而言，也不必要；就日本而言，也

應像西歐各國一般，被迫走多元外交之路。

　　菊地：革命政府主張非同盟外交作為外交原則，可說意義重大。這種態度顯示係小國根據大國如何看待小國本身的邏輯，來揣度大國的正當性。顯示已不容許政治的、經濟的「霸權」的想法。與向來相反的，小國邏輯支配大國邏輯的時代將來臨吧！

本文原刊於《北海道新聞》，1975年5月4日，14版，第3頁

不被公開的檯面下霸權論戰
——匿名對談

◎ 劉靈均譯

霸權論爭登場的國際背景

　　X：有關《中日和平友好條約》中，應不應該插入「霸權條款」的問題開始，究竟應該如何思考「霸權」這件事情一直被討論著。所謂霸權問題，具體的來說是在中美《上海公報》（1972年2月）階段，應季辛吉之要求插入「hegemony」（霸權）這個字開始的。這也可以說是反映1969年5月的《尼克森主義》之後的美國亞洲政策。美國從亞洲撤軍，即便還不算完全撤離，在因應各種局勢下，以移動自己棋子的情況，平行地從東南亞撤退的結果，是好是壞另當別論，當然會產生空白地帶。中國因有潛在的強大力量是否會進入那空白地帶，在美國，傳統上就是認定新中國採行擴張主義。所以在某種意義上，季辛吉的構想正有遏止這種擴張主義的意圖，本來就是為了阻止中國的「擴張主義」而反對霸權，在《上海公報》中要求中國吧。

　　而中國也接受了。中國打從一開始就沒打算採取擴張主義，

可以想見中國很希望解開這種誤解。從中國的角度看來，雖然有被誤會為擴張主義的地方，事實上中國並沒有打算這樣做，況且唯獨中國在國外沒有任何戰略基地，亦不曾出兵攻打外國，因此簽訂反霸條款只是順水推舟而已，才會在《上海公報》中加入了這樣的條款。

　　很快的前首相田中前往北京恢復了（中日兩國間的）邦交，在當時的共同聲明也加入了反霸條款。但是我覺得到那個階段為止，包括自民黨主流、財界，或者是外務省當局都沒有注意到這件事。說完全沒有注意到可能是有點過分，但由於戰後的外交向來都是一直追隨著美國腳步，大概是因為美國有加入這項條款，所以也跟著加入比較有安全感吧。同時，自民黨，或者現在握有領導權的，包括日本的財經界主流，基本上也認為中國還是屬於擴張主義的，或者是擁有很多不斷擴張的潛在能量，心情上也混雜著「可以的話希望盡量不要引發出來」的吧。因此，在《中日聯合聲明》〔譯註：中日兩國政府於1972年9月簽署發表建交聲明，在八項條款之中包含反對霸權主義〕的階段，我認為就以那種情形搭上便車了。

　　從今以後問題將會以什麼型態展開？希望同時也對我的理解是否正確給予批判指教。

逃離過度誓約

　　Y：剛剛這些話已經把問題點都說完了，就依照剛剛所指出之點依序來討論。首先是剛剛提到的，1969年美國前總統尼克森

所提出的《尼克森主義》，其中說到要「避免過度干預（over-commitment）」。但這是要避免過度的干預，而不是完全不干預。

「commitment」這個字在日文譯成「介入」等，但要是嚴謹一些翻譯的話「over commitment」，應當是「過度誓約」的意思，也就是說不去做自己無法承擔的誓約，因此也可以說是為自己挖一個適合自己甲殼大小的洞穴。要是這樣說的話，也就是美國不會完全退出亞洲，再者也不可能放棄美國在戰後25年以來建構起來的利權。美國政府是在多國籍企業（Multinational corporation，MNC）的利益綜合之最大公約數之上成立的，這要是從其角度看來，要怎樣配合情勢的變化來繼續代表多國籍企業的利益，才是主要的重點之一。

《尼克森主義》當中提到了「burden sharing」，也就是讓別人也來分攤自己的重擔。這所謂重擔，事實上指的就是過分over（過度）的誓約。這樣一來，所謂必要的誓約，對美國而言必要的誓約又如何呢？又要如何以行動來表達呢？這是攸關美國國家利益問題的判斷。美國做為一個world state（全球國家）的國家安全保障（national security）中的定位，正可以用《尼克森主義》來表示。

擴大中的蘇聯海軍軍力

這樣想來，1969年在關島發表的《尼克森主義》是在什麼樣的國際條件下所發表並因此成為一個問題。1969年，美軍在越南

投入了55萬大軍，如果把後方的運輸也算在內的話，每年投入的戰爭費用就高達300億美元。300億美元有多大呢？當時日本的年出口額也才不到200億美元而已。日本用這麼多錢買油還要供給全部的國民經濟，其花費之大可想而知。這種狀態繼續下去，美國的社會、經濟本身是撐不住的。

在國際上，1965年2月美國陸戰隊登陸了峴港（Da Nang）之後，美軍與中南半島發生瓜葛時，蘇聯則強化了其空軍戰力。而在1960年代末期，嚴格說來是1968年開始，蘇聯艦隊的航路幾乎橫跨亞洲、太平洋、地中海與印度洋，彼此相互連結。

當時顯然可知的是，蘇聯將國防戰略重點置於海軍。事實上在進入1970年代後，蘇聯的海軍進行了稱為海洋（Okean）大作戰的大洋大規模演習。看準了這樣的狀況才提出《尼克森主義》，正是因為覺得自己是否能安心放下這個重擔的狀態。況且放下時，有些地域的政權也需放棄。而說地域全部放棄，將之拱手給美國戰略上基本的對立者，等於失去美國政權存立與經濟的基礎。

因此不能容忍自己打算放下的地域出現新的霸權追求者。所以我認為，在1972年尼克森總統訪中之際，由美國首先提案，在《上海公報》中加入反霸條款是有意義的。

在那之後一年半，1973年11月季辛吉訪中時，當時的《上海公報》中不僅提到「在亞太地區不追求、不認同霸權」，甚至還加入了「全世界」。對中國而言，即使在宣言中提及「全世界」，當時在亞太以外，應該沒有什麼直接影響到中國國家安全保障的危機感。為什麼還要加入「全世界」一詞呢？大概是認識

到在地中海日益增強的蘇聯海軍軍力，也就是認識到北大西洋公約組織的存在具有威脅；不只是在地中海，還急速擴大至大西洋、印度洋的蘇聯海軍行動也在美國的思考之中。因此我覺得所謂「不追求、不認同霸權」的條款，應該也是意味著要把舞台擴展到全世界。

情緒化的霸權論爭

X：那麼與中日恢復邦交的聯合聲明的那部分接起來會變成怎樣？

Y：從這一面來看，我們不能否認，至少中日恢復邦交是延續著外交上的追隨美國的系譜。外務省當局人士雖然已經明言是擴大了日本外交的領域，但這種說法結果論的意味太過濃厚。

美國下了重大決策所開拓的路，僅限於過那個橋，日本國內就會毫無抵抗，我想是「反霸條款」在聯合聲明中，條文化的當下與其後，問題完全未被提起的大背景。

此「霸權問題」論爭是為什麼、何時開始、以怎樣的形式產生的呢？兩年多以來，指出「何謂霸權」的人在一億多的日本人之中沒有一個。儘管如此，如今卻說「不知道什麼是霸權」，難道原本在這兩年之間是知道的，兩年之後突然有一天就變得不知道了嗎？其中我們可以看見，日本和中國恢復邦交，日本是在還不清楚自己在亞洲的座標，說得極端一點是乘著氣氛、隨著氣氛，在人云亦云的狀況下完成的。我覺得，這恐怕毫無思考其歷史意義，以及亞洲各國對於日本的觀感而行動所造成的結果。

最典型可見的，是1972、1973年日本的資本海外投資額。1972年約有27億美元的民間資本投資海外，但到了1973年卻增加了2.1倍以上。為什麼會增加這麼多呢？除了國內過度流通性的問題以外，過去大企業接連訪中，其背景在於認為應該會支付戰爭賠償，所以要先參一腳——不能否定的是他們抱有這樣的期待和打算。所以大家抬著中日邦交恢復的神轎，而田中內閣便乘著出去。

結果從確定不用付賠償金的那一瞬間，也就是1972年年底開始，日本投資海外的資金便急速增加，於是在1973年就增加到剛剛介紹過的這個數字。也正因如此，1974年1月，田中首相巡訪東南亞時，才會被放火，引起了示威抗議與暴動。

因此，中、日恢復邦交與東南亞的關係、日本經濟運作的方式、日本的安全保障，都必須要綜合在一起來看。人們在這兩年完全不去理解、討論「霸權」這兩個漢字的意思，到了現在才突然說，因為會與某國的關係不睦所以不好，正是使自身陷入極情緒化的議論之中。

X：以此觀點來看，事實上中國究竟在反霸權的漩渦中，是否有積極想將日本捲入的意圖？我讀了報紙，大部分說法認為有一種中國逼迫著日本的氛圍，或者是說有一種那樣的氣味在空氣中漂浮。

和這件事情有關，我很久以前就這樣想了：日本軍國主義復辟論究竟在彼階段是怎樣消失的呢？眾所皆知，季辛吉自己是非常厭惡日本的，無論是日本對海外的發展問題或者是日本的軍國主義，季辛吉都提出了非難，而中國也相當激動。這樣的問題在

尼克森訪中之後急速消褪了。日本從某個角度來講也可以說是鬆了一口氣了吧。

　　正如剛剛所說的，在日本因為流通過度與美金的過度增加，某個角度上來說必須要趕快減少美金；此外日本勞動市場結構上的變化也急速往外發展。但我以為，從狀況上看來，因為軍國主義批判的聲浪趨緩，政府得以鬆了口氣。也因為有這樣的氛圍，某個角度上看來，發展的速度似乎也加快了。

霸權條款與和平憲法

　　因此其中的問題，在於中日恢復邦交究竟代表什麼，還有田中首相在北京所反省的事情又具有多少意義。圍繞稻葉法務大臣言行的問題之中，象徵性出現的和平憲法的問題，我認為霸權條款還是與和平憲法問題有關吧。說得清楚一點，與霸權問題相關的兩個問題，一個是日本究竟從第二次世界大戰中汲取了多少教訓，另一個則是要如何從現在中南半島的混亂汲取多少教訓。即便如此，現在我們所說的「霸權」問題因為會與某國的關係惡化，所以被嚴重地矮化。事實上不管是這個問題的結構、理念，或者是日本民族從今以後要如何在亞洲、太平洋之間新的各種動向中生存下去，這個問題難道不應該當作關於日本民族全體的問題，進行深入思考嗎？

　　那麼，為什麼在兩年間被棄置不理的這個問題突然又被提出了呢？根據某份報紙的解說，蘇聯一直積極地以各種方法不斷地騷擾，所以以此為契機浮現出來。

　　事實上，我剛好前陣子有機會和某個中央政府人士一起用餐的機會，當然他並不是馬克思主義者，如果真的硬是要定義他立場的話，應該要說是民族主義者、愛國主義者，他卻說了：「現在才為了這種事（霸權問題）緊張個半死，簡直是丟人現眼了」這樣的話。也就是說《中日聯合聲明》做得很好。就算不管財經界、產業界的意圖，對於日本民族全體而言，危害中國這麼多，竟然可以不花一毛錢就解決了。而且藉由此種形式來加入霸權條款，也與日本和平憲法的理念完全一致。如果一面履行約定還緊張兮兮的話，就實在很丟臉了。有人說出這樣的話，實在是相當有趣的論點。

橫行霸道的無視於歷史與程序的議論

　　Y：您剛剛所指出的，是包括到目前為止的中日關係、邦交正常化等，這些相當新的歷史經緯，我們恐怕已經迷失了。

　　另外一個是，今後的日本民族、日本國要怎樣定位自己而活下去呢？這是個面對未來的問題，您剛才同時指出了這兩點。首先看看到目前為止的過程，有許多遺忘歷史經驗的論調還橫行無阻。極端些的還會說，是中國單方面強迫日本簽這樣的條文，然而這些人連《中日聯合聲明》都還沒好好讀過的人，現在卻開始以為中國是強迫日本將反霸條款加入《中日和平友好條約》之中的，這種人相當之多。

　　如果對他說：「《中日聯合聲明》裡面有這樣的條款喔」，會得到「是這樣的嗎」的回答。然後會說：「就算這樣，只要中

日兩國之間不再追求霸權就夠了嗎？」，即使指出：「不只如此，還寫了『不允許霸權』哦」，回答：「咦，是這樣呀？」的人也存在。這樣的事實，可以說因為他們的立場，是無視於這些相當新的歷史經緯的。

另一種意見是：「如果是聯合聲明還可以，但如果要放進正式的條約就奇怪了」。所謂聯合聲明，是為了表明一時的政策意圖，而條約則是規定權力義務的東西，一直到未來都會束縛著締約國家。因此也有人提出「可以放在聯合聲明，但放在條約裡就很令人困擾」的論述。

然而，根據《中日聯合聲明》而達成的邦交正常化是如此曖昧之事嗎？只不過是表明政策意圖嗎？毋寧說還是以這份聲明為出發點，才能夠進行各種政府之間的協定。事實上現在中日之間的定期航線也已經開設了。這正是因為在聯合聲明中說了這樣的話，並且仔細的循著手續，才能讓今天兩國之間的交流擴大至政治上、經濟上、文化上的交流，這樣一個很大的根據。

於是也有人認為，為什麼非得是聯合聲明不可呢？當時以條約形式呈現就好了，不是嗎？持此意見的人，大多也是認同日本外交追隨美國前進的立場吧。

被擬制化的中日邦交正常化

所以如果當時不締結《中日和平友好條約》這樣充場面的東西，就無法終結戰爭狀態，也無法恢復邦交的話，田中內閣究竟還能做到嗎？在日、蘇之間結束戰爭狀態這件事情上，即便鳩山

內閣打算締結「日蘇和平條約」，也卡在領土問題而無法締結。因此才締結了《日蘇共同宣言》，但就連這種共同宣言的方式都因為需要國會的承認，而造成了執政黨的分裂。何況在田中首相為了讓邦交正常化而前往中國時，因為自民黨內部所謂親台灣勢力非常強大，所以在送出國會之前恐怕連黨務會議都無法通過，政府也無法太過牽強地做這件事，因此選擇了這種在當地簽定發表，同時發揮效果的方法。因此簽定不是由大使或者政府代表這種地位較低的人，而是由國家最高首腦出面。

這樣想來，發動戰爭並且戰敗的一方，將戰爭狀態的終結、邦交正常化的重要手續以一紙共同聲明解決，這種例子在近代的國際關係史上到底有多少呢？不能說是絕無僅有，但也是非常稀少。發動戰爭並且失敗的一方，成功的向對方要賴並獲成功的事實，如果我們再重新思考一次的話，認為中日關係的正常化幸虧只是共同聲明、如果訂定條約很困擾、這種議論本身與邦交正常化時國內法手續的實態完全乖離等，簡直是像在旁觀和日本國內無關的第三國的議論，難道不是毫無責任感的議論嗎？

因此，一來是忘卻了中日戰爭這樣重要的歷史事實，又無視了實現邦交正常化的手續。而在現實上支持對這兩個問題認識的是第三個問題，也就是中日關係的正常化是否是被虛擬化至今。

老實說，兩國之間互設大使館，交換大使，之後在政府間訂定各種實務上的協定，接著連和平條約都訂定了，正像剛才所說的，已經是由最高首領相互約定決定的事情，要到締結和平條約才算是完成了一輪中日邦交正常化的實現。然而一輪還沒做完，如上述的論爭就一窩蜂地擁出，表示已經完全對等，所以有人就

這樣趁著完全不需要擔負任何道義責任的氣氛發出此種議論，我覺得這也是一個問題。

還有一個問題，在於霸權的論爭如此熱鬧地大鳴大放，在新聞的動向中發生了一個非常大的變化，即要求歸還北方領土的論爭不知道消失到哪裡去了，究竟是誰會為了現在的霸權論爭高興呢？霸權的意思是從《尼克森主義》的出現與其目的，我認為可以國際性地理解，做為圍繞日本的問題，當大家為了霸權論爭而喧鬧不已的同時，北方領土問題究竟被拋到哪兒去了呢？看看這個狀態，問題不就在於此霸權論爭究竟是讓誰最高興、讓誰最能享受漁翁之利了呢？

剛剛您所指出的，總是對之前種種的經緯健忘，其健忘性或三分鐘熱度的這個側面，是否與今後的問題——也就是日本無視自己所抱持的問題也有關呢？

日本人的意識結構

X：這也和日本人的三分鐘熱度與健忘性有關。有篇有趣的短文與伊麗莎白女王訪日有關，是刊載在《世界政經》雜誌（六月號）的〈我看英國女王訪日〉〔〈英女王の来日に思う〉〕，是語言學家大西雅雄先生用前幾年天皇訪問歐洲時，在白金漢宮拜訪女王時雙方的致詞為例，痛批天皇近側的文膽與智囊對社會認識度不足。

內容提到，「天皇裝傻地說：『這次訪英，能夠受到與50年前一樣不變的隆重對待，相當高興』」，對此「女王卻回應：

『我沒辦法忽視英日兩國的關係在這50年之間好像什麼變化都沒有』」。大西先生在介紹這些之後寫了，「翌日的倫敦《泰晤士報》（*The London Times*）的社論就揶揄說：『日本人就像日晷一樣，只有太陽照得到的地方才記錄下來。』此外報導也說，從到達的維多利亞車站到白金漢宮的列隊，並沒有人高呼萬歲或是拍手，而是肅穆得如葬禮一樣。」此外，退伍軍人會長蒙巴頓勳爵（Lord Mountbatten）在歡迎晚宴上缺席一事也令人不得不想起。

　　大西先生的文章中最令人吃驚的是：「這次和英國女王究竟是用什麼樣的禮儀相對呢，還是一如往常像日晷一樣，抱著不要冒犯神明就不會招致災禍的心理？這些將在今年秋天，天皇拜訪美國的時候值得我們注目。在美國仍有返鄉的軍人健在，參訪珍珠港時，在被擊沉的亞利桑那號（Arizona）航空母艦上建造的教堂裡，由前海軍軍人說明者，對日本的奇襲攻擊到現在仍然持續遭到非難。所以用原子彈轟炸的正當性，還被諷刺地說是『不過是回禮而已』。在突襲珍珠港這件事情上，才真的需要『sorry』『great sorry』……」云云。

　　大西先生的發言讓我們想起兩件事。日本人的美學意識當中有種習慣，就是什麼事都放諸流水，過了就流水無痕。因此我想起來，周恩來在中日恢復邦交時，曾經把中日關係之間的不幸從甲午戰爭開始說起，某個評論家就在電視上說「受不了」。從這裡我們可以看出，日本人總是認為中國人很執拗。從剛剛說到的大西先生的文章就可以看出，「執拗」的不只是中國人，而且問題毋寧說是在日本人可說是異常地喜歡淡淡帶過，或者說三分鐘熱度、健忘性之處。這份《中日聯合聲明》以及田中首相「造成

他人困擾」的發言，都讓人有這樣處理敗戰責任就一了百了的感覺，而此事事實上要說是日本太過要賴也不為過。

在大報〔譯註：指《朝日新聞》、《讀賣新聞》、《中日新聞》、《每日新聞》等大報〕裡反對在聯合聲明中插入霸權條款的論點，以及其他細枝末節的言論，其實多數都隱含著「已藉由《中日聯合聲明》一切劃下句點，以後兩國即可平等往來」的意識存在其底流。或許就是這種意識作梗，妨礙了更高層次的深入討論。

中國是「大國主義」嗎？

雖然Y先生剛才提到，中日戰爭做了那麼多的醜事，還想用對等的心情去處理，實在是個錯誤；但我仍然要把主張的重點放在於歷史的教訓不只是日本、中國，只要有心追求和平的人都應該共同擁有。

會這樣說是因為不管是日本最近報紙上的論調，或者是一般庶民的情感，雖然都對新中國抱持著文化上的、民族上的親切感，但因為中國實在太大，人口又有8億之多，總令人會有一些恐懼感。事實上我並不清楚中國是以什麼方式將「大國主義」帶進日本國內；或許是有吧，但大概只是因為中國太大了所以感到恐懼或者討厭而已。而由於這麼大的國家究竟通不通道理，不在邏輯上去窮究，只是因為國家太大，所以會有不舒服的情緒吧。那麼，就算所謂霸權問題是我們剛剛所提到的這些歷史過程之中出現的，但是我覺得，似乎先抱持著中國企圖將成田〔知巳〕先

生捲入的疑惑，所以才會造成對成田先生那份聯合聲明的非難吧。

不管是讀一些週刊雜誌之類，還是讀了在成田參訪團出發前的各種議論，客觀來看，中國方面未必要將成田先生牽扯進來。可是週刊雜誌惡意諷刺，營造曖昧的氣氛，使讀者認為中國實際上是想將成田先生捲入，卻刻意裝作若無其事的模樣。

因此我想要請教的是，究竟中國是打算牽扯包含成田先生在內的日本民族到什麼地步呢？新中國在攻擊蘇聯的社會帝國主義、美國的帝國主義之後，究竟想要牽扯日本到什麼地步？這件事我做為一個市民，實在是不太理解。現在流傳的部分是，即便在氣氛上有種日本似乎是被強迫的樣子，但是令人感到奇怪的是，這麼努力自立更生、戰鬥至今，甚至口號也表明從今以後也要繼續戰鬥的國家，甚至在憲法的前文中已經自我規定不會成為超大強國的這個國家，有必要為了眼前的對蘇關係問題，就把日本牽連進來嗎？

還是說，這種牽扯或者要求是指「因為現在世界情勢變得如此，所以日本的各位還是應該好好履行，才對自己比較有利吧，也應該好好思考」程度的牽扯，其中的實情究竟要怎麼判斷比較好呢？

社會黨中國訪問團的幕後情況

Y：我想大概是如您最後所指出的程度。剛剛提到的，以成田先生為團長的第六次社會黨中國訪問團，問問這個代表團從日

本出發之前的過程，我想或許中國也考慮到日本社會黨是揭櫫社會主義的改革政黨，在國際上雖然有很多揭櫫社會主義的政權，總之以意識形態建立的政黨的話，就會討論到究竟哪個國家的社會主義政權是真正社會主義的；此外中國也一直在問，你們能夠判斷蘇聯是社會帝國主義嗎？可以在聯合聲明中大聲提倡反對美蘇兩個超大國的霸權主義嗎？社會黨對於中國提出的這些問題立刻回了「OK」吧。

　　大概是這樣的回應太過輕率了，中國也認為有些怪異，不曉得是真是假，所以過了一陣子又再度提出相同的問題，詢問日方是否真的願意挺身表明反對美蘇兩個超級大國的霸權主義？果然這次的回應就費了一些時日，過了一段時間之後，才回應「可以」。

　　經過這樣的來往，訪問了中國的話，我想一切都已經大勢底定。或許這也是因為社會黨標榜社會主義的緣故，才會以階級政黨這樣的側面做為前提相互來往的結果做為基本線。然而社會黨一路走來到恢復邦交為止，再怎麼看來都只是做為一個公黨、國民政黨的立場，促進中日邦交的恢復或者中日的友好等的增進。從這樣的立場出發，過去五次社會黨的中國訪問團，確實也是從戰後不幸的中日關係的歷史之中，每次提出以中日關係正常化為指標。這是不容分說的的事實，所以這次也把這個部分放進聯合聲明中。以《中日聯合聲明》為基礎，不走回頭路，早日締結《中日和平友好條約》的主張就是相當於您所提的程度吧。

做為和平國家宣言的反霸條款

　　然而從一般日本國民的立場看來，不管是從何種階級觀點、社會主義或者與其他不拘於意識形態的立場之下的政治體制，在日本，既已確立了原則，到底是與不同體制的國與國之間的正常往來。所以要是從和平共存的觀點看來，我們一開始提到的日本軍國主義是否絕跡了？也就是說，中國人心中是否還擔心著日本軍國主義的復活？我想這樣的擔心是沒有消失的。

　　還不如說，中國人是抱著不希望日本軍國主義復活的心情，親身體驗這段慘痛的歷史的人們，基於經驗所做出的反應至今仍然不變才是。既然如此，把反霸條款加入和平友好條約之中並且明文化，成為條約關係，不是再自然不過的嗎？

　　此反霸權條款雖然是放在《中日聯合聲明》的第七條，但在聯合聲明簽定之後不久，當時的外相大平〔正芳〕在北京和海內外的記者會面時，表示第一到第九條是整體（one-set）的。所以在經驗、反省過去所帶來何等悲慘的戰爭悲劇之後，基本上表現出絕不重蹈覆轍的態度，把第一到第九條全部明文化，正代表日本做出了從此不再在國際社會中追求霸權的和平國家宣言。憲法是只在國家內生效的東西，而這次日本則是在與其他國家的條約關係中明白宣示追求和平的決心，這對第三國家而言也是可以安心的事情。

國際條約的性格與霸權

　　另外，若從與日本國民將來生存相關的問題來看，中國終究還是會變成一個強大的國家，將來會不會做一些報復性質的事情呢？即便是現在的日本國內，也有人認為8億的人口數和其廣大國土的存在，本身對日本就是一個威脅。不管這對與否，中國究竟會不會做報復性質的事情？為了不讓中國報復，也有人認為加入那一條（即第七條）比較好。然而就連持這樣看法的人，都對「不認同第三國霸權」一事有異議。

　　但是，比如說不要亂丟垃圾、不要隨便停車，鄰居之間就算這樣決定了，為了不要讓外地來的人從別處拿垃圾來丟、不要把車停在這裡，還是得立「禁止停車」、「禁止隨地便溺」之類的告示牌，才能夠維持該地的正常化、環境的清潔。單單只是「不做」的立場，是不足以永保清潔的。為了環境的淨化，為了不讓別處來的車輛來停、不讓亂丟果汁空罐或者垃圾之類的人來，還是要實施規制。雖然說規制有些誇張，但至少可以廣為宣傳、呼籲，其存在之意義或者理念才能夠得到國際上的理解或認同。

　　這樣說明之後，就連當初還不確定霸權條款是否存在於《中日聯合聲明》之中，就被一部分的大眾媒體煽動，一下就像愛國主義者一樣喊著「不要被中國強加於人」的人，大部分也會做出「啊，原來如此」的反應。從這一面看來，現在的霸權論爭事實上也像曾經推動中日邦交正常化時一樣，也是相當情緒性的、偏頗的議論吧？

　　所以現在在爭論「霸權」這兩個字組合起來的詞語究竟會怎

樣範圍為何，如此這般的論爭本身其實毫無意義。這就和提到日英同盟的「同盟」這兩個字，還有現在仍存在的日美安全保障條約中的「遠東」範圍究竟到哪裡的問題是相同的。我們舉其中一個例子來看，不管是當時日本簽訂的政府，或者是之後在國會的答辯，或者是美國的認知，就連對「遠東」的範圍，簽訂的兩個當事國家之間都有相當大的差異。

然而條約就是這樣。國際條約就是簽訂的雙方互相對國內外宣稱「這件事要這樣辦」，中國如果要固執在「霸權」兩個字的話，就好好去問問「霸權」是什麼意思；或者更懂道理的人，去問問美國的國務省、問問白宮「你們當初是指什麼意思」。但是國際的決定、國際條約建立在各自寄託於文字意義的差異之上，國際關係才得以成立，如果是百分之百相同的話也就不需要簽定條約了。在各種矛盾與利害相互牽制之間，彼此確認共通的部分，至於不同的部分就在折衝之中解決，也就是說，以基本規則做為理念的決定就是條約。因而有提出只在條約中寫明權利和義務，政策的意圖留待聯合聲明表述就可以的這種論調，也出現認為在條約中寫上「霸權」二字不太搭的議論。

被要求的構想之轉換

然而，現在的國際海洋法之中，也有著「沿岸國主權」一詞，甚至還有「不被妨礙的通行權」出現在海洋法裡，被稱作「國際海峽」之中。通常在因應國際架構改變的新情勢時，必須先轉換固有的思考模式，才能研議出應變的條約。振臂倡導「轉

換構想」的人們，卻抱持不適應條約的想法本身，不就意味著舊態依然的結構在這之後仍然會繼續生存了嗎？

　　美國在1971年7月15日，不得不讓「尼克森訪中」，在一個月後的8月15日也必須打出「緊急美元防衛體制」。也就是說，日本過去在政治上、經濟上、安全保障的層面都靠著美國就可以，而美國這次可是說了「從今以後我可管不著」，即便如此但我們至今也不去認識架構上基本的變化。正因為有了變化，才有意願把新的詞語、新的理念放進條約之中，但我們卻毫無意願。這正是所謂的欠缺創造性。

　　正是要去做出平常不習慣之事，所以至今的國際關係才會逐漸邁入新的階段。1970年代已經過了一半了，不管是不知道架構的變化，或者是不知道其意義，我覺得都是相當沒有責任感的議論不是嗎？

基於參加與同意的和平

　　Ｘ：剛剛因您的發言我注意到的一個是，現在中南半島也同時正在發生激烈的變化，在這當中，日本全體包括學界、大眾媒體，是不是都開始出現了過去那種「心情主義」的狀況了呢？並不是先去說理或者是想怎樣用歷史的脈絡加以整理，而是先以心情論來說，這種心情論是不是已經日益蔓延了呢？我反而是比較擔心這個。

　　某種意義上來說，已不是締結和平條約的問題了，我反而感覺，這種狀況本身和日本今後的走向有強烈的關係。

　　Y：什麼是和平？剛剛也有提到伊麗莎白女王訪日時的故事，我現在想起來伊麗莎白女王說了些什麼：「就算是用嘴巴大喊和平，也不能解決暴力和貧困。」她在皇宮的歡迎晚宴上說了這樣的話。這個「和平」我覺得有很多意思。「帝國的和平」，以唯一的Imperial（帝國）的唯一絕對的價值觀所支配的狀況下的和平。我覺得這是在統治被統治乃至於統治與從屬關係的架構下的和平，這是其中一種狀態。

　　接著第二種狀態是在爭奪霸權之下的和平。要是換句話說，可能是緩和的和平，或者說是既不是和平也不是戰爭狀態下的一種和平。

　　還有一種是參加與同意的和平。不管大的小的、強的弱的都認清自身的立場所達成的和平。而且並不是在參與規劃某件重要事情的決定與討論時，只有極少部分的成員得以參加的和平，而是讓大家都能參加，沒有被排外的狀態下的和平。

　　那麼，這幾年來逐漸成為問題的日本國際經濟合作、日本的國際責任等，或者是日本在這種場合表現的問題，都從過去不斷被排擠的立場的成員喊出「也讓我們參加」的聲音。

　　1974年一整年，一共召開了聯合國資源特別大會〔譯註：第六屆〕、世界糧食會議、海洋法加拉加斯（Caracas）會議〔譯註：聯合國第三屆海洋法會議〕、世界人口會議等重要的會議，即使到了今年，在南北關係上也陸續有相當重要的會議正要舉行。這些都不是要追求支配被支配式的和平，而是追求參加與同意的和平。可以說是希望更廣泛要求參加的新民主化運動。日本應該積極參加，因為如果日本也想成為創造這種新模式和平的要

因之一，應該也要用所擁有的力量──不只是軍事力量，還有技術力量、資本力量，以及進口龐大的原料和消費的消費力等──為了創造這種基於新理念的和平，去協助那些被排擠的人們與國家，這樣才是應有的狀態。

這樣看來，當強國相互爭奪霸權，其他國家無論是靠依附哪一方而換得和平，這樣的和平，恐怕還是難以永續存在的吧？而且，好不容易有這麼多人能夠理解1970年代的國際環境，為了轉移至新的秩序處於過渡期的話，如果將只在日本國內的爭論再稍稍擴展到國際層面去討論思考，那麼參加與同意的和平，我們應該要做的事情不就自然明瞭了嗎？如果像現在這樣子進行論爭，不是反而讓國際上更加深了日本想用經濟力，追求霸權的疑慮了嗎？

如果論爭都到了這個地步，中日兩國之間假使締結了一個不加入這條條款的條約，那麼某國一定不會說話嗎。然而蘇聯的大使特羅揚諾夫斯基（Oleg Alexandrovich Troyanovsky）和椎名〔悅三郎〕先生、三木〔武夫〕首相一開始說的，一是希望先擱著不碰日蘇之間的領土問題，締結日蘇友好合作條約，另外則是蘇聯並不希望看到《中日和平友好條約》的締結。

然而我覺得這兩點是抓住要點的。也就是說，即便和霸權條款無關，中日之間比日蘇之間更早訂定條約對於蘇聯而言可是下策。上策是日蘇之間訂定了條約關係，而中日之間不訂定；中策是日蘇和中日之間都完全不訂定條約，這樣至少就可以避免變成下策。然而因為北方領土問題如果不解決，日蘇和平條約就無法簽訂，那麼上策是不可行的。所以至少可以守住中策，也就是維

持中日、日蘇都沒有簽定條約的狀態存續下去。這樣的話，在不解決當前日蘇領土問題和和平條約的狀況下，不管加入或不加入有霸權問題都無妨，因為沒有條約存在，對蘇聯是最理想的。

　　然而未來在北方領土問題解決，日蘇之間也要簽訂和平條約的時候，應該也可以加入「反霸條款」吧？而且在這一點上日本反而更應該積極的提案才是。

對中國、蘇聯的認識尚未整理

　　X：既然中蘇對立得如此激烈，或許可以說社會主義陣營已崩潰了吧？但是也有人們擔心，中國到最後有沒有可能會變得像現在的蘇維埃一樣？雖然說接下來的歷史應該會告訴我們，中國到底會不會真的走向蘇維埃的路，但是我想在那之前必須先把兩者的差異搞清楚。並不是評價中國，或是簡單一句「支持北京政權」這麼單純的事，而是不管在邏輯上還是在歷史的經緯上，都必須要將我們過去應對的方式加以整理、分析清楚。

　　這事實上也與我們如何汲取中南半島這次的教訓有關，同時在糾正剛才提到的日本人的「健忘性」、「三分鐘熱度」或者是「日本人依賴的結構」，也是不得不為的。無論如何，如果放任大眾再度沉溺在這樣不負責任的心情主義之中，總有一天會有重蹈覆轍的危險，致使不論是從今以後的國際關係，還是對中國關係恐怕都無法順利進行。所以不趕快確實定位日本自身的位置豈不糟糕了？觀察現在大眾媒體的動向，我發現等距外交成為了冠冕堂皇的藉口，說是怕擔心刺激第三國之類的，但是倘若日本的

處境變得跟捷克一樣，雖然只是假設，如果中國也像蘇聯干涉捷克一樣干涉日本的話要怎麼辦？包括這個問題在內應該要有種種討論，然而現在卻完全沒有。

因此，所謂不能刺激蘇維埃究竟有什麼具體的根據呢？比如說財經界，是不是包括秋明州*的開發在內，在西伯利亞的開發中有具體利益的考量才那樣說？究竟為什麼過去吵嚷著北方領土問題的右派人士，曾幾何時也保持了緘默？

沒有前提條件的等距外交論

Y：所謂「等距外交論」，我認為必須要在前提明確了之後才能談。等距外交論是在特定的兩個國家間，有邦交，解決了懸案事項，真正可以建立和平共存的友好合作關係的架構之上，才能夠提倡。然而日蘇之間最大的懸案，也就是北方領土的問題仍未解決，正因為如此日蘇之間才無法締結和平條約。所以必須解決這個問題，才能實現可以推進等距外交的條件和基盤，但在現實上是沒有的。

從經濟上的因素看來，對照剛剛您提到的日本參加秋明州開發的問題，正因為無法解決這樣的前提條件，所以日本難以去除對蘇聯的不信任。也因而日本才會提議，如果可以在秋明州開發上引進美國參加，藉此做個保險，日本的投資、資本合作的回轉部分，不就可以建立為對應協助的平等互惠貿易關係嗎？然而由

---

* 於西伯利亞西部，為俄羅斯聯邦主體之一。.

於蘇聯的立場實在變化無常，所以日本實際上也準備棄之不論，也就是想撤案了。

然而因為蘇聯不同意撤案，所以現在仍然繼續審議著。這就是從10月29日到11月3日為止，一共四天之間所召開的日蘇經濟合同委員會第六次會議的結果。在會議結束後，事實上蘇聯外交當局立刻開始活躍地在日本進行各種活動。年初，宮澤〔喜一〕先生就前往蘇聯，同一天自民黨前幹事長保利〔耕輔〕先生則前往北京，2月5日蘇聯的大使則參訪椎名副總裁，提出剛剛我們討論的事情。

這樣看來，所謂等距外交的幻想程度到底到什麼地步呢？

社會主義所投出的幻想

另一個問題在於，社會主義所投射出的幻想。在現實上，國際共產主義運動已經消失。但就如您剛才所說，蘇聯並不是社會主義，而中國現在雖然說自己是社會主義，但問題是未來可能會變成不是。所以在去年〔1974〕4月的聯合國資源特別大會上，中國副總理鄧小平做出了這樣的發言：如果中國以後變成超級大國，打算追求霸權主義的話，就請諸外國人過來把這樣的中國政權打倒吧。這席話一方面是表示他們已經致力於自我更新、自我蛻變；一方面也是希望你們也好好監視的意思吧。

從這點看來，最近中國的外交活動相當生氣蓬勃，經濟建設上也因為開採出石油，變得很有企圖心。然而過了五年、十年，或者會更早，假如中國真的開始做出了霸權主義的行為，為了阻

止其發生，在這條霸權條款中，也讓日本站在可以明言「你們這樣才是違反條約吧」的立場。

但在現實中，互相角力的國際政治裡，有人也認為等到這種事情發生，早就為時已晚了吧。或許真的到了那個地步就已經不行了，但為避免發生，有必要建立一個國際的、寬廣的監視網。這一方面也具有先前所說的參加與同意的新民主化運動的意義；另一方面也有著讓和平能夠在其上實現之意義。

這樣想來，考慮到日本的安全保障，不管是現代國家所抱有的各種壞處，比如說都市化所伴隨的社會問題、因為分配調整落後而造成的所得差距的擴大，或者是都市與農村的差距擴大、農村人口過少等問題。另一方面，社會主義帶來的弊病或錯誤。但是如果把這些總括起來看，從必須做為亞洲一員的日本人立場來看，說社會主義也有其弊病，將某個東西當作戰爭勢力、另一個東西當作絕對和平勢力，這種看法本身是形而上學式地、靜止不動地觀察；我們還是應該要持有某種事物可能隨時會變得很不可思議、很恐怖的想法，這點相當重要。事物「也許會改變」這種認知，我覺得現在的中國是擁有的。讓中國人開始有這種認知的是文革吧？雖然說仍然有努力不讓事情發生，但是在現在的領導者世代交替之時，老實說並沒有辦法確定以後的世界會變成什麼面貌。

激烈變動的社會情勢與日本的選擇

因此至少要甩開、用清醒的眼光去冷靜地看，我想這種態度

對於日本來說是必要的吧，而且這樣一來，現實上同樣是超級大國，一方大國的霸權往後退回，另一方的國家霸權從今就會大肆以其海軍力量為後盾，試圖向外延伸。這兩者之間的不同當然是一定要考慮的。

有的國家說雖然不要做到過度干預，但是必要的干預是需要的。在現實上，當日本想到一路過來的社會、經濟組織和我們生活的環境，日本不應該在海內外追求霸權，在預估生產力提升的狀況下合理地改革所得的分配；同時在對外關係上，日本也應該訂定必要的誓約，並且進行經濟協助。

這樣的話，知道其國家好的一面、壞的一面的國家霸權，如果是日漸凋敝的霸權搞不好相對還比較安全。在中國，雖然說現在因為正在自我規制中，所以比較安全，但是未來並不知道會如何。令人困擾的是，像蘇聯般一面揭櫫社會主義，一面說自己因為是和平勢力所以我國的外交與霸權無緣等，卻仍然增強海軍力量，逐漸從亞太到地中海，甚至到大西洋，這樣與其說令人困擾還不如說危險吧。因此如果要把日本放進國際體系在其中尋找定位的話，就會碰到究竟要走華盛頓—東京—北京的路，還是要走莫斯科—東京—新德里路線的選擇。我想這些和我們日本人生活條件上的安全保障，究竟要依存何者有關。

做為放眼未來的理念，即便一定要追求參加與同意的和平，考慮抵達那裡在過渡期的世界中存立的條件時，我想那也有一個選項吧，《中日和平友好條約》正是此選項。締結此條約，也是日本選擇今後在國際社會或者國際政治中，是只能有責任地參加的選擇；所以如果放棄這件事，日本本身就又像1960年代一樣，

逃入不負責任的立場，或許會回到蒙著頭散彈打鳥的心態。

　　X：最後，日本位於亞太地區，是相當大的經濟大國，日本民族從今以後要以何種型式繼續生存下去的問題，要把這個「霸權」問題也考慮進去。同時，《中日和平友好條約》在聯合聲明之後，最終要怎樣總結中日戰爭問題？此外，中日之間不幸的歷史在此也有必須確實定位的意義。我認為在這樣的層次之下，圍繞著此話題的主題議論應該要更多才是。

　　談什麼等距外交、怕刺激第三國、不習慣「霸權」這個詞語等，偷換成這些旁枝末節的問題，可說自願隨波逐流在「心情主義式」的現狀，不是非常危險嗎？

本文原刊於《經濟評論》第24卷第7號，東京：日本評論社，1975年7月，頁76～95。爲「魚眼複眼」專欄內文章。對談人X係爲戴國煇

凝視東南亞華僑
——華人社會：何謂祖國座談會

◎ 劉俊南譯

時間：1972年
地點：共同通信社
與會：戴國煇（亞洲經濟研究所調查研究部主任調查研究員）
　　　小泉允雄（日本貿易振興協會勤務）
　　　田中宏（愛知縣立大學助教授）

　　在日本和東南亞各國居住的華人系住民數目，據說在1,500萬人以上。這樣的人口存在型態，是這些國家曾經經歷的殖民地統治與當地國家的社會、經濟結構之組合而形成的。今後，在思考中國與東南亞各國、日本的關係時，這是不可忽視的重要因素。另外，有關在日朝鮮人、中國人的國籍、待遇問題，可以說也包含著許多值得啟發的面向。

東南亞華僑問題的重要性

　　戴國煇（以下簡稱戴）：日本與東南亞各國的經濟關係，政

治、外交關係深入發展的過程中，所謂「華僑」問題就會成為一個不可忽視的重要因素，但是日本從戰前以來，對於華僑的關心方式以及其動機等存在著很大的問題。日本的華僑研究是以什麼做為目的，以什麼做為對象的。

　　日本的華僑研究，最初開創先河的是台灣銀行的附設調查機構。台灣銀行是以殖民地台灣的產業「開發」與向華南、「南洋」發展的金融支柱做為主要任務的特殊銀行，其調查機構是為了掌握華僑的商業網而開展活動的。從對他們經濟活動的關心到開始進行其社會調查是象徵性的，即使在戰後的今日，做為經濟發展的夥伴，日本為了了解其實態的態度也並未改變。＊

　　小泉允雄（以下簡稱小泉）：戰前的華僑形象，做為東南亞各國殖民地的一種經濟勢力，全面掌管當地人；而戰後的形象，則是新的獨立國家中的異民族商人，無論如何，只有商人有錢人的印象。30歲以下的年輕一代確實對於這樣的變化認識不足。

　　戴：華僑的「華」當然是中華的意思，「僑」就是僑民，就是臨時居住的人或者也可解釋為移民。因此，在中國國家以外居住的人一般都稱為華僑，但由於現在居住國家的狀況發生了變化，需要考慮華僑的新定義。按照我的想法，移居當時是從中國領土的地區向外國領土移居的中國人，或其子孫在外國領土居住的人們，仍持有中國籍者就是華僑。總之，就是說華僑與已經成為現居住國家市民之一部分的華人系住民是不同的。例如，泰國

＊　本文以下後面二文中，在座談人發言之後，都跟隨一段原書編輯者的引言或補充資料，以小一級字體表示。

有近350萬中國人血統的人們，其中300萬人已經取得了泰國籍，我認為這些人即使可以稱之為華裔泰國人，但不應稱為華僑。

　　第二次世界大戰後，在東南亞居住的華僑經歷的經濟、社會的變動很大。現居住國家從殖民地統治下解放出來，民族主義的抬頭，由此產生的排外主義等——在正面受到這些影響的同時，中國大陸發生的革命也成為他們存在方式產生變動的重大要因。在這個過程中，以現居住國家語言的教育所浸透的因素也在發揮作用，他們的意識正在發生的變化應該引起人們的關注。

　　田中宏（以下簡稱田中）：我覺得這不僅涉及日本人持有的舊的華僑觀，而且是與亞洲認識總體轉型要求有關的問題。我覺得直至現在，我們還生活在對於亞洲的錯覺之中，這就是一個例子。如何確定國籍即國家的成員，這裡有屬地（出生地）主義與血統主義的對立，日本等國貫徹的是典型的血統主義。這會產生出根深柢固的排外主義，因此，習慣以這樣的感覺觀察華人社會，就會片面地以為華人的活動總是與本國有關聯的、有意圖的。

　　戴：的確，在外國的中國人中，也許至今仍然有中國傳統的「思鄉」情結的人們，但他們現在已不停留在「衣錦還鄉」的意識，而且更有「落地生根」——做為現居住國家的一員在當地紮根的行動，正積極地開始參加現住國家的建設，這也是實際情況。因此，他們不是以華僑，而是以華人系住民為自己定位。本來，新中國目前還沒有國籍法，所謂華僑問題，對於中國而言，新國家是一個什麼樣的國家，應如何處理國內少數民族的待遇

等，都需要予以對應。

中國所表示的對應情勢的國籍處理原則，是1955年萬隆會議上，與印尼之間締結的雙重國籍的相關條約。在印尼居住的中國人，可以根據個人的自由意志選擇一個國籍，這是具有自由度的，這種中國政府的方針，對於其他東南亞各國也將適用。已經於1974年5月與中國建交的馬來西亞，也是發揮這種萬隆精神，闡明並非要求對血統的忠誠。

小泉：我認為這是華人系住民在當地新開闢生路的措施，但是反過來看我們的華人認識，有對戰後年齡層的存在缺乏認識的部分，也有對華人不單是有錢人，華人也有壓迫階級與被壓迫階級的存在缺乏認識的部分。如同不能說亞洲是一體，同樣，也不能說華人是一樣。華人人口中占壓倒性多數的是貧困的被壓迫階級，卻將他們與持亞洲經濟之牛耳的能幹商人形象混為一談，將越南、柬埔寨、菲律賓、泰國等存在的各自不同的華人社會問題，以新加坡華人研究全面予以覆蓋——這種傾向在日本是存在的。這樣對於東南亞社會、經濟的認識也產生了偏差。現在，馬來西亞等地的年輕人之間發生的動向，已經是超越了馬來人與華人之差異的新問題，但人們沒有認清這一點。

從馬來半島為例來看英國等對於東南亞各國的殖民地統治，即為了透過分割統治，掠奪殖民地，而有意識地引進中國人與印度人，建立複合型社會。在該社會中有英國殖民者的社會與馬來人的前近代型社會，以及在此經濟結構的縫隙之間生存的中國人做為苦力被榨取的人們，其中一小部分成了小商人，進而因「能幹」與「幸運」成為企業家或大商人積蓄了經濟實力，處於英國人社會與原住民社會之間，支撐著

殖民地體制。現在，華人上層也與當地國家的權力層結合而形成實力，而實際上華人社會內部在進行著激烈的階級分化。

經過戰前、戰後，華裔人口占了最多數的也是工人、農民階級。馬來半島實際上98％是被統治階層，所謂「東南亞的實力者」，「統治者」的形象，只有2％的華人屬於此類。

殖民地研究的新視野

小泉：觀察殖民地時，我們總是習慣以統治、被統治的上下關係予以掌握。英國有一位作家叫作喬治・歐威爾（George Orwell），他總是將世間分為上、中、下的關係予以觀察。歐威爾曾經在殖民地時代的緬甸做過警官，可能與現在的內容沒有直接關係，但殖民統治的問題，並不在上、下，而需要以上、中、下進行觀察。總之，殖民政策是有意圖地製作出社會的中層。英國、法國的殖民地中，總是很巧妙地利用了中層。這不僅是華人，柬埔寨的越南人、緬甸的印度人也屬於這種情況，但從東南亞整體來看，這樣與自己意志無關、被擬為中層的人們，如果不從這個角度來觀察華人⋯⋯

戴：獨立後的國家建設過程中，特別是軍事政權的國家和民族複合且內部矛盾百出的社會中，基於國內統一的美名，並因矛盾向「外」轉嫁處於一時權宜之計，中、下層華人做為代罪羔羊被拉出。最近的例子，如印尼的九三〇事件（1965年）；馬來西亞以選舉為契機發生的馬來人與華人的人種對立事件，即五一三事件（1969年）；另外還有泰國前首相他儂發動軍事政變時

（1971年），其理由之一就是在泰國居住的中國人有共產主義化的威脅。在這樣緊迫的國內政治情勢下登場的、被視為「看不見的敵人」的不也是處於被壓迫者立場上的華僑、華人嗎？

我們必須了解，東南亞各國正處於建設國民國家的過程之中，有了這樣的前提，就需要以新的觀點，對於自覺自己並非華僑的華人系居民是如何參加各個新國家的形成過程，發揮了怎樣的作用等研究，以及日本、東南亞、華人社會的應有關係進行認識上的調整。

田中：如果以世代論而言，不知道第二次世界大戰的年齡層，要創出自己空間的意識非常強，從來日本的留學生來看，對於日本的認識是正確根據著過去的歷史，對於抗日戰爭的解讀方式也非常好，但是，與同年齡層的其他民族的人們之間如何培養共有性——為此感到煩惱的人也多。

戴：是這樣的。新一代希望發現自己道路的意願，有時會與當地國家的人們發生衝突，陷入兩難的選擇。其要因不知道是否會強化民族對立的情況。但是，我希望強調的是：今後必須打破走上近代化道路的「一民族一國家」的近代國家形成的神話。事實上世界幾乎沒有「一民族一國家」的例子。存在的只是優勢民族統治的擬似的「一民族一國家」。我深切地感到需要看透這種欺騙性，將多民族共存的課題做為建設新國家的主要的、普遍的問題予以重新把握。

東南亞的華人除菲律賓之外，幾乎都適用出生地主義，持有居住國的國籍，這與在日本的朝鮮人、中國人明顯不同。

田中：在日本，一般說到複合民族國家，好像會使人感到「過時」，真的是這樣嗎？日本現在對於在日朝鮮人、中國人採取的待遇，也許是來自於「單一民族國家」，是貫徹了「極端的民族歧視」。從任何的意義上來看，都是處於帝國主義時代的「舊有遺產」尚未克服的狀況。

戴：在日本居住的朝鮮人、中國人是在殖民地體制下，由勞動力移入計畫與徵兵令強制進行遷移，在沒有辦法的情況被迫移居的人們，與東南亞的華人、印度人的情況基本上是不同的。而且，日本的國家主權並未因敗戰發生革命性的變化，因此不可能做為有力的一分子參加國家的形成過程。

田中：可以說與東南亞的情況正好相反。成為那個居住國家的國民的華人們，在民族教育與語言方面具有某種程度民族性的情況相比，在日朝鮮人的第二、三代等，雖然是完全沒有接受過朝鮮語教育的人們，但是在法律上接受的，卻是完全與一般持有護照來日的外國人受同一法令管理，名與實是相反的。

在日外國人的地位問題，仍在講述著日本長期殖民地統治的歷史故事。可說台灣省民林景明與朝鮮人宋斗會，幾年前提起的有關這種日本國籍確認訴訟等是非常反論的控訴。這是對剛剛敗戰後日本政府有關「由於和平條約，在日朝鮮人、中國人的日本國籍已經喪失」的單方面宣言提出的異議，例如，宋斗會的下列語言就具有象徵性的意義：我並不是因為希望成為日本人，或喜歡日本人才提起訴訟的。也不是由於討厭朝鮮人的意思。我只是希望日政府就近六十年來我做為日本人的生活事實進行確認。

根據1965年生效的《日韓合併條約》規定，在日朝鮮人的法律地

位被「政治性處理」，他們要求去除參政權等特殊部分之外的「內國民待遇」的聲音沒有被接受。根據條約成為協定永居者的人們中，有的在母國逗留中因《反共法》和《國家保安法》被逮捕、拘留的案例有所增多，以至再入國許可期限到期為止，日本的協定永居資格即告喪失，這是日本政府的見解。在申請加入日本國籍時，被要求適用「日本式姓名」等，強制要求向日本同化的處理方法，與尊重各民族主體性的共存思想相距甚遠。

必須指出，日本人的這種民族觀，如何把握東南亞華人社會的變化，這是一個特別需要日本人自身追問的今後的重要課題。在日本的華人論，只要還是將日本人自身的民族歧視置於視野之外，就難以打破原有的框架。

> 本文原收錄於竹內好編著，《アジア学の展開のために》，東京：創樹社，1975年9月25日。本文係據改版補訂本錄入，1985年1月，頁49～57。初版的原題「交易──華僑」

中國科技的革新與創造
——技術：以原點為中心座談會

◎ **劉俊南譯**

時間：1972年

地點：共同通信社

與會：星野芳郎（科學技術評論家）

　　　戴國煇（亞洲經濟研究所調查研究部主任調查研究員）

　　　小島麗逸（亞洲經濟研究所所員）

　　透過恢復邦交，日中之間的經濟、技術交流正要急速開展。這使人有了日本工業技術湧入廣闊中國大陸的印象，但是否是這樣呢？從事科學與技術工作的，是屬於各自社會的人們，因此，去除其社會價值觀就不能談科學技術。現在，在中國是什麼樣的技術觀，外國的技術會被接受嗎？讓我們思考這個問題吧！

　　沒有比醫學更接近人身的技術了。支撐技術的思想原型，幾乎在此領域都可以看出來。

　　古代中國有一本書，是後漢時代的中醫書《傷寒論》。這本書從寒、熱的角度把握病人的狀態，記載了150種疾病的類型，根據高橋晄

正（東京大學）的研究，這是一本在診斷與治療法方面正確對應的醫學書。與診斷是診斷、治療法是治療法——相互分離發展的西歐醫學不同，這種「實踐」的傳統堪稱中醫醫學的特徵。

這種中醫醫學，在近代化過程中受到了怎樣的對待呢？

中醫vs.西醫

星野芳郎（以下簡稱星野）：在明治之初，人們提出了應發展中醫還是西醫的問題，最後，中醫從醫學領域被排除了，亦被剝奪了開業醫生的資格。德國醫學的輸入，將一切排除在外，成為一直延續到現在的西醫。在日本自古相傳的中醫被完全去除了。

戴國煇（以下簡稱戴）：完全去除皇漢醫〔譯註：中醫師〕的，是留學德國、後來擔任衛生局長的後藤新平。這是1892年底甲午戰爭以前的事情。皇漢醫提出的「醫師資格規則改正法律案」被否決，沒有西醫的資格證書就不能成為醫生。連生活權也被剝奪了。但是，完全取締皇漢醫的決定性因素，不是別的，正是對甲午戰爭復員兵檢疫中證實了西洋醫學的有效性。以下雖然是我的假設，但日本醫學是以軍醫學為中心展開的事實是不可忽視的。戰地醫學、傳染病、檢疫等，一旦涉及疫學，中醫便輸了，由此，醫學的主流被硬拉向了德國近代西洋醫學的方向。

中醫醫學無法以科學機制解明「為何有效」，而是根據經驗掌控各關鍵之處，漸漸接近本質。日本不採用這種經驗主義。小島先生認為現在歐洲實際的醫學，也沒有像在日本這樣「完整」地受到近代西洋醫

學所覆蓋。

小島麗逸（以下簡稱小島）：某次偶然看到波恩（Bonn）藥房的例子，店裡的藥三分之二是草藥、煎藥之類，近代醫藥品只占三分之一左右。是沒有醫師診斷連阿斯匹林都不能賣的國家，與草藥方面相關的大學和醫院也都得到認可。而在日本，只拿德國醫學中占有率低的合成醫藥加以普及，當成這就是德國藥的一切。

星野：日本積極從外國引進近代醫學與其他工業技術者，以非政治主流的低階武士階級較多。因為他們要在文化的領域中有所超越，就只吸取了歐洲文明的尖端部分。這些與軍隊、大學、政府等有權威的領域完全黏連，並沒有受到批判。中國是怎樣的情況呢？如果是蔣介石政權能夠繼續的話，也會是這樣吧！

小島先生是認為技術由社會關係所決定，因此很難做出假定，以此做為前提。

小島：成立國民政府之後，引進了很多近代技術，但並不能進入90％以上人口的農村。同時，像胡適那樣認為應「全盤西化」，認為身、心、社會制度都是歐洲較進步的人們也未能成為政治的主流。雖然我覺得這是中國歷史的苦痛，當時對於西歐既成之物未能輕易接受，也不接受。

戴：台灣即使在日本統治的時代，也未能像日本那樣去除中醫師。土生土長的中醫師是被當成「密醫」對待，但有很多自己翻閱本草書，自己調配中藥的人。而戰後遷至台灣的國民黨將中

醫師做為「中醫」予以正式承認，允許開業。

　　星野先生說，是由於對中國歷史傳統的自負，使得中國與日本及其他發展中國家有很大差異，但是，中國與西歐發達國家的關係，也有過像日本那樣的時代，持續進行了探索試驗。

　　即使在中國，也不是一直重視傳統中醫醫學的。從中華民國時代開始，做為非近代的醫學，也有過像日本不承認中醫師的方針，即使在成立新中國後，也沒有馬上改變。但是，中醫對於農民是唯一的治療方式，是非常有效的。

　　小島：建立新中國時，西醫有1萬人，相對之下，中醫師好像有50萬人。從中國那樣龐大的人口來看，西醫真的只是一小撮，而且都集中在都市，農村地帶只有中醫師。但解放後蘇聯的醫療制度進來了，也曾以現代醫學書籍做為教科書讓醫生進行再研修，並發給醫師資格。1951年共產黨曾提出中西合作的方針，但實際上是要朝向西醫轉型的方向以去除中醫。

　　星野：那不是與日本一樣嗎？比國民政府還要嚴格。

　　小島：這是1950年代初期。因為非常信奉蘇聯的技術。

　　但是，畢竟學習現代醫學的醫師人數太少。在廣闊的農村地帶布下網絡的是中醫師，結果這個政策不得不崩解。1955年，醫療行政的幾位領導人被開除黨籍，這個方向就被否定了。僅僅從中醫學迷信的層面來看，就會忽視中醫學有效的層面。

　　小島：可是，農民逐漸有所覺醒，特別是1958年明顯地提升。當時的口號已經有所逆轉，提出學習近代醫學的醫師要向中

醫學習，那就是現在針灸麻醉產生的契機。針灸麻醉於1958年在上海的醫院開始，到了1960年，提出的口號已經進展到「創造中醫與西醫相結合的新醫學」。

　　為了改革醫療體制而登場的就是「赤腳醫生」，亦即被稱為光腳醫師的醫療衛生工作者。他們平時在農村和工廠兼做勞動，必要時進行醫療活動。他們的醫學教育年限縮短至三、四年，將重點置於理論與實踐的調整上。當然，這是以具有醫學專業知識的集團另行存在為前提的，赤腳醫生，不能代替所有的醫療工作者吧。

農村的醫療問題

　　戴：如果從近代醫學的層面來看，會質疑赤腳醫生的有效性。但是，實際上要預防、治療疾病，經過長時間學習的專家就萬能嗎？也未必如此。赤腳醫生所象徵的是拋棄醫師特權或假冒的權威主義，不使醫師走向特殊菁英化的道路。

　　小島：在重視農業與農民的形勢下，基於現實的要求，農村的醫療問題浮上了檯面。只要醫生是菁英，醫療問題無論何時都是處於人民難以觸及之處，受到盲目的信賴。算是破除這種現象吧，於是建立了在生活中治療疾病的制度。

　　星野：從我們技術人員來看，如果不是赤腳醫生，就不會了解醫學。不與農民一起勞動，就不會了解農民的疾病。我經常到工廠去，工人們最不滿的是醫生對於工傷與職業病的態度。他們是非常學院派的。所謂學院派，就是不看患者的臉，也不到現場

去看看他們在哪裡進行什麼樣的作業，而只是看檢查的項目。確定什麼疾病是根據有什麼檢查項目而定，就此進行檢查，稍與項目有出入就不認為那是疾病。這完全如同學院哲學時代的哲學家僅僅閱讀《聖經》與亞里斯多德（Aristotle），根本不看自然與人的現實，科學與技術變成非常學院化的，脫離實際。他們堅持說不用測量器具就不是科學，但人體與自然等用不上測量器具的部分很多。

在中國醫學中存在以往的技術與來自西歐外來技術之間的長期「鬥爭」，在農業、工業等領域也延續展開。與日本同樣，中國也是從半殖民地時代以來，受到西歐的衝擊，資本主義逐漸浸透，但是沒有被捲入西歐近代潮流的原因，就是由於這兩者的不斷「鬥爭」吧。產生「鬥爭」的條件可以說就是占人口大部分的農民。

小島：中國被殖民地化，就等於成為包括日本在內的歐洲帝國主義國家的資源供給者。資源中有礦產品與農產品，在礦產品方面，資源被拿走了，而像撫順煤礦所見的萬人坑，工人也在利用後被殺害了。農業方面則不能進行這種形式的榨取。即使是消極的也可以嘗試各種方式的抵抗，為了抵抗，農民之間就產生了發揮智慧的創造性。

星野：從農業共同化的速度以及農業技術的發展來看，也可感覺到農村並不閉鎖的情況。

戴：東畑精一曾經走訪台灣農村而感到驚訝，農民對於商品經濟具有非常敏銳的嗅覺，我認為至今仍然是這樣。

緊接著，戴先生舉出了東南亞華人系住民亦即華僑之例。所謂華

僑，就是流亡農民。因戰亂等失去田地的貧農流向海外，成為苦力等出賣勞力，在其他國家的土地使用權不被認可。於是從當勞動者出賣勞力，轉為小商人，其中一部分人現在牢牢掌握著東南亞經濟的流通過程。農民已經轉變為這樣的經濟勢力，也許這種行為方式，在日本等外國移民的身上是看不到的。

戴：李約瑟教授（英國的中國科學技術史專家）經常提及，中國民眾非常具有創造性。雖然我並不認為各民族的差異有多大，但中國畢竟因為有獨特的文化傳統，因而在民眾真正被解放時，他們的創造性會發揮出來。

星野：中國的馬克思主義真的在農民的土壤上生根開花了。列寧等人還是強烈認為農民是「落後人群」。認為工廠工人的意識水平較高，正像蕭洛霍夫（M. A. Sholokhov）《被開墾的處女地》〔*Podnyataya tselina*〕的名字一樣。在蘇聯，未能解決農業問題是由於對農村這個生產基地的重要性認識不足吧。

按照小島先生所說，將貧農定位為革命的主力之前，中國共產黨也經歷了非常曲折的道路，毛澤東在1926年的一篇論文中說：「都市工人有要求，會罷工，能夠引起暴動。但不能革命。」正如此言所象徵的，在《湖南農民運動考察報告》（1926年）以後，可以說就明白確立了將農民做為革命主軸的方向。但是，解放後根據蘇聯「更進步」的技術進行經濟建設時期，也可以說是中國摸索試驗期的「跌落」時期。

小島：第一個五年計畫是接受了蘇聯的技術援助的。引進蘇聯制的大型化學肥料工廠，按照重工業中心主義引進了大型整廠設備。但是，由於中國與蘇聯的自然條件及經濟條件不同，進口

的技術不能依照原樣適用。自力更生的立場就是1958年的大躍進時期由農民創造的。

　　星野：不是蘇聯的經濟技術援助停止以後，才開始自力更生吧。

農民們開始製作肥料與小型發電機及農機具等。當然，由於是外行的作業因此失敗品很多，生產效率也未能急速提高。工廠工人與農民在現有條件中，依靠自己的力量，開發新的技術。這被稱為「土法煉鋼」技術，所謂土法煉鋼，是相對於技術問題，更做為思想問題而出發的。

模仿與創造

　　小島：在不同的社會，會有各種的衣服樣式。好比大鵬〔譯註：大鵬幸喜，1940～，知名相撲力士，為第48代橫綱〕服裝對我而言是太寬大了，不好穿。但是受到所謂先進國家衝擊的亞洲國家，感受到了不得已只得穿大鵬服裝的悲劇。日本為了適應西歐的服裝而調整了自己的社會，但是否已製作出適合自己社會的服裝，還是一個疑問。

1958年大躍進的口號是「反對盲從西洋技術，比模仿更重要的是創造」。這是展現了積極開發土法煉鋼技術的自立精神，而中國技術革新運動內部的「鬥爭」，正是模仿與創造的鬥爭。

　　小島：日本也是這樣，在亞洲各國從事科學、技術工作的人們，都是學習了歐美的學問，是從歐美的文獻資料中得到資訊。

但是亞洲很多民族，發揮其獨特的創造力，在過去就有建設美麗的建築物與城市的經驗。妨礙了這種發展的，正是這一兩個世紀之間帝國主義的統治所造成的人性破壞。在精神上以及經濟上都必須面向西歐，不然就不能做為菁英繼續生存。

　　戴：技術開發的主體條件就是以其在技術方面更是否擁有民族自信、是否具有人的尊嚴的問題了。

　　這種「模仿與創造」，如果改為星野流的語言，就是「不結合實際的科學技術與結合實際的科學技術」。

　　星野：支撐所謂工業化的近代科學方法，就是從自然與人這個對象，僅就可以數量化的部分做為對象，是盡量避免如自然生態與氣象、海洋等不能完全數量化的問題而發展的。我最關心的是如何突破目前正在進展的技術革新的困境。但是在工廠及農村的生產基地，偶然性與可變性很多，有許多不知原因的現象，我覺得向那些從事未知部分工作人們的經驗學習，好像可以有突破口。

　　小島：在舊中國，也存在農業技術人員不到田地裡，機械設計師不了解工廠的狀況等常見現象。要依靠大眾力量進行智力開發。

　　星野：分工化與專業化是必然的趨勢，無論什麼社會都是如此。因為存在調整這種關係的機制。不是有口號說「亦工亦農亦文亦武」。所有人都要既是工人，同時又是農民，思想要好，還要會武鬥，可以說是文藝復興式的人才規格。

　　文化大革命以後，在技術革新運動方面，現在進行的是「設計革命」。這是設計技術人員們在工廠與礦山和工人們一起工作，根據他們的經驗，進行機械設計的改善，開發新的機械。在技術中，特別是機械及其他設計，可以體現出設計者的思想。設計革命，可以說正是回答中國已經意識到的「為誰而做的科學技術」的問題。從科學技術的目的中，拋棄利潤追求及唯生產力主義，將目的置於為人民時，科學技術的體系就必須進行變革了。

　　在這樣的傳統要素與外來要素的鬥爭歷史中，如果與外國的技術交流得以昌盛，其接受的特徵，可以說就是要堅持中國式哲學的「自力更生」。

　　小島：從外國進口整廠設備，其引進的方式也不是照單全收。一定在可以利用自己力量去消化的範圍予以考慮。總之要以農村做為主體，這是非常獨特的發展方式，由此將產生新型的工業化。

　　星野：這是螺旋型的發展，從上面看是骨碌骨碌轉動，從橫向看是逐漸上升，就是這樣的感覺。

　　　　本文原收錄於竹內好編著，《アジア学の展開のために》，東京：創
　　　　樹社，1975年9月25日。本文係據改版補訂本錄入，1985年1月，頁
　　　　201～211

重探日本人的中國觀
──十五年戰爭：善意與侵略之間座談會

◎ **劉俊南譯**

時間：1972年

地點：共同通信社

與會：橋川文三（明治大學教授）

　　　衛藤瀋吉（東京大學教授）

　　　戴國煇（亞洲經濟研究所調查研究部主任調查研究員）

　　毋庸置疑，亞洲主義在日本人的亞洲觀，尤其是中國觀中占有很大的比重。那裡混雜著日本人的夢想、侵略意識、連帶志向等各種複雜的成分。與此相對應，日本從國外受到怎樣的視線關注呢？海外稱霸之白日夢是不顧及其他國家的一部分日本人，一廂情願之下而發生的──這次，就從中國對日本的認識入手。

中國看日本

　　戴國煇（以下簡稱戴）：說起中國人如何看待近代日本，如

果將留學生與一部分知識分子另外討論，一般民眾的文盲率較高，而且要透過知識分子寫的書，來看他們意識中日本有多大程度的浸透是很困難的。

但是，由於甲午戰爭、日俄戰爭，遼東半島與台灣、「滿洲」全境都成了戰場。由此，民眾直接就可以與日本的軍隊接觸。身為民眾是非常不幸的，日本的形象是透過日本的軍人浸透到他們心裡的。日本方面的中國研究都做得很細緻，但中國的日本研究卻很少。

衛藤瀋吉（以下簡稱衛藤）：意識到對象的存在進行研究，是由於一些緊張感，為了改變自己為目的，身處漢文明圈邊緣的日本人，對於文明圈中心包括政治制度與社會組織的文明拚命努力學習，這是理所當然的。如果認識到中心的漢文明比身處邊緣的我們的文化優秀，因而有很高程度的心理緊張，就會產生追趕上中心文明的目的。即使在鎖國時代，來自清朝的船載書籍也為眾多學者爭先閱讀，在長崎，根據清人資訊而出版的《清俗紀聞》流傳非常廣泛。相對而言，位處邊緣的日本未能成為中國關心的對象也是當然的事情。

根據紀錄，文久2年（1862），千歲號前往上海時，高杉晉作等乘船的日本人，對於中國人關於日本只有「徐福的子孫」之類的知識而感到憤怒的紀錄。中國有傳說記載徐福是西元前200年秦代的人物，受命於秦始皇為求東方海洋上長生不老之藥而出航，流落日本。從漢文明圈的中心來看，邊緣日本＝徐福子孫說並不是完全不可思議的事情。

戴：其實我們並沒有這種感覺，直至父親的年代，徐福觀依

然奇妙地存在著。

　　衛藤：香港與日本、東南亞的中國人社會今天依然存在這種感覺。

　　橋川文三（以下簡稱橋川）：林房雄的《神武天皇實在論》〔《神武天皇実在論》〕，那本書也談到了徐福的子孫，稱其系統是在富士山麓建設文化圈，與大和文化圈有過交流，有這樣的舊時紀錄等。在日本方面好像有這類屬於神話似的記憶。

　　那麼，日本研究是怎樣的情況呢？清末知日派外交官、詩人黃遵憲著《日本雜事詩》與《日本國志》，以將日本詳盡向中國介紹的名人而著稱。他來到日本，在日本的制度、風俗習慣中再次發現了古代中國，仔細做記述，衛藤先生只是將此做為見聞紀錄對待，沒有將其視為研究。

　　衛藤：啊，不僅是黃遵憲，例如康有為、梁啟超等，也是看到日本的風物就會流淚，這些是憧憬日本時期的人們，那也不能稱為是日本研究吧。

　　從我們來看，正式的研究是戴季陶的《日本論》與天津《大公報》社長王芸生的《六十年來中國與日本》等。從滿洲事變開始，中國知識分子意識到自己有很強的心理緊張。其愛國熱情噴湧而出，做了這樣的研究，這是有事實根據的。數年後，王信忠的《中日甲午戰爭之外交背景》是有關甲午戰爭的書，寫得非常好。這一時期是戰前日本研究的頂峰吧。

　　戴：戰爭中的軍事委員會國際問題研究所，做為對日情報機關的層面比較強，王芃生在重慶主持這個研究所。王寫的書很有

意思的是，對於日本的神國思想與八紘一宇進行了非常強烈的批判。但是，他的發想之底流，是真正的革命者，即中國革命者與日本的革命者是友人。我們進行持久作戰，透過與日本作戰，打破日本軍欺世性的神國思想。

如此對於中國的「日本開眼」，戰爭成為其契機，可以說是以非常異常的狀況取得的日本認識吧。

中華思想與儒教精神

橋川：黃遵憲等人好像是以中華思想的眼光，將所謂處於邊緣的日本文化視為中心文化的一種變化型態，但在甲午戰爭前後開始，出現了評價明治維新、探究日本文化之根源的態度。無論是好的意義還是壞的意義，其中之一就是戴季陶吧。

衛藤：透過康有為、梁啟超，他們也是拚命地學習明治維新，將其做為變革的典範。但是，他們急於進行政治實踐，沒有坐下來認真地進行日本研究。

開始對明治維新的日本近代化進行學習，確實在以前中國歷史中是沒有過的。但是，留學日本的媒體人戴季陶在《日本論》（1928年）中，就明治維新以後的近代國家走向軍國主義的過程進行了分析，並從中找出了日中的問題所在，是很卓越的「批判書」。他指出，他與孫中山一起，曾出自中國國民革命的立場，希望與尚未失去維新精神的日本進行合作，但是軍國主義將這種希望化為泡影。他從1920年代後半期開始成為國民黨右派，但其日本觀對於國民黨或共產黨，都具有影響力。

　　橋川：確實，紮實的研究是開始的比較晚，但實際上有非常多的留學生來日本，1905、1906年時已經達到1萬人以上。而且有各種類型的人。魯迅、周作人，還有汪兆銘等。這樣一來，就不是單純的儒教文化圈邊緣的概念了，對於日本人來說已經是一種什麼特殊存在的關心逐漸形成。

　　戴：我覺得非常有意思的是，對於中國的中華思想，在日本的人們並沒有要將其切割之意。前些時候，田中首相出訪中國時，作了一首漢詩，其實說是俳句與和歌也可以。翻開台灣的殖民地史，福澤諭吉利用〈脫亞論〉抨擊了儒學者，可是為了統治來到台灣的總督與上層官僚，對於台灣的中華文物非常感興趣，當然也有籠絡人心的政治目的吧。透過漢詩與台灣的儒者進行交流也非常盛行。由此例來看，可以知道當時日本方面的領導層受到了非常強、根深柢固的中國文化影響。他們被中國上層生活的魅力所吸引，如有機會也希望享受一下。

　　戴季陶之後，蔣方震寫了《日本人──一個外國人的研究》（日文譯為《悲劇の日本人》），這個人在抗日戰爭中受到了很高的評價，太太是日本人，完全融入了中國的文化、生活，連日語都不講了。至今在日本人的生活中掛著中國書畫等，還是對此十分尊崇，這也是很有意思的。從上述來看，還是說明由於文化方面的吸引力太大，與中國很難切割。

　　戴先生提出了從生活中得到享受的發想，做為觀察中華思想的吸引力，可能是很有意思的展開指標。與此相關聯，橋川先生指出，主張要將日本獨特的精神文明向世界擴展的八紘一宇的日本主義時，必定採

取大規模漢字復興的政策。

橋川：在國家統治上，如果有什麼不好的情況來臨時，一定要復興漢學即儒教。明治以來有三次吧，當時的藉口是，本來的儒教精神在中國已經沒有，只有日本還殘留著儒教精神。因此，只要日本復興儒教，就可以由此使亞洲復興。藉這種邏輯，不想與中國文明進行切割吧。戰爭中火力全開是想要切割，但精神上無論到那裡都擺出與中國是兄弟的姿態。因此，田中首相寫漢詩，還保留著一些這樣的遺緒吧。

戴：因此，我認為今後做為中國人，自己必須與中華思想進行切割，同時，日本人觀察中國的眼光，對於中國與亞洲的浪漫主義，或是在日本不能做的就轉移到哪裡去做等迄今為止的思考、行為方式，請日本人就此進行切割，必須將所有一切都置於相對化的關係中，不然就會糾結不清。

衛藤：對於我來說，我有點搞不懂切割的意思。包括我在內的日本人，是否能夠很容易地做到，很難說。即使說是自然，日本也不過是盆景罷了。所以，宮崎滔天僅僅是站在長江入海口之處，就被驚呆了，大聲痛哭。就連以冷靜的文學家眼光著稱的夏目漱石，也在《滿韓漫遊》〔《滿韓ところどころ》〕中，對於那些苦力的能量有一種畏懼之心。戰前的日本在軍事上很強，但是日本人對於中國的所有事情都感到驚歎。即使是軍人，那些在戰爭中取勝的人們，心理上是否只有侮蔑心，但未必只是如此。

例如，昭和初期，日本曾向中國各地軍閥派遣了職業軍人，都為他們所跟隨的軍閥所傾倒。袁世凱身邊的坂西利八郎，張作霖身邊的町

野武馬、閻錫山身邊的花井正等。他們都懷有這些軍閥都能統一整個中國的夢想，而且都有一種錯覺，以為自己受到了無限的信賴。

　　衛藤先生說：「對於中國來說，感到麻煩、難辦的只是日本的軍事力吧。」那種蔑視、畏懼與傾倒的複雜心理，反而是比較易於處理的。

　　衛藤：昭和17年6月，當時滿洲國的國務總理張景惠到南京訪問汪兆銘。汪多次對日本的橫暴表示憤怒，拚命想從中國人立場去努力。但張景惠表示，算了吧，讓他們鬧去吧，這些總是會回到中國人的手上來的，汪才消了氣。這就是中國人的自信吧。

　　戴：這種看法今天也有。我們台灣出生的人在50年間，受到日本的殖民地統治，初期的抵抗運動大約有兩萬人被殺了。但不可思議的是，我們的父輩或祖父輩都相信日本必敗。後來，在中國戰線看到日本軍隊的強姦與屠殺行為的被徵用台灣人軍屬，也相信這樣的軍隊絕對是要失敗的。

　　橋川：我不太懂的是說起中華思想，好像就有什麼負面的內容，其實還有仁的思想、大同的思想吧。聽軍隊回來的人說，日本的軍隊是很強，但是失去了人類之愛這種普遍性的理念，所以要失敗。

　　戴：中華思想的面向各式各樣，我認為它有一種融合周邊民族的生命力。創造古代文明的國家，現在還持續著這種生命力的只有中國了。

　　不僅是這個方面，在各種國民性的斷層繼續存在的情況下，日中兩國之間戰爭狀態持續下來，做為其紀錄，有日中戰爭史與外交史，按

照橋川先生等的看法，還留下「日中戰爭尚未書寫成文之不滿」。

橋川：也包括軍事行動的問題，例如媾和工作就有很多吧。軍人也好，政治家也好，都有理解中國的人。這些人們在大型戰爭中，曾經發揮過短暫媾和工作的作用，反之，也扮演過惡徒的角色。對於這些，大家怎麼看？

中日戰爭的再理

衛藤：那場戰爭不能以帝國主義侵略或亞洲解放的邏輯進行單一排他的切割定義，我認為現實是摻雜了各種各樣難以釐清的要素。

橋川：少年時代做為親身體驗過中日戰爭的實感，在精神上是非常難以切割的。

昭和12年以後的日中之間的戰鬥，是日本沒有宣戰公告的戰爭。所以才稱為「支那事變」。但是，這個戰爭完全是一個泥沼，日本在實力上不能壓倒中國，又完全沒有媾和的渠道。表現出這場不似戰爭的戰爭性格的，可以說就是諸多的「媾和工作」。參謀本部與軍事特務機關，並與民間人士交織，以國民政府為對象的媾和工作多達17件。這些工作從結果上來看，都沒有結果，對於這些，大家怎麼看？

橋川：例如，投入媾和工作中所包含的如果說是一種善意的話，日本人這種無法實現的最高的善意，從結論上來說，也可以評價為不過是一種悲慘的謀略而已。我認為其善意與謀略之間進行的作戰就是中日戰爭，但我還是覺得有些不安定。

衛藤：做為主觀的善意與做為行動的謀略是共存的。這並不是相反的概念。以非常的善意而做了非常的謀略。九一八事件也是，其他還有很多。無論對於那個事件的評價如何，我認為中日戰爭的過程就如同是一場隨抬神轎而起舞的湊熱鬧行徑。既沒有希特勒與墨索里尼那樣的獨裁者，也沒有像明治政府的少數權力者集團，就有如抬神轎一樣的一時的勢頭。正如丸山〔真男〕先生所說，當時操作大眾感情的是一些領導副手，但是我認為是新聞界在操作。新聞界煽動國民感情，國民感情最後無法被制止。

做為媾和工作，可以回憶起船津工作、陶德曼（O. P. Trautmann）工作、汪兆銘工作、錢永銘工作等。對於這些，中國方面的反應如何？這些資料今天得不到。這是對這些「工作」過程難以進行歷史定位的難點──總之，媾和交涉中日本方面提示的，就是不讓出滿洲的立場。

橋川：確實，七七事變以後，有關滿洲的問題，不讓出滿洲好像是一貫的。有關這些，日本方面有某種暗示，重慶方面也有暗示，即可以根據情況處理的默契暗合的認識，因此媾和工作在形式上才得以成立。有關事實的資訊是否準確尚不可知，重慶方面曾多次表示過不去問滿洲的態度。這到底是放棄還是固執，是做為沒有含意的暗示時常在交涉時提出來。也許是重慶方面的內部情事。

戴：我認為這是日本人與中國人歷史意識的落差。例如，孫中山到台灣尋求後藤新平的援助時，也涉及到是否承認滿洲的權益等。「那是中國的，反正是會收回的」。孫中山是這麼想的。如此常有成為阿Q的可能性，但它確實具有柔軟性。

橋川：此是在祕密的媾和工作中，重慶方面提出先不問滿洲問題，而先談現實存在哪些有打開局面可能性的，這是當時的背景。但是日本沒有照樣接受。這是根據近代的國際法觀念與條約的構想，希望使滿洲問題進入已經解決的狀態。這種落差不斷反覆出現。

在包括這種落差的工作中，就滿洲國問題具體進行了交涉的是陶德曼，陶德曼透過德國駐日大使館被委託進行調停，他直至昭和12年底的最後時刻為止，擔任南京政府交涉的工作。

衛藤：此後的媾和工作者，我主觀覺得是非常虛無的，戰爭再繼續下去什麼也不是，當務之急應該是設法停戰。他們有一種為了媾和獻身而死的浪漫，但表現出來的是非常虛無的型態。

橋川：中日戰爭在這些細緻的部分中，最終必須走上這樣虛無的方向，這是我感到有興趣的地方。

衛藤：不，這是一種悲哀。因此，太平洋戰爭與英美交戰時，心情好像烏雲被風吹散、天晴了一樣。不僅是媾和工作者，日本全體國民都是這種感受吧。

衛藤先生有一種感覺，認為幕末以來在日本人中，存在著西洋霸道、東洋王道那樣的與西洋對抗的意識，知道清朝靠不住時，日本的東洋王道使命感就極為高漲。

衛藤：因此，滿洲事變以後在心情上的敵人還是西洋。暴支膺懲＊也是因為西洋人的傀儡蔣介石不好，太平洋戰爭才是第一

＊　中日戰爭時日本軍隊的口號，即為懲罰暴虐的支那而出兵進攻。

次與真正的敵人對決。

橋川：的確是那樣的。我們對於沒有大義旗幟的、不知何時結束的中日戰爭，對孩童心態上是非常難受的。就說是為了東洋和平而去進攻，社會變得很灰暗。那四年是非常難以忍耐的。然後就是12月8日。才明白了原來我們的敵人在這裡。心情因而豁然開朗。

這種戰線的轉換有使日本的戰敗意識變得模糊的部分，賺錢的現實主義與將行為正當化的浪漫主義結合在一起，至今成為了日本人的行為特徵吧。

橋川：在此意義上，今天亞洲人對於日本的本意到底是什麼，還具有一種恐懼心情。無論是鬼畜美英，還是日中友好，我們內部對於日本變身之快的危機感也是很強的。

座談會評論（戴國煇）

這裡所說的十五年戰爭，是指1931年9月18日開始的滿洲事變為發端，直至1945年8月15日，日本的昭和天皇接受《波茨坦宣言》，正式發布無條件投降為終結，共15年的中日之間的戰爭。

如果把這十五年戰爭極度單純化以一個圖式來說，就是日本帝國主義、軍國主義巧妙地操作、動員日本大眾，對中國發動的侵略戰爭。對於這場侵略戰爭，中國的民眾面對自鴉片戰爭以來

受到列強侵略支配的各種侮辱，逐漸覺悟，形成了反帝國主義的民族意識，最終以抗日做為主軸，在歷史上第一次實現了全民族的團結，結成了抗日民族統一戰線，開展了反侵略戰爭，並取得了「慘勝」。

但是，這場中日之間的侵略與反侵略的十五年戰爭，經歷了諸多前史與曲折的過程，進而在其結果上，實現了中國現代史乃至世界史上的一大轉機。

中日戰爭的前史

中國人的歷史意識與日本人一般的歷史意識有所不同之處，在於將日本對中國侵略的發端追溯到甲午戰爭。因此，中國的歷史家通例是將甲午戰爭稱為第一次中日戰爭，這裡所說的十五年戰爭則定位為第二次中日戰爭。

在第一次中日戰爭取勝的日本，不僅將中國領土的一部分──台灣占為殖民地，而且從以往受到歐美列強壓迫的國家一躍進入歐美列強的行列，成為對鄰國朝鮮與中國進行壓迫的國家。

特別是《馬關條約》的第五項，強制中國接受了歐美列強以往都未曾從中國取得的經濟特權，實際上是為歐美列強對中國進行資本輸出打通了道路。

更惡劣的是，趁著這次勝利之機，對普通的國民滲透對中國人、朝鮮人的蔑視，為日後的侵略進行了國民動員的輿論準備。

接著發生的日俄戰爭中日本的勝利，限定在中國方來說的話

遼東半島──被取名為關東州以實現殖民化──從沙皇俄國繼承了租借權，將南滿洲鐵路為主軸的中國東北地區南部（南滿洲），劃入了日本帝國的半殖民地勢力圈之內。

甲午戰爭、日俄戰爭的勝利，以破竹之勢對外極度擴張的日本帝國，當然對於「滿洲」僅僅實現半殖民地化是不能滿足的。於是以南滿洲鐵路公司為據點，在中國東北地區不斷取得利益的日本當局，為了確保這些「特殊權益」，先是將《二十一條要求》強加於中國，同時進一步強化了在經濟、軍事上進入東北。結果，僅就南「滿洲」而言，就注入了日本海外投資的過半資金，對於資源匱乏的日本，該地區已經成為不可缺少的重工業原料產地。在軍事方面，不僅是為了確保南「滿洲」的「特殊權益」，而且也是針對進入第一個五年計畫並取得成功的蘇聯，具有防衛與攻擊基地的性質。這種針對蘇聯的基地性質，同時也對著不斷提高的中國民族革命運動，成為鎮壓的據點。當時的「滿洲」，已經成為日本帝國主義的生命線。

本來從階級的觀點來看，日本當局對於由歐美與上海浙江財閥支持的蔣介石為首的南京中央政府的中國統一運動（第二次北伐），即使不支援，也不必做出阻礙之舉，但由於當時列強在中國的矛盾抗爭日益激化，做為其反映，也表現在中國內部的各派軍閥之間的矛盾與抗爭之中。

其具體事例就是日本支援張作霖，山東出兵（第一次1927年，第二次、第三次1928年）與濟南事變。

但是，其阻礙北伐的行動失敗，而透過張作霖確保「滿洲」權益也有些靠不住，於是，為了實現自己對「滿洲」統治重組強

化的目的，關東軍親自動手，將一直支援的張作霖炸死（1928年6月）。

張作霖被炸身亡後不久，南京中央政府就成功地占領了北京、天津。將其視為進入東北地區好機會的美國，策動了蔣介石與張作霖之子張學良的合作。當然，自己的父親被殺、成為新東北地區統治者的張學良，對於日本帝國主義恨之入骨，當即響應了美國的策動，1928年底與南京中央政府加強合作，使東北地區易幟，豎立了青天白日旗（國民黨黨旗），進而引進了與日本對立的英美資本，開始著手對滿鐵的壟斷構成威脅的鐵路與港口建設。

張學良的抗日舉動使關東軍更進一步感到焦躁，1931年4月，做為離間中國人與朝鮮人之策，挑起了萬寶山事件，同年8月，又以中村〔震太郎〕大尉調查進入「滿蒙」而「失蹤」為藉口，將關東軍集結於奉天（瀋陽），做好進擊的準備。正在這時，日本國內因經濟大恐慌（1929年底以後激化），經濟進入混亂狀態，罷工頻起，以社會主義者為首的進步分子的運動不斷高漲，日本當局感到深刻的危機。

事實上在殖民地，民族解放運動也在日復一日高漲之中，朝鮮1930年5月30日在間島爆發朝鮮人的反日武裝暴動，台灣同年10月27日爆發霧社蜂起事件，使殖民主義者處於恐懼之中。中國本土也伴隨山東出兵，出現了不斷蔓延的抵制日貨運動與抗日民族運動，日本帝國主義的前途黯淡、烏雲密布。

可以說「滿洲」的新事態，對於日本帝國主義者而言更加不利，進一步加深了他們的危機感。

九一八事變（滿洲事變）

重視「滿洲」情勢的關東軍，早在1929年底參謀本部就訂好滿洲占領計畫，並做好了實行準備以便隨時都可以執行。他們將本國的危機與「滿洲」危機聯繫起來，認為將「滿洲」盡早實現完全殖民地化，以此做為基地，就可以對赤化的震源地——蘇聯予以痛擊，不然日本就不能脫離困境。

於是在1931年9月18日，關東軍自己動手炸毀了南滿洲鐵路柳條溝的橋樑，仍舊採用慣用手段，反誣是中國軍隊策劃所為，並以此為藉口向瀋陽砲擊，接著就占領了北大營。

此前，做為中國革命的新興勢力不斷成長的中國共產黨，經過第一次國共合作（1924年1月），與國民黨軍一起開始北伐，途中發生上海的「四一二反共政變」（1927年），與國民黨決裂，此後經過南昌起義、井岡山根據地建設、海陸豐蘇維埃運動、廣州起義（均為1927年）等，堅持戰鬥。

1928年，毛澤東、朱德組建工農紅軍第四軍，接著1930年7月在長沙成立蘇維埃政府（8月失敗），利用軍閥混戰之隙，擴大了根據地，加強了對一般民眾的政治思想的影響。

另一方面，南京中央政府借助占領北京、天津與東北三省歸屬的餘勢，對中共根據地進行圍剿，第一次是1930年12月，第二次是1931年5月，第三次是同年7月至9月，行動接連不斷。

九一八事變正是南京國民黨對中共根據地進行圍剿之際爆發的。

在這樣的情況下，面對關東軍新的侵略，蔣介石當時處於是

繼續進行圍剿中共，還是進行抗日的兩者擇一的壓力之下。

當然，南京中央政府選擇了前者，很早就對東北地區全軍發出了「即使受到日本軍攻擊，也要盡量謹慎，避免衝突」的不抵抗命令，而對於中共軍隊則全力出動進行圍剿作戰。另外，對於不斷高漲的抗日運動，提出「等待國際正義的判決」，向國際聯盟提訴，爭取實現其姑息方策。

但是，接受提訴的國際聯盟實質上主導者英法美三國，雖然對於日本的對外擴張有一定的反彈與矛盾，但苦於當時全力對應經濟危機，忙得不可開交，同時，在東亞遏制蘇聯影響的力量，對於南京中央政府不能完全依存的狀態下，他們抱有一線希望，日本在「滿洲」的統治能夠阻止蘇聯南下，進而可能對蘇聯發動攻擊等。後來國際聯盟派遣的李頓調查團（Lytton Commission）的報告書（1932年10月2日公布）的基本內容就是這種心態的反映。

在這樣的列強矛盾與南京中央政府的對日妥協政策下，關東軍基本沒有受到抵抗，就將東北三省置於自己的統治之下，1932年3月1日建立了傀儡政府「滿洲國」。

其後，日本退出國際聯盟，對內鎮壓各種革新勢力與開明知識分子、教授們的言論，法西斯主義傾向日益嚴重，終於走上了對中國全面侵略的道路。

最終意圖統治全中國的日本，在「滿洲國」成立前夕，為了鎮壓九一八以後不斷高漲的中國人民抗日運動，特別是上海工人為中心的強烈的抗日運動，同時也是為了將列強的視線從「滿洲國」陰謀引開，唆使被日本軍收買的中國人襲擊化緣的日本人僧

侶，引發了所謂的上海事變。

日本軍並不滿足於「滿洲」的統治，1933年1月至3月，占領熱河省，接著策劃河北省北部（冀東）的非武裝化，1935年強制簽署《何梅協定》，使駐在河北省、察哈爾省的國民黨及中央軍撤退，並建立了冀東、冀察兩個傀儡政權。

對於以侵占內蒙古、華北為目標持續進軍的日本軍隊，南京中央政府仍繼續採取對日妥協政策，同時對於1931年11月成立的中共的中華蘇維埃共和國政府（瑞金）則繼續進行掃蕩，在第四次（1932年6月～1933年3月）、第五次（1933年10月～1934年10月）圍剿戰中央政府投入了全力。

但是，不斷高漲的中國人民的抗日運動，蓄積了對國民黨當局對日妥協政策的不滿，由國民黨左派、社會民主主義者及一部分進步文化人策動的「閩變」（福建人民革命政府，1933年11月）爆發。另外，學生們也不斷組織了要求停止內戰，打倒日本帝國主義的示威遊行（其高峰是1935年12月9日爆發的著名的一二九運動）。

另一方面，被圍剿的中共軍隊由於一部分幹部領導的失誤，放棄瑞金西遷轉移，不得已開始了長征（1934年10月～1935年10月）。在途中的遵義會議上，最終確立了毛澤東的領導權，就以後的抗日戰爭與中共勢力的重組強化實際領導。

南京的蔣介石對於長征的中共軍隊圍追阻截，然後派遣歸屬南京的張學良東北軍與率領西北軍的楊虎城，前往西北地區討伐以延安為中心的中共軍隊的解放區。但是，在一二九學生運動等抗日運動的高漲與中共的《八一宣言》（1935年8月1日，抗日救

國宣言）的呼籲下，特別是故鄉被日本軍隊蹂躪的東北軍內部明顯出現動搖，要求停止內戰、一致抗日的空氣在部隊內蔓延。與此同時，討共作戰遲遲不得進展，局部地區還出現了停戰狀態。為此實施督戰的蔣介石親自前往西安，結果被張、楊軍隊監禁、這就是有名的西安事變（1936年12月12日）。由於蔣介石認同了停止內戰與結成抗日統一戰線的原則，12月25日被釋放返回南京。從此，國民黨政策被迫轉換，從內戰轉向抗日救國，進而實現了第二次國共合作，開闢了抗日民族統一戰線的道路。

七七事變（盧溝橋事變）

對於西安事變以來抗日運動高漲感到焦慮的日本當局，企圖在中國方面抗日體制整備完成之前，對中國給予先發制人的一擊，於是在1937年7月7日深夜，以在北京郊外盧溝橋附近演習中的日軍受到不法攻擊為理由，對中國軍隊加以攻擊。以此為契機，日本對中國展開了全面的侵略戰爭。

做為侵略方的日本當局，將此與過去腐敗的半殖民地、半封建制度下的清朝或軍閥為對手的戰爭等同視之，七七事變又稱「支那事變」，沒有宣戰公告，第一年度就投入了50萬陸、海、空軍，企圖一擊即使中國民族屈服，當時是目空一切的態度。

但是，已經覺醒的受多次威嚇與屠殺事件促使全民奮起投入抗日戰爭，加上當時無論是戰是和，都無法按照日本當局原先的戰略發展，日本軍隊能夠確保的只是點與線而已。

「七七」以後，中共立即發表抗戰宣言，南京國民政府也發

表抗日自衛宣言，同年九月，第二次國共合作＝抗日民族統一戰
線正式起步，開始了抗日戰爭。

　　中共軍隊以八路軍與新四軍為中心展開游擊戰，同時還致力
於根據地的強化與擴大。

　　國府軍隊雖然根據全體國民的抗日要求應戰，另外也有英美
參戰與期待坐享其成，盡可能使自己的軍力消耗減少到最低限
度，以備勝利後與中共軍隊的戰爭。

　　1938年10月，攻陷臨時首都武漢的日本軍隊，為了打開僵持
戰況的局面，採取了「政治七分、軍事三分」的方針，向困守重
慶的國民政府開展和解工作，另外，為了確保自己的點與線，向
八路軍、新四軍以及抗日根據地實施全力討伐。

　　日本當局的國共離間策略與促進國府內部動搖策略有一部分
奏效，引誘國府內以汪精衛為首的動搖分子從重慶出逃，1940年
3月，在日本的支援下，成立了南京偽國民政府。

　　另一方面，在國府軍隊的監視包圍下，同時又受到日本軍
隊正面攻擊的中共軍隊展開游擊戰，以毛澤東的《論持久戰》
（1938年5月）做為理論武器蓄積力量，吸引、打擊日本軍，
1940年8月，以八路軍為主力，在華北一起反擊（百團大戰），
儘管付出了重大犧牲，但確立了鞏固的基礎。

　　然而，中共軍隊與國府的內部抗爭，終於在1941年引發了皖
南事變。該事變使抗日統一戰線處於決裂邊緣，但其後抗戰還是
保持了基本穩定的狀態，一直持續到抗戰結束。

　　中共進一步為了確立內部的革命主體，於1942年2月開展了
黨內的整風運動，強化了自己的力量。

在此之前，日本軍隊襲擊珍珠港（1941年12月8日），進入了「大東亞戰爭」階段，中日戰爭以此為契機，成為第二次世界大戰的一部分。

日本在1942年1月，與德、義簽署三國協定，站在軸心國一邊，同年5月為止，占領了東南亞全域，然而同年6月開始，由於受到美國軍隊發動的反擊（中途島海戰），失去了戰爭的主導權，開始敗退。中國戰線也從1943年夏以後，中共軍隊的解放區開始急速擴大、強化，1945年春，日本軍隊的優勢地位開始明顯跌落。中共準確把握形勢變化，於同年4月召開了中共七大〔譯註：中國共產黨第七次全國代表大會，於延安召開。〕。會上毛澤東預見抗日戰爭即將勝利，就抗日戰爭進行總結，提出了勝利後新中國建設的綱領，並要對日本帝國主義給予最後的打擊，整頓了自己的隊伍以面對新的形勢。

國府由於其體制及素質，與中共相比，在應對形勢方面明顯遲誤，對於八一五的勝利不過是「慘勝」的事實都沒有自覺，眾多官僚都在搶奪「勝利」的果實，導致自己的墮落。結果雖然接收了日本軍隊的裝備，又接受了美國龐大的軍事援助，但還是在國共內戰中敗北，使得中國出現了一個社會主義的政權。

在這個意義上可以說，日本的對華侵略戰爭，在對中國民眾造成莫大損害的同時，也發揮了新中國誕生的助產婦作用，這也真是一個諷刺。

參考文獻

衛藤瀋吉先生推薦：

戴季陶著，市川宏譯，《日本論》，社會思想社，1972年版

平川祐弘，《和魂洋才の系譜》，河出書房新社，1971年版

小島晉治、伊東昭雄、光岡玄，《中国人の日本人観100年史》，自由

國民社，1974年版

山口一郎，《近代中国対日観の研究》，亞洲經濟研究所，1971年版

竹內實，《日本人にとっての中国像》，春秋社，1966年版

橋川文三先生推薦：

松本重治《上海時代》，1974年，中央公論社版

堀場一雄，《支那事変戦争指導史》，1962年，時事通訊社版

本文原收錄於竹內好編著，《アジア学の展開のために》，東京：創
樹社，1975年9月25日。在此係據改版補訂本錄入，1985年1月，頁
243～264

在國際化中前進
——國際合作的現狀與展望座談會

◎ 劉淑如譯

時間：1975年11月8日

地點：霞山會館

與會：中根千枝（東京大學教授）

　　　伊藤良二（聯合國教科文組織・亞洲文化中心理事長）

　　　戴國煇（亞洲經濟研究所調查研究部主任調查研究員）

主持：犬丸直（文部省學術國際局審議官）

犬丸直（以下簡稱犬丸）：今天主要是想請各位就文部省正在進行中的國際合作事業做個討論。

國際合作這個用語，可以解釋成許多義涵。以文部省所進行的來說，它指的是教育、學術、文化的合作，而其中由於教育或文化合作這方面與學術合作有著相當不同的情況，因此想請各位先從教育、文化合作這方面討論起。

首先，我想各位都知道，教育合作當中，也存在著人物交流的問題。由於學者或是學生，以及其他互相派遣乃至接受的問

題，是最具體，而我相信各位在工作上也有諸多感到有問題之
處，因此，想請各位先就這個部分談一談。

人物交流事業的改善對策

中根千枝（以下簡稱中根）：首先，有關派遣，不管是開發
中國家也好，或者是已開發國家也好，多派出一些與教育研究相
關的人，加深彼此的理解，這比什麼都來得重要。由於文部省的
預算有限，因此，該如何分配這些有限的預算，我想有必要稍微
改革一下過去的作法。以大學生的情況來說，不只是文部省，也
有很多其他的資源。因此，以學生的情形來說，我認為大致可
以。

有關教師及研究者，問題似乎很多。儘管人數一直在增加，
但想去的人卻去不了。比方說地方上的大學裡頭專攻德國文學的
人等，總是很難輪到機會，而等到機會來臨時，年紀也已經很大
了。與其這樣，不如在剛當助教授，還年輕一點時去。好像還滿
多人如此強烈地希望。其中甚至還有人全額自費，湊足零星的錢
之後前往。在這種情況，文部省若能夠至少提供出國旅費，就大
大有幫助了。一般若是以海外研究員的身分前往，文部省會幫忙
出旅費及生活費，但若只贊助旅費的話，一人份的海外研究費，
就可以贊助二或三人前往。因此，只要有辦法獲得旅費贊助就想
去的人，自然就會增加。

另外還有一個問題，就是我認為文部省太過於區分已開發國
家和開發中國家。有時候因為學問的關係，海外研究員想留在開

發中國家，卻有些困難。有些研究員希望能夠多分到一些在開發中國家的滯留天數，而這些人似乎感到不便。比如印度也有很優秀的學者，也有人在進行開發中國家本身現況的研究，因此，我認為像這種情形，最好不要區分。教師或許也有這樣的狀況。我想，讓研究者或教師都能去他們想去的地方，而不要去區分已開發國家、開發中國家，我們應該朝什麼是對他們的研究最有幫助，或者最能有所收穫的方向考量並改革。

犬丸：剛才教授所提出的問題點當中，首先第一點是在量方面非常的不足。當然，只要進行招募，想去的人有很多，不過，問題出在真正有資格去的人，是否去了的問題，是嗎？

中根：是的，我希望可以將選考辦好。在歐洲等派遣地經常聽到有些人都關在宿舍裡，頂多只是去一下圖書館，對當地也都不了解，所以就依賴企業的海外駐派員。經常聽到駐派員抱怨無法忍受照顧那些老師們。像那樣的人，看能不能把他們改成短期的，或者是少撥一點經費給他們。

犬丸：我想研究員及教師的動機也是各式各樣，會有問題的，是想到國外去鍍金，或者是因為別人去所以我也想去的這種情況。

中根：對，有這些想法就不好了。不過，到地方的大學時，發現它們多半都有按照順序輪流去的制度，而老師們都被這個制度綁住。

因此，只是想去的話，我覺得短期的就可以了。這些人反正也是只要能去一次就好了。

不過，也有人是真的想做研究，卻因為太年輕而一直輪不

到。讓這些年輕的助教授出去個一年再回來,將會非常有幫助。

伊藤良二（以下簡稱伊藤）：對於剛才中根教授所說的話,我有同感,不過,在派遣到開發中國家時,我希望能夠稍微再考慮一下。純粹的研究,這個目的當然也是很堂而皇之的,但另一方面,就從事相關工作的立場來看,我認為我們與亞洲各國已經進入一個合作的局面。因此,考慮彼此的互利,是最能維持長久而且有意義的。也就是說,若能稍微再有機地考慮由大學或學者這邊來協助具體計畫的態勢以及方案,或者企畫案的研究調查,對雙方都有利。

我目前正在進行製作教科書的研修課程開設的經驗。若在當地開設這門課,則從概論到實務,全部都要教,這麼一來,講師人數就會不足。所以,不只日本人,我們也要邀請國際上的工作成員一起加入,共同參與。像這種情形,若能請到像是具備印刷技術的老師或專精版面設計的老師前往研習、研究,或者在以其他技術合作的名義前往的情況下,請他們將這些事和企畫加以結合的話,對雙方應該都很有幫助才是。而這對日本也有好處,因為就某種意義而言,這不但是一種技術輸出,也頗受當地的歡迎。這一點,目前的音樂及美術等方面,也遇到同樣的問題。

前年我去了一趟寮國。聽說從高級社會科小學到中學的教科書,那裡都沒有。因為那邊一直希望我們能幫他們製作這些教科書,以做為技術研習的一個過程,甚至希望我們能教他們製作書本,於是我們就做了,我還記得他們很感謝我們。不知是否今後能多考慮將人物交流放進對雙方都有好處的具體企畫案中?這是我們目前的心願,也是我們的請求。

　　戴國煇（以下簡稱戴）：有一點和兩位先生所提到的問題都有關聯，即似乎有某個東西隱藏在冰山裡頭，其一就是派遣人員的選考基準究竟何在。

　　到今年為止，我在日本的生活即將屆滿20年。我常常感受到一股欲導入競爭原理的情勢；另一方面，也有一種情勢是排斥將競爭原理導入。究竟哪一部分是屬於犒賞類的派遣，哪一部分又是真為引導出潛在能力的投資？有關此點完全不明確。我似乎感受到一股既得利益分配的氛圍。我想，這個部分是不是能想辦法做個合理的調整。

　　例如我的孩子所上的那所中學的校長，他到歐洲旅行之後，和孩子們講了很多該地的事。這位校長的歐洲之旅，是一趟見識之旅，不是調查研究旅行或者留學之類，卻給孩子們帶來很好的影響。我覺得這兩者的性格似乎不明確，很含糊，最好是把它弄清楚之後再派遣。

　　犬丸：您的意思是說，經過相當的篩選後，派出真正優秀的人才，以及就算短期也沒關係，在派遣時將範圍擴大，這也沒什麼不好，以上這兩個部分最好不要混為一談，是嗎？

　　戴：是的。因為就像剛才中根教授所說的，最後乾脆就去依賴商社，這種事也經常發生。依照這種型態，等派遣順位輪到時，都已經五十五歲左右了，在這種情形之下，也就不得不依賴別人了，因為會害怕嘛。

　　像我在研究所工作，有時也會受人請託，說「我想到東南亞去，幫我找個人照顧一下」之類的。碰到這種情形，我便會問他：「你到底要做什麼題目？要調查什麼？」被我這麼一問，對

方就會回說：「我還沒想到。」而那還不是因為順位輪到了自己，所以就要去，就是因為這個原因，事情才會變成這樣的。因此一開始的時候，就把目的、性格弄清楚，這是有必要的。按照順序輪流去的人，就用犒賞的名義，或以見識之旅的名義派遣就好了。而基於10年、20年後的文化交流考量，所實施對優秀年輕學者的選考基準，我認為可以更嚴密地去訂定，不要用人人有獎的這種預算分配的形式，而是讓他們提出論文之類的，多多導入競爭原理，這不是很好嗎？

伊藤：這一點從另一個角度來看，也是有必要的。另外，如果可以加上學者的派遣做為文部省的方針，在以往，總地來說，都只是拿取，給予的部分相當弱，因此我希望未來文部省也能考慮多給。

犬丸：您剛才提到的這點，我感覺日本人，尤其是學者，他們拚命地從外國吸取經驗，也為了有助於自己的研究而想去國外。不過，像是帶著想要幫助亞洲國家，解決亞洲問題這個目的去海外的人卻很少。

中根：是啊，以所謂開發中國家的情形而言，最好是參加那種把期間設定得長一些的計畫。

戴：我曾在東南亞某一個國家所開設的日本研究的捐贈講座上，聽到一位教授如下的意見。他說：「結果與其說是來教書，實際上不如說一來是利用教書的名義帶家人到東南亞旅行，二來是為了方便自己在撰寫新的論文時所需的資料做蒐集。」像這種情況真的很多。當然，語言也是一個問題，不過學生應該能從老師的熱情了解老師所教的東西，因此就算老師程度不好，因為他

很努力地在教，一般而言，學生也都能夠接受吧。然而，若一開始就志不在此，又因為對語言沒自信而教得亂七八糟的，那麼教學評價就會低落。

　　這方面未來我想也必須修正吧。原本是立意良好的講座，卻產生反效果，如此就不妙了。另外，我也聽說有些人對於自己所希望請來的某所大學的老師結果不能來一事，有所不滿。究竟這是怎麼調整的呢？調整機能是否順暢地在運作，局外人的我，並不清楚……，不過聽說好像是和那邊的大學討論之後決定的。像這種情況，我認為有必要注意維持多元管道。另外，也有必要防患於未然，留意不要過度依賴單一管道，免得落入公式化的弊端。

　　中根：輪流派遣的問題，還是不能夠全然忽視它，所以，如果以集體的型態派遣的話，經費就可以節省。輪流派遣還是要做，兩者並行去做，真正重點式的。要是不訂定這兩個基準，以日本社會的情況來看，我想是很困難的。

　　戴：雖然我不認為制度一下子就會有所改變，不過基於長遠考量的競爭原則，未來將有必要導入。從外國的角度來看，文部省的確比過去來得努力，不過，文部省也不免招致外界質疑究竟做了什麼。

教育・研究領域的交流・合作

　　犬丸：國際交流基金所籌辦的免費講座，主要是為了進行亞洲各國的大學裡的日本研究。有關其他的領域，未來有很多事是

文部省等單位可以幫忙的。

有關技術合作的部分，目前文部省協助國際合作事業團及聯合國教科文組織並派遣學者的例子，愈來愈多。

不過，不僅是援助日本研究，自然科學、社會科學也可以，因應基於亞洲各國需要的自發性需求，派遣各方面的研究者，這部分的件數當然是愈多愈好。

戴：我是農學院出身的，在此有個提案。日本的農學部已經沒落了，東大等農學部，學生不但招收不滿，設備的利用率也低，這點很可惜。另一方面，現在又常常聽到糧食危機。開發中國家最需要的，就是農業的現代化，這個部分文部省和農林省，以及大學等應該要好好合作，而農學部對留學生的接受也要再開放一些；同時，也要協助開發中國家蓋大學之類。這種事多做一些的話，我想就如同伊藤先生所說的，雙方就能建立起很好的關係。

中根：如果是那樣的話，可以多多接受留學生。

戴：是的。不過農學部未必對收留學生一事熱心，也不是很開放。這點我想等待會兒在提到留學生問題時，再和其他議題提出來一起討論。

石油危機爆發以來，糧食危機等各種問題紛紛出籠。在這方面，日本所達到的農學水準，以及日本目前所擁有的人力，還有包括組織及實驗設備在內的設施等，這些都可以站在全球性的視野，有效的推動國際合作。

犬丸：亞洲國家普遍還沒有出現像戴先生您所具備的日本農學的水準對自己的國家相當有幫助的觀念吧？

　　戴：正好相反。只不過，有部分國家會擔心要是日本以自我本位式的開發輸入去做的話，會很麻煩就是了。另外，我想也可以協助利用石油美金的中東自然改造計畫以及農業振興。

　　伊藤：在聯合國教科文組織的事業方面，文部省也有派出農業教育巡迴講師團到菲律賓、馬來西亞等地。聯合國教科文組織也有官僚的一面，現在沒什麼在動。因此，我認為在這種事業方面，日本未來一定要開發巧妙搭配兩國以及多國間合作的方式。也就是說，我主張的方式是，日本在實質上要扛起責任，以透過聯合國教科文組織的兩國間合作，以及利用聯合國教科文組織來過濾的方式，而實質上以日本負責推動計畫。

　　這樣一來，參加的開發中國家也能夠輕鬆地參加而不會有政治性的抵抗，而且事業本身也比較能夠重點式、有彈性、容易迅速進行。就如同大家常常說的，若還是像過去一樣，太過於把重點放在兩國間的合作上的話，就會產生弊端。但也不能因為這樣，就一味地依賴國際機構，如此一來，過分拘泥於理論，效率也就無法提升。

　　我想國際合作也有必要放在歷史性的發展階段去考量規畫。

　　戴：美國的歷史經驗要如何評價？目前存在著這樣的問題。在第二次世界大戰前的中國，美國的農科大學與中國的大學曾經合作過，互相讓教授交流，也接受留學生。它究竟是以什麼樣的形式營運？另外，現階段我們要如何來定位他們合作‧交流的意義？這方面我本身沒有研究，所以無法說得很清楚，不過，參考他們的作法，並以獨創的形式將大學與大學之間組合起來，這也是一個方法。

　　中根：研究者的派遣，還是要比過去更將重點放在開發中國家。按照文部省的派遣制度，有些人是沒辦法被含括到的。以學生來說，大學部和碩士班的學生可以前往；身具教師職務的人，可以用海外研究員的名義前往，但博士就沒有。這也就是為什麼亞洲研究者都集中在亞洲派遣留學生這邊，而這麼一來，研究經費就會不夠。也就是說，對於在撰寫博士論文的學生、這些未來研究者的制度是欠缺的，而這其實是最重要的部分，它比起送那些都已經50歲的海外研究員出去還要有效果，尤其我認為可以再稍微鼓勵他們前往開發中國家。

　　犬丸：國際交流基金的博士論文補助獎學金，是提供給來寫博士論文的學生，您指的是這類送出去的博士生的獎助款項吧？

　　中根：是的。尤其以去開發中國家的人為優先。開發中國家的派遣費用，只有由日本來負擔，這方面希望文部省能再重視一些。

　　犬丸：想前往開發中國家的人，多半是基於什麼目的呢？

　　中根：我想是因為開發中國家有嶄新的研究領域，像是人類學等，當然開發中國家也是研究的對象。而在國際政治等方面，若不了解開發中國家的現狀，新的理論當然也就很難出現。另外像經濟學也是，能處理開發中國家問題的經濟學者，在日本近乎零。因此，若能在博士候選人的階段就鼓勵博士生去，這類人才自然就會出現。因為有些地方對日本人來說，是很難生活的，在氣候或飲食生活等方面，若不是二十多歲這一代，是無法長期滯留的。

　　所以我希望文部省能有充分的預算，將在撰寫博士論文的人

送往開發中國家。

戴：學生當中目前有脫離西方的現象。據說這是因為歐美在未知的部分減少了，且又沒什麼事件發生的關係，所以學生們覺得無趣。相反地，第三世界就有趣多了。不過，專攻第三世界，會沒有職位，雖然有趣且也有想做的研究，但沒飯吃，是有這樣的問題。

我想文部省也很傷腦筋，但我認為文部省應該將眼光放長遠些，多設置一些和第三世界相關的講座。

中根：也就是要和將要撰寫博士論文的人送往開發中國家一事，同時進行。

犬丸：接下來是有關高中生海外派遣的問題。不知道目前這些人是基於什麼樣的動機前往海外的？又，現在去的都是一些什麼樣的人？我感覺似乎是一些比較富裕的人參加……。未來有關這些事項，我們應該要怎麼樣去推動？這方面不知道大家想法如何？

中根：雖然這方面不是有很直接的結果呈現，不過在高中的階段去個一年，對於將來進入大學很有助益。就很多意義來說。

所以我想應該稍微再增加一些人數，選出未來能在各個領域發揮重要功能的人前往。與其讓想去的人去，還是要辦個比賽活動，選出有實力的人去才好。

犬丸：目前情況怎麼樣呢？是不是想去的人，有能力就能去？還有，是否很花錢，很多額外的費用都要自己負擔？

中根：像這種情形，有的會拜託自己認識的人，另外，也有一些送高中生出去的小財團。我想應該就是靠這些管道。

伊藤：應該不需要很多經費吧？學生們不是會住進當地的住宿家庭嗎？

中根：是的。

犬丸：最大的是美國田野服務機構，這是住在住宿家庭裡。文部省目前幫忙出機票。

這樣一來沒錢也可以去。這方面的篩選是從教育階段就一直累積而來，因此若非相當優秀，是沒法前去的。

戴：我在這裡想提出一個和這點相關的問題，就是在日本方，文部省一定要想個辦法，鼓勵大家多多登錄成為寄宿家庭，否則日本拒絕了人家，卻一直向對方拜託的話，還是稱不上國際合作（笑）。

接納外國人的情形

犬丸：接下來請提出接待家庭這方的問題。

中根：我想事在人為，有意要接待的話，人再多都可以。怎麼說呢？時常聽到有人說，日本人都不接待外國人，但實際上想接待外國人的家庭，全國有很多。重要的是，要將這些人串連起來，形成一個網絡。聽說有些家庭主婦們很聰明，想要接待留學生。孩子們都大了，也結婚了，所以有時間，而家裡也有空房間，像這種人其實很多。所以，只要能把這些資訊網製作成系統，到時就會有很多的接待家庭。我想文部省本身，或者文部省委託哪個單位先將這個網絡做起來，讓它隨時都可以運作的話，將會很好。

留學生如果來到這邊，就被丟到留學生會館的話，會沒有來到日本的感覺，一般差不多半年一到就會想搬出去。像這種時候，如果有剛才所說的網絡，那麼留學生就可以從中挑選想去的地方，不管是東京或其他地方，我們就可以選一個地方安頓他們。若能及早將這個網絡做出來，那麼問題不就多半能解決了？

伊藤：我也有同感。我們也去過外國，受過別人的照顧，我認為客觀的情勢已經成熟了。日本的生活也較為富裕，而國際合作的情形也活絡多了。國內有企業前進國外的問題，也有資本的國際交流問題，一般家庭應該也對這些愈來愈關心吧。

中根：這方面家庭主婦應該比較適合吧！因為女性既有多餘的精力，也有時間。也因此我認為製作這個連結網的人，由女性來從事比較好。

戴：剛才伊藤先生所說的時機成熟一事，我認為的確如此。日本的狀況，與我剛來時相較，完全不同了。

不過，同時也有必要將心理上的定見，或者太過堅持的心態都拿掉。剛才犬丸先生或伊藤先生所提到的餘裕，像是時間上的餘裕，或者是房間方面的餘裕是其一，另外就是，基本上日本人有一點思慮過度，總認為「家裡這種狀況，怎好招待客人呢」，這種想法應該把它丟掉。我所認識的像美國或是東南亞的年輕朋友，才不會介意這種事情呢！那些年輕朋友就是要來接受新刺激的。

但是，日本人一般來說在傳統上還是會認為，既然要招待客人，就要好好招待；或者認為不會煮飯做菜，就不邀請客人來家裡。日本人很容易困在傳統的窠臼中，像是認為邀請客人來到狹

窄的家中，豈不是有些失禮！其實，客人如果來了，讓他們自由行動就好了，只要是日本媽媽真心做出來的料理，就算難吃，大家也會吃得很開心呢！若是什麼都擔心，最後就會放棄。

這一點也算是日本的長處，不過就某個意義來說，它也是相當妨礙國際化的一個部分。

犬丸：我也聽說過有些家庭主婦因為太過擔心而無法持續接待下去，最後並變得神經質。

戴：是啊。不過這幾年，日本人對外國人的恐懼感已經沒有了。

語言方面也沒必要勉強自己去說什麼英語。用日語能講得通的話，用日語就可以了。既然是對方前來日本，應把日語當作第一語言，這是禮儀。如果不抱著這樣的心態，就算拚了命地去做，日子久了，就會漸漸變得很勉強。這方面的堅持要想辦法把它卸下。

國際理解的增進與留學生

犬丸：這個問題與接下來的「學校教育、社會教育中的增進國際理解問題」相關。國際合作的問題，有一半是國內問題；促進國際理解的教育，終歸是將日本社會朝好的意義進行國際化為目標。這一點我想就是不喪失日本人及日本的特色。就此意義而言，讓日本人的想法及行動模式在國際上通用，是有必要的。我們是不是也能將這個問題一併納入討論呢？

中根：從這個意義看來，可以去製作全國的連結網。另外，

我們也有經驗相當豐富的家庭主婦。也就是說，可以把這個連結網當作一個契機，然後慢慢去啟蒙地方上的家庭主婦。如果有人快要神經衰弱了，就馬上到這個連結網去，和大家聊一聊，讓她們互相知道其實可以不用那麼神經緊張的。希望這樣的連結網能趕緊做起來。

犬丸：目前好像有志工組織，是吧？

中根：是的，可以利用這種組織。

戴：我本身有十年的留學生經驗，在這個經驗裡我頗有感觸的是，以完全做慈善或者贊助的心態去照顧留學生的話，只會寵愛留學生。這種形式的國費留學生制度，我認為應該要整個改變。因為選考完畢，接受了國費留學生，以國費照顧到最後，這是沒有意義的嘛。美國的獎學金也非從頭照顧到尾，這應該是用成績來決定的吧！

不過日本則不一樣。提供回國旅費情有可原，但提供這期間的費用就不行了。即使是四處遊玩，國費仍然持續支付；而以私費前來的話，若不能找到機會取得民間的獎學金，則私費就永遠是私費。也就是說，這當中完全沒有競爭原理。

另外有一點，自發性的組織也對於文部省的批判正中核心，其存在是很珍貴的，不過其中有個組織叫做「母之會」之類的，要別人稱呼她們為「媽媽」，這真的是很日式。不在橫向的關係上思考，而是把雙方的關係弄成親子關係，這點老實說我沒法接受。我曾經在獲邀前往自發性團體時提出諫言，我說在這樣的關係上，自我陶醉和依賴會相互作用，到最後就會寵壞了留學生。

短期看來，國費的完整照顧似乎令人感到親切，但長遠看

來，我認為對留學生並沒有好處。照顧到最後，然後送回國。送回國的話，就沒有用了。他們說，日本的學位不被認可。不過，日本留學生回國後若真有實力的話，最終還是會受到認可的。不過，以日本的學位不被認可為由，而不反省自己的學習方式，然後不斷地向文部省抱怨，要文部省去交涉，我想是有部分的人愛耍賴。

中根：有關選拔方法，可以像外國的財團一樣，請文部省直接寄出推薦信。目前留學生若想延長獎學金的期限，就會來找我們這些主任教授，請求說：「老師，我想延長一年，請幫我寫推薦信」，然後我們再將推薦信交給他們。這麼一來，以日本人的心態，是不會去寫「建議不要延長」的。

戴：本來推薦信的意義，日本與美國或者在其他國家的意義是完全不一樣的。

中根：日本人大多都會寫。

戴：沒錯。

中根：文部省應該有主體性，應該朝嚴格的方向改變。繼續課業好呢？還是雖然留學生說要取得碩士學位，但以留學生就學的大學標準而言，他們能否取得學位？這些要稍微弄清楚。在寫延長的推薦信時，日本教授也有一些感受吧？此外，還要把推薦信交給本人。和本人問一問、聊一聊後，教授也不是不會同情。這麼一來，自動就會延長了。

戴：這一點當然和該如何整備留學生的教育體系有關。沒有一個整備好的接受留學生體制，光是責備留學生，當然是我所無法接受的地方。

我認為留學生的接受雖然還有很多問題，不過比起過去已經有所改善。同時，我也認為應該要將文部省該努力的，以及留學生自己該努力的兩個部分併在一起去思考問題。另外，我也認為國費的完整照顧制度應該廢除，競爭原理應該要導入。我認為以私費來日的人，也應該要提供他們國費，以做為報償他們來日本後努力的一個成果。有了競爭和激勵，彼此才能夠提升。否則私費和國費之間就會產生奇怪的情結，感情的裂痕。

而實際上，實力究竟在哪一邊呢？在私費這邊的可能性相當大。當然我不是說所有的國費留學生都在打混，總之，他們很容易被過度保護。我認為國費的完整照顧制度應該廢除。

中根：一旦來到日本，就不能參加文部省的留學考試了。我也認識私費的，很認真的學生。我曾經和文部省交涉過，文部省的回答是「回本國一次，重考」。如果可以把國費當中的一部分名額讓給私費的話。所以儘管施以嚴格的考試好了，如此一來，優秀的人才就會來。

戴：沒錯，沒錯。也就是說，以私費來的人，還是要撥出如三分之一，還是幾分之幾的名額給他們。對國費留學生要給以警告不用功國費是會中止的。這部分我想應該要等文部省的留學生收受體制，教育體系健全之後，由文部省或大學負起該負的責任之後再來做。這麼一來，就可以激勵留學生，同時大家也會因為私費也具有可能性而去努力。而我想這也會帶動提升整個留學生的水準。不久，回國的留學生也會被認定有留學日本的價值，最後他們的學位就會獲得認可，也就可以活躍了。若是沿用過去的作法，我只能說太不穩當了。

犬丸：真是相當有趣的指點。

戴：不過大家不能忘記，這終究是和日本的社會經濟結構，以及日本人的心理狀態有關。

中根：是有關係。所以哪怕是一點也好，我們都要朝向修正的方向去努力。

犬丸：這一點和接下來的文化合作問題也有關聯。日本文化超越日本人所想像，它和外國文化截然不同，且具有特色。是強調那些特色重要呢？還是強調國際上的共通面重要？也就是說，應該要如何強調這些面相？目前存在著這樣的問題。

以文部省的工作範疇來看，要如何將日本社會國際化，變成一項重要的工作。這時，就有必要好好去認清日本人所認為理所當然的事，竟然在外國人一點也不適用，與外國人所想的全然不同這一點。同時，由於不可以一味地誇張特殊性，強調日本的事，外國人根本不懂，所以一定也要充分認識存在於日本人心中的普遍性。總之，日本人本身也到達了必須學習如何在整個世界文化裡頭定位日本文化的境地。接下來，就請提出有關這類的問題。

中根：我認為以戰略而言，對於國內，我們必須更加教導大家日本文化和外國文化的不同。對外還是要以強調和他們一樣為基礎，太強調日本與他們不一樣的話，他們就會愈以為日本人是很奇怪的人種吧？例如是講要有人道，或者講人情都是一樣！——日本人大致上都有這種將日本人的價值觀延伸的傾向。

就是和中國的關係也是一樣。各位應該都知道，很多日本人認為中國人和日本人是一樣的。中國雖然就在日本隔壁，卻差異

很大……。

犬丸：在海外關心日本研究的人當中，因為對日本與自己不同之處感到興趣而接近日本文化的人，還是比較多吧？

中根：是的。因為日本文化對他們來說相當富有異國情調。

犬丸：所以說，也就沒有必要向這些人強調日本文化的不同之處，而只要提供這些人所需的資訊、資料等就可以了。就如同教授剛才所說的，重要的是，有必要再強調一些相同的面相。

伊藤：我一直認為這是日後會出現的國際理解基本問題。現在大家常常提到所謂的國家認同（national identity），這是理解對方的一個重要條件。目前增加中的開發中國家，在任何情況下，都是我們的工作，而在從事亞洲共同事業時，國家認同也都會受到強調。

然而，太過於強調它的話，就會和國家主義的強化產生密切的關聯，而政治面也就容易過度被彰顯。我們從事聯合國教科文組織這類工作的人，都有長遠的考慮，也有在思考邁向全球性社會之路的問題，所以如果在文化面上過度強調國家認同的話，感覺上似乎就會逐漸偏離這些層面。

同時，理論上我們希望大家做的，是共通性，或者相似性之類的東西。另外像是區域性的部分，我認為有必要將更廣泛區域的相似性東西，朝國際性的調和方向進行。

中根：日本人到外國去，有什麼反應呢？若是被問到「你是什麼身分」時，幾乎所有人都會回答「日本人」，而沒有人會說自己是工程師，或者研究者。也就是說，日本人太過於有自我認同了，與其如此，倒不如說自己是出版專家，或者人類學者，這

樣才能和當地有所交集。

伊藤：我們有一個與亞洲各國的共同事業，大家共同製作了「亞洲民間故事」的兒童讀物。這個讀物是由亞洲各國在自己國內先成立一個選考委員會，選出代表作品，然後再將作品集中起來編製而成。日本獲收錄的作品為《繪姿女房》〔《絵姿女房》〕及《浦島太郎》，在讀完18個國家的民間故事之後，我發現雖然這些作品都各具特色，但同時我也感覺在閱讀這些作品時的感受，以及作品所呈現的想法都相同。另外像是在《亞洲的民族音樂》〔《アジアの民俗音楽》〕這個作品當中，歌頌略帶悲傷的旋律或自然，享受農耕樂的歌曲等，這些作品的共通點也頗多。也就是說，亞洲的各個區域，與歐洲比較起來，有相當多的相似性。

犬丸：如同剛才中根教授所提到的，相較於對外過於強調自己「是日本人」的自我認同，在國內，這部分反而太少了，不是嗎？

中根：是啊。

犬丸：就像剛才戴老師所講的，外國人也是人，因此可以用像母親的態度去和他接觸，雙方應該就會相處得很好的這種日本式思維，以感情就能解決一切。所以說，日本人在國內所思考的事情，先不論它是好是壞，未必通用於全世界，我們應該有必要向國人強調這一點吧？

中根：有，而且非常需要。我曾經受託去幫一個即將赴任的海外青年協力隊演講，當時無論我怎麼向他們說明日本與國外的不同，都還是會有人提問，像是「雖然老師您那樣說，但我們和

他們還不都一樣是人」。總之不管我怎麼說明，都無法讓他們完全了解。

戴：有一個相當典型的例子，即是和服。外國人一來，都會對我說，「Mr. Tai，我一定要見識一下日本的和服」，然後我就得奔波了。和服若不是過年期間，或者若不到婚宴現場，實在很難看得到。

但另一方面，有一次我到東南亞去的時候，大學的名字我不說，總之就是有以下現象：有一些日本大學生在一流的飯店裡，穿著很高的木屐吱吱喀喀地走來走去。對於他們的神經大條，我只能搖頭。由於女性的和服特別美，所以大家都很有興趣，而男性若也能好好穿上人字拖鞋，不要給別人添麻煩，那麼堂而皇之地穿著民族服裝，我覺得這也不是什麼壞事。但像這些大學生，自以為跑到那裡去耍帥，就是在展現日本的一面，這也就難怪我會搖頭了。

犬丸：到國外去的時候，一旦太刻意做作，就變成那樣了。

戴：就是啊，真是傷腦筋，因為就算我想努力去理解，不舒服的感覺會先出來。在飯店吱吱喀喀地，當然教人火冒三丈，但如穿著人字拖鞋威風凜凜地走來走去就沒有關係，因為那是民族服裝。

事實上現在的年輕人，可以用各種形式很快地穿上其他國家的民族服裝而沒有偏見。我想這是一個好趨勢。不過有一個問題是，日本人對於朝鮮半島的民族服裝適應不良，這點倒是很麻煩。

中根：有這種事情？

戴：有的。聽說現在的日本年輕人，就算有穿上中國傳統服飾的勇氣，但對於朝鮮半島的傳統服裝，總有一股抗拒感，沒辦法穿。

不過朝鮮人學校的學生則會穿，這點非常令我尊敬，因為我認為長遠看來，這對日本人有正面作用。現在很多人都很自然地穿上東南亞的服裝等，而我想這最終就會為我們培育出和國際化接軌的土壤。

犬丸：沒錯。這一點和接下來的學術交流問題也有關聯。日本的學問，到目前為止，感覺上是一面倒地偏向歐美，且主要是從歐美片片斷斷地輸入個別的學問，整體上並未綜合性地掌握到歐美各國的民族、社會、文化等。至於亞洲國家，就更不用說了，日本對它們的關心極為淡薄，一直以來也都疏忽於去努力累積有關亞洲各國的正確知識，而這個問題也不斷被提出。

我們局裡也在做一些學術振興的工作，在自然科學這方面，很自然地都會走向國際化。由於評價的基準也很國際化，所以只要朝著共同目標，持續進行合作或交流即可，但是人文、社會科學這方面就有些不同。例如，日本的國史學或本國文學究竟是不是通行全世界的一門學問呢？這是一個疑問。

另外還有一個問題就是，日本的西洋史或西洋文學研究，以國際性的角度來看，是怎麼樣的呢？請各位把話題換到這些問題上。

中根：研究本國史或本國文學的人，他們的研究對象全都是日本，且他們都用日文思考，這些人幾乎沒有在用英文的。

不過，我想突破點就在於社會科學。因為目前的瓶頸是社會

科學，所以要看怎麼做，做得好的話，就可以變得更國際化。

戴：首先，問題應該是在於以前雙方並沒有接觸的機會吧！

我對明治維新那段時期的歷史很關心，對後藤新平也有研究，很多東西我都有涉獵。明治初年的糾葛對現在東南亞的人們來說，是很容易理解的部分，然而很多日本人本身例如在研究外國時，連這部分都不了解。

因為這樣，他們便從目前日本所到達的狀況、階段去看東南亞，或者第三世界，然而實際上並非如此。為國家建設而煩悶苦戰的明治維新時期，對東南亞各國來說，其實是具有共通性的。如果那些研究外國的日本人能先好好地充分理解明治維新初期到1920年代這段時期，是怎麼引進那些外國雇員的？又是以什麼樣的形式招募外國研究者、如何善加利用他們，以及在引進外國的文物、制度時，有何等糾葛、如何緊張等的話，我想目前的東南亞的問題就會變得相當容易理解了。

如同剛才伊藤先生所說，在民間故事的部分，已經有所關聯了。在文學這方面，每個民族應該都有它民族性的傳統存在吧！不過，這個東西在人的方面應該還是連在一起的。

目前的留學生制度也是如此！雖說這個制度因大學而異，但大致上大家都因為怕麻煩而不願意收留學生。不過，教授們自己到國外去時，受到照顧，回國後的一兩年，每個人都會說一些很有誠意的話，像是「我們受到很多的照顧，所以以後也一定要設法做些什麼才行」，但三年過去了，四年過去了，再加上可能也很忙，就忘得一乾二淨了，結果什麼也沒做。（笑）

然後他們就會將這個問題束諸高閣，推說是文部省的工作，

或者整個大學的問題，總之每位老師都不願意主動去處理這個問題，也不願意嘗試去改變文部省、大學當局的作法。

他們不想嘗試著藉收留學生來增加朋友，以及試著一面散播種子，一面和「異質者」對話，真是太可惜了。

犬丸：最後就變成日本人自己要如何國際化的問題了。國際化的意思，指的並非只是會讀橫寫的洋文，或者知道外國的事情、變得時髦，而是日本也要真正成為一個開放的社會吧！

戴：為了突破這個瓶頸，懇請文部省編列特別預算，把容易只埋首在國史或國文的老師們送出去，並幫他們聘請外語能力好的博士班學生，或者助理等級的研究者充當口譯人員。這麼一來，我想不但年輕的優秀人才可以在當地一邊從事口譯工作，一邊念書，怕麻煩的資深教授也就變得容易出去了，而這樣的系統維持個10或15年，問題應會解決了。

伊藤：接下來我想講的，與剛才的話題也有關聯，即如果把問題限定在日本的歷史學者，對於開發中國家扮演的角色之類去做思考，那麼我認為無論如何，一定要在雙方互利的體制之下進行。日本歷經明治初期以來的經濟起飛那段艱苦的過程，也歷經成長期，才走到今天。在這樣的歷史當中，一般認為尤其明治初期最值得參考。所以說，把值得參考的部分和對方目前的條件配合，不論是馬來西亞也好，印尼也好，寮國也好，這都是最具啟示性的作法。我一直認為，社會科學如果能夠發展到可以如上所述的境界，將是非常有幫助的。

日本人經常說，若不經歷日本百年來所歷經的種種階段，是不可能一下子就達到現代的水平，不過這馬上就遭到外國朋友的

反對。他們說，這麼一來，好像永遠都要跟在日本後面，應該沒有這種奇怪的道理吧！以現在的新體制為基礎，雙方互相合作，這樣的話，雙方的學問都會有所成長，不是嗎？

犬丸：同樣的事，也發生在日本向西方學習的時候吧！像是原汁原味引進西方的歷史後，未經近代專制國家到市民革命的發生如何又如何地論述，說什麼日本因為沒有經歷過這樣的過程，所以近代化還不夠，或者還殘留著封建性的東西等。以前就出現過這種對照著西方的模式，然後說日本哪裡不行的論調，我覺得反過來說，日本不也在做同樣的事？

戴：不知道是不是因為亞洲風土的關係，好像我們都只想讓別人看到好的一面，而實際上從污穢見不得人的部分去學，還比較有效，且應該能夠學到更多才是。

中根：一想到只會說日語的國史的專家或國文學家，剛才您所提到的幫研究者聘請口譯人員的部分，我可以理解；不過，我認為，要怎麼做才能讓他們想去從事國際性的交流，這點是很重要的。以戰略來說，我認為從本國文學會，或者國史學會，居中樞地位、較具影響力的人當中挑選，是最好的。

國內體制的整備

犬丸：國際合作的工作，在日本社會，似乎往往只有一部分愛好國際，適合國際的人在做，這樣是不行的，我認為日本本身必須對國際化有所覺醒。

中根：看來不攻擊中樞還是不行。

戴：另外還有增加文化專員的人數、增加派遣的問題。若只有六個人，則被認為是經濟動物等文化輕視的罵聲或見解，也沒辦法了。

犬丸：到目前為止很少。巴黎三人，紐約、曼谷，以及首爾各一人，總共是六人。歐洲仍然只集中在巴黎，我們目前還需要三個人。

戴：剛才中根教授所提到的把國文或國史的權威送出去的情況也一樣，如果沒有可以照顧他們的日本窗口，應該會很麻煩吧！這一點文部省本身只要求預算，是相當困難的，所以請中根教授或伊藤先生多多強調，真正的國際交流，是需要這樣的人才的。

伊藤：戴教授，還有一點我要加上的，就是日本的、特別是產業經濟面，已經具備國際企業的性格，它已經整備到多國籍企業的型態，而日本車等也已經是全球性的企業了。因此我認為，因應以及符合這種狀況的國際機構，仍然很重要，我們必須送出更多有用的日本人到國際機構這樣的地方。這個部分非常的弱，如果不把有能力的人送進國際機構，說損失雖是難聽了些，但這對日本而言，在很多方面是很不利的。

戴：有關農業方面的學術合作，聽說過去都是在地方上的試驗場，就把上了年紀、一些無關緊要的人送出去。另外，因為出去之後升遷慢，或者回來沒有位置的關係，很多年輕人或者優秀的人才都不想出去。這麼一來，我想無論是送出去的這一方，或者是接納方，都會感到很困擾。

中根：是啊。

戴：所以我想國內，或者與文部省的關係，還是要用輪流的方式去思考。在國外看來，若只是隨隨便便派來的人，那麼再怎麼認真的人，也很容易遭到誤解。就此意義而言，還是有必要建立輪流的方式，而回來之後位置也會受到保障的關係。另外，雖然是國際合作，但最終還是會回到日本的國內問題。

犬丸：例如在文部省的職員當中，最近是已經沒有了，但曾有一段時期，他們有著「不能隨便講英文！被派到國外後可是會被主流排斥的」的意識。

這樣是不行的，所以，這次「學術國際局」的成立，推翻了過去的認知，這點是愈來愈清楚了。

中根：所以說，本質上就必須要稍微多撥點經費給國內。否則沒法輪流。不能把國內卡得緊緊的，所以看是要增加預算或者人員，經常派遣幾個人員到國外去，這麼一來，去國外的就可以安心回來。不過，目前經費和人員很有限，一旦出去的話就變得很難回得來。

伊藤：沒錯。另外，如果有餘裕，決定要出去的話，那段期間在這邊也可以讀書，因為回來後，日本的研究應該也是需要的。

中根：沒錯。像斯德哥爾摩大學等一些我所認識的教授，他們在國際機構待了兩三年之後，又以教授的名義回來。

不過，拿我們大學來說，出去三年之後，位置就會沒了，一想到這裡，實在沒辦法出去。

稍微多一點預算，例如三年左右少了一個人，在那段期間就馬上可以補充，或者稍微增加一些職位，讓好幾個人可以出去的

這種國內的條件隨時都齊備的話，我想就沒問題了。

　　犬丸：未來的日本不國際化將無法生存，而整個日本也必須覺悟到，必須具備國際性的視野。這一點似乎成了最後的結論。

　　戴：我想，經常費心且積極地去從事這項工作，是有必要的。另外，國際化這個東西，還是必須和國內的國際化同時進行，否則就會做不好。

　　犬丸：非常謝謝各位今天提供了這麼寶貴的意見，謝謝！

本文原刊於《文部時報》第1184號，東京：株式会社ぎょうせい，1976年1月，頁12～26

「神轎社會」的精神結構
——日本社會與日本人座談會

◎ 劉俊南譯

時間：1976年3月25日
地點：《現代ビジョン》雜誌社
與會：傅高義（哈佛大學教授）
　　　戴國煇（立教大學教授）
　　　高橋和雄（《日本経済新聞》記者）

輿論調查中的矛盾

　　高橋和雄（以下簡稱高橋）：我聽說休閒開發中心日前的調查，感到非常有意思，就寫了「報導」，其中最有意思或意外的是，有關1925至1975年（昭和50年）間的評價，每隔五年請一般民眾進行評價。其中1970年以後的五年，被很多人評價為與第二次大戰中同樣不好的時代。進而問到什麼時代是好時代，非常多的意見認為1965至1970年高度成長的時代是最好的時代。我覺得有各種理解方式，我們從這個問題開始好嗎？

傅高義（以下簡稱傅）：我身為一個外國人，也許對內容尚未充分理解，但是印象中，我覺得輿論調查是一種表面的意見表達。如果再深入調查，例如，你是否希望回到第二次大戰的狀態，恐怕就會說戰爭比較不好了。從戰爭結束到今天，情況有了很大的改善。特別是經濟狀態好很多了吧。

另外，我的印象中，日本人總是說「現在的情況不太好」。例如，我去年時隔七年回到日本，問朋友：「日本的情況如何？」，朋友回答：「不好，不好呀。」但是，一看這些人，我吃了一驚，都穿著漂亮的衣服，氣色也都很好，沒有失望、失意之情。（笑）在紐約時報廣場看到的，才是真正失業者的失望、失意的表情。可是，看到日本人時，表情不是那樣。

戴國煇（以下簡稱戴）：我1955年來日本後，一直在觀察日本，在論文中也寫了一些日本高度成長的情況。針對成長太快，會出現什麼反作用、日本與亞洲的關係等提出了一些預言，有些是稍微超前的「冒昧」發言。就我個人而言，對於有些說中的部分感到很滿足，但反過來說，這是相當麻煩的狀況。

因此，剛才談到的調查結果，還是因為1960年代後半期發展太好了。雖然有通貨膨脹，但從工資、獎金的提高，到外匯管制的放寬，從外國進口了各種各樣的生活物資，也可以去外國旅行了。其後，日本列島改造論突然就冒出來了。本來無論什麼國家的平民，都不太喜歡急遽的變化。因此，在此衝擊之後，特別是石油危機之後，日本會變成什麼樣，存在著很大的不安。

雖然戰時也不好，但我們追求的高度成長一下子來了，於是就有些難以對應了。因此也說最近變得不好了。實際上雖然說不

好，但正如傅先生所說的，冷不妨地股價就會上升，不久經濟景氣說不定就會上揚……。這方面平民的意識未必是經過明確、認真整理的方式進行比較，而是針對一時的感覺而言吧。而且大報紙，特別是今天《日本經濟新聞》的記者在場，我想發發牢騷，恐怕沒有像日本的報紙這樣能夠把民眾的看法牽著到處跑的媒體了，大致上報紙怎麼說，幾乎所有人都會這麼說。連NHK在內，與大約四大報紙。

高橋：兩位所提的我覺得都非常有意思。所謂與戰爭中相比，這幾年同樣不好，如果合理的說，不應該是這樣，若是指物質方面的話。另外，這個調查是就1925至1975年間的具體政策進行評價，但這樣一來，最近最不好的是剛才戴先生所說田中〔角榮〕的列島改造計畫。可以說其中約一半是不好的政策。然後還有石油危機以及其後的政府能源政策，隨後的低成長下的經濟政策也很不好。對這些的批判聲音非常高。這方面特別是最近的情況，使人留下非常深刻的印象，存在著不安情緒。如果說迄今為止是高度成長的時代，也就是使生活變得富裕。如果說此前的時代，其目的是希望從結束戰爭回歸國際社會，希望擁有夠水平的生活，再往前說，戰爭中有其戰爭要履行的目的，明治時代的富國強兵等，每個時代都有其目標。但是，人們說現在高度成長已經結束了，相對地國民目標也隨之喪失，這是引起不安的重大原因。

戴：在某種程度我也這麼認為。但是，剛才所言列島改造與石油危機的問題，實際上也是以前政策展開的必然歸結而已，只是一般民眾沒有這種意識，再加上報社的各位也都在撰寫的文章

中缺少這個部分。

　　一般民眾只要看到報紙說不好，就都認為是不好。特別是日本，與其他國家不同的是，全國性報紙都擁有好幾百萬的發行量。

　　傅：讓人覺得意見是大致統一的。

　　戴：如此一來，就會出現那之前的部分如何思考的問題了。其實我從1960年代後半期開始就在談論這將演變成什麼狀況，也正是這個問題。然而卻讓雪球愈滾愈大，大到支撐不了。這無論政策負責人是田中或別人都是一樣的。

　　實際上，這雪球由誰支撐的問題，在調查時要能聽聽大家的意見是真的很有趣。但在這個過程中，幾乎所有人都已經變得富裕起來了。

　　高橋：這是高度成長的過程吧。

　　戴：是的。所以工會也是如此。反對通貨膨脹，但要求提高工資。結果提高工資與通貨膨脹，直至列島改造論都成雙成對搭檔出現了。如果真的要反對通貨膨脹，就應該同時反對提高工資。

　　傅：在各種事情上，都存在總論贊成但各論反對的傾向。自由化的時代是這樣，通貨膨脹與工資的問題也是這樣。例如，有關環境問題、公害問題，經營者也說公害問題不好，但一說到汽車時，就會說不可能那麼快就改變，自己的公司要做那樣的事情是有些困難。因此，依然一考慮到利害關係，意識就會變化。這確實就如同剛才所說的那樣。從五年前開始，逐漸出現高度成長並不是極佳目的的意識，並轉換成安定成長是理想的意識。如

今，以前的目的正在消失，今後將要思考新的方向。

外壓與團結

高橋：我覺得也可以這樣說，戴先生是否認為以前高度成長的政策歸結，導致現在的混亂、不安、政策的破綻……。

戴：做為現象，是日本列島改造之類，發展到了這個地步。因此，如果將其視為問題，就必須將以前自己獲得好處的部分一並進行重估。

高橋：這是表裡的問題吧。一般人只要有表面部分就可以了，不要陰影的部分。也許是說不喜歡那部分。但是，也許可以這樣說的吧。很多日本人——包括政策負責人，正如戴先生所說的，與其說持續至今的一面，不如說是1973年底石油危機這個外壓——日本人喜歡用的詞彙，與江戶時代末期的黑船是同樣的。這是外壓所造成，而不是日本國內發生的事。從過去的神風以來，元寇——神風，由於這些外來的東西，政策負責人——官僚及政治家等，都將責任推給別人。即使有責任，也是指未能對石油危機進行預測，或是一直持續了能源99％依靠外國等政策，這些可能是問題，但石油危機後的蕭條，向低成長經濟的轉型，都是外部的因素，反過來說，任何人都沒有責任，這樣就都逃掉了。

傅：我認為使用外壓這種方法也未必不好。例如，「福在內，鬼在外」（笑），家庭中也有同樣的想法吧。例如，有關孩子的學習，並不是母親嚴厲，而是為了考試需要學習。因此，壓

力從外而來的話，就會有利於團結。於是，盡量將國內矛盾轉向從外而來的問題，由此實現團結，共同努力。例如，與美國相比，美國發生這樣的問題時，是非常使人灰心的。因為沒有什麼反應。而日本則以因為有外來的危險、有這樣的危機，我們應該盡快如此這般地做吧──會成為這個樣子。

高橋：為克服蕭條，需要團結。

傅：是的、是的。有要提出這樣的政策意願，似乎還有精力。如果從美國人的立場來看，這是非常有活力的反應。

高橋：這種反應較快，正是剛才戴先生所批判的媒體問題吧。但國民的反應較快，能夠臨機應變地對應外壓，這是國民教育水平高，有包容力，但同時也是說明訊息較快，充分地面向目標推動，也有這種加分效果吧。

戴：這是我早就敬佩萬分的了，變身之快！（笑）。這非常優秀。（笑）

失去目的的不安先行顯現

高橋：另外，還有一種看法。1945年戰爭結束後已經30年了，而戰後25年正好是1970年。1970年，則是戴先生指出的：高度成長的矛盾──公害，或是通貨膨脹，這些東西都非常表面化的時期。因為25年是四分之一個世紀。以1970年做為轉變之境，真的是歷史舞台為之一變，或者說是狀況為之一變。1970年以前是與戰爭前進行比較的思考，是物質豐富程度的比較。而1970年以後五年的評價，已經不是戰爭中的比較了，而是與以前的物質

豐富時代的比較，由此做出正反各種評價，在無意識之中，大眾的價值尺度——標準，已經在這個時間點發生了變化，我是這樣解釋的。

　　傅：我也有同感。我的印象中，現在的問題與其說是經濟和生活的問題，反倒是大家不安的情緒比較大。直至數年前為止，對於公害問題、資源問題還沒有什麼危機感。正如前面所說，百年中追趕發達國家就是「追上並超越之」為目的（在其他國家及團體也可以看到這種社會現象），但一旦這個目的達到了，就會成為一個不安的時代。目的達到以後，好像沒有以前那樣有活力了，今後應該怎麼辦。我雖然沒有詳讀過日本的小說，但看看暢銷書的書名，例如《家有活神仙》〔《恍惚の人》〕、《日本沉沒》，最近的《油斷！》〔《油斷！》〕，不僅是報紙，小說及電視中不安要素也在不斷增多。我認為，這種不安有更深的來源。另外，這種現代的不安不僅在日本，同時改變著世界上人們的意識。迄今為止，世界上也是為了新的人類幸福認為需要經濟成長，並沒有對公害問題有太多意識。但最近，應該說是非常意識到了。因此，資源不足、食糧不足，世界的意識也正在產生變化。

　　高橋：我想與剛才說的「追上並超越之」或與國家目標相關聯，迄今為止，總而言之無論是技術、經濟或政治，學習樣板都是在外國。戰後一直是美國，明治以來，或是德國、法國、英國，再往前還有中國，在不同的時代，日本都有學習樣板，就是這樣比照學習樣板進行實踐，雖然常常被說成是「模仿民族」，但確實是非常成功地汲取了各種經驗。但是，發展到現在，學習

樣板在哪裡呢？哪裡都沒有了呀！經濟的問題也必須建設適合自己的道路。因為不知道自己的道路是什麼，因而非常不安，這也是現在缺乏活力的原因之一吧。

戴：確實是這樣的。

傅：我也是這樣認為。

根底淺的情緒性不安

戴：但是，說起不安，就是這一、二年吧。而且在我接觸範圍內，還是有很多人於存在一抹不安、憂心的同時，還在預測景氣恢復可能是秋天吧，可能是春天吧，（笑）還是覺得可以大有作為的人比較多。反倒是我更感到憂心。例如，如何思考日本的農業問題等，意外的是大家都不太擔心。反正拿出錢來，在東京什麼好吃的都可以吃到，真的。我可能是杞人憂天，時常會突然想到：如果有一天什麼物資也不進東京了，那該怎麼辦。

高橋：確實如戴先生所說，1973年的2、3月，美國大豆輸出限制，就發生了大豆不足的問題，當時，我是非常認真地反省了。就是「食糧不足時代」是否會到來的問題。

戴：的確是，我周圍都是日本人，而家庭主婦們擔心的就像是怕什麼時候吃不到好吃的豆腐了，完全沒有我們所憂心的食糧不足、沒得吃的感覺。

高橋：但是，像農林省的西丸震哉先生等相關人士，是在考慮食糧危機，以及將來的展望，不僅是農業，包括漁業資源，現在都採取了非常嚴格的規制，根據保護資源的全球性思考方式，

以往的亂捕是不行的，這些農業資源以及漁業資源，會變成怎樣的狀態——政策當局者應該有在思考吧。但是，一般主婦們、上班族、學生並沒有這樣的考量。大家幾乎都滿足於現在非常富裕的生活之中，即使各種調查時會出現些許不安，但每日的生活並沒有什麼不足，仍然很有活力。就職率和失業率如果與美國相比，低得完全不成問題，大家依然在富裕社會的延長線上思考問題。

傅：與其說是具體的「這種」不安，比較像是情緒性的吧。

戴：正如傅先生所說，所謂不安其實是一種「情緒」。並不那麼具體。像我現在最不安的是銀行的貸款。（笑）但是，我問日本朋友，他卻說：那沒關係，因為大家都一樣，所以沒關係，不用擔心。即使是天塌下來，只要是一起倒，被砸也沒關係。這就是日本人傳統的體質。我畢竟是外國人，還在擔心萬一償還不了怎麼辦。

傅：說到這種「情緒」性不安的原因，一個是現在出現了失去國家目的的情況；但如果考察日本的政治過程，我覺得還有一個原因，亦即由於政府機關與官僚的關係，日本的報紙總是聽官僚的話。例如，大藏省今天發布這樣的消息，報紙就會鉅細靡遺地加以報導。當然也有記者俱樂部制度的問題。因此，大藏省、通產省、農林省等諸位官僚的談話都會非常詳細地報導。而在美國，官僚說什麼記者完全不報導。例如無論國防部如何訴說蘇聯的威脅等，也不會原原本本向國民傳達。但是有趣的是，唯有洩密才會向國民傳達。洩密日語怎麼說？

戴：揭發。

高橋：啊，是內部揭發。

傳：只要發生這樣的事情，報紙就會刊載。可是，政府機構發布什麼報社並不感興趣，美國國民也完全不感興趣。在日本，通產省和農林省等部門的官僚寫了什麼報告，經常被報紙刊載出來。這也是「情緒」蔓延的原因之一吧。

喜歡神轎的日本人

高橋：原來如此，也就是這樣嗎。在美國，即使行政當局有適當的危機感，但國民與此並無關係。在日本，只要是行政當局有危機感，擬定了政策，或做好了取得預算的準備，就可以透過新聞記者直接向國民傳達。這是非常有意思的看法。

戴：可以說，美國沒有便利的「神轎」吧。日本在任何時候都需要這種「神轎」。例如，有什麼危機了，由官僚進行發布，報紙就會刊登。大家都會相信這個消息。透過相信這種「神轎」，而取得「安心感」，大家都希望一起行動、思考如何因應。但是，經常有各種各樣的新聞發布出來，這就形成了非常大的矛盾。這是一種奇怪的現象。當你認為這個消息就是當局發布的、報紙並沒有任何加工評論等，是原樣發表的訊息，但過了兩三天又突然變了。日本的新聞記者偷懶的人增多了，可以不出門就寫報導了。

傳：不，並不偷懶，也做晨襲夜襲〔譯註：指採訪〕。（笑）

高橋：進入非常有意思的話題了，關於傳先生所說的問題，

多少要考慮到歷史的經緯因素。美國的經濟是民間指導型經濟，政治也是地方行政區為基礎的政治。像日本這種後進發展的資本主義國家，自明治以來就是政府機構指導以推進經濟發展，政治也是「授予型民主主義」。也就是說，政府機構和民間並非像美國那樣分開的，例如，通產省等於1955年以後提出重化學工業化的政策，於是，民間投資被引導至以此為中心從事事業活動。因此，政府機構所為，與國民大眾並非沒有關係，政府機構在考慮什麼、想做什麼，是非常重要的事。進一步說，隔壁鄉鎮的橋樑和道路鋪設能否進行的事宜，也與下次誰來擔任建設大臣密切相關。因此，日本的報紙鉅細靡遺地報導政府機構、政界的消息，其中有歷史的必然性，也有其必要性。還有一點，剛才戴先生所說的，日本人愛抬「神轎」，以獲得安心感的看法，是非常有趣的見解。

這就是一種依存意識，不是靠自己的頭腦去思考，而是喜歡跟隨著命令行動，或是喜歡像抬神轎一樣大家一起出力，我覺得這種現象是存在於極深的層次日本人原有的心態。

戴：我覺得日本的近代就是這樣的。再往上會是怎麼樣，我不知道。但明治以後，這一點我覺得基本上是不必懷疑的。民眾——一個個的家庭成員與家，家與社會、社會與國家，這些都連在一起，因此一起行動。只有好處但沒有什麼壞處。如果偏離軌道，就會受到懲罰。

高橋：這就是「村八分」〔譯註：對違反村規者實行的斷絕往來的制裁〕的規定，是村落共同體的表現，這是最使人難受的懲罰，必須防止陷入這種處境。

　　戴：可是，所謂「神轎」這種東西，本來是中國的德目。轎輿的存在姑且另當別論，重點在於常說的「修身齊家治國平天下」。這是《大學》的德目之一，本來在中國是經典性的存在。但是，對於我們來說，這些變得不能成立了。因為即使能做到修身也不能齊家，即使能齊家也不能安定社會，與國家也沒有關聯。在這一點上，日本明治時，有了天皇制，姑且不論其是好是壞，事實上這些是相互關聯的。因此，日本的平民是領取回報的。一起行動領取回報。

　　高橋：不會意識回報，應該說是一起共存共榮吧。

　　戴：是這樣的。正因為如此，抬「神轎」就會產生安心感，就能一起行動。在中國，即使是做為德目也不行。自己修身也不能齊家，國家也搞得很亂。向上面獻身也沒有什麼回報。因此，就把它給推翻了。

　　傅：不僅僅是抬「神轎」產生安心感，同時也樂在其中吧。以愉悅的心情一起吃喝一起抬……。能夠這麼做而又促進經濟成長，不是很好嗎？

　　高橋：這是在高度成長時代的情況。（笑）但是，現在該把「神轎」抬往什麼方向走比較好，誰也不清楚。因此，坐在「神轎」上的人也喪失了自信，這就是近兩年的情況。

　　戴：由此，就出現了不願意抬「神轎」的人。這是日本的新階段。例如，在那裡坐著的人是一個好例子，我們都比較正經地穿著西服，但也有留著鬍子、不穿西服的人。這種人增多，使得日本人的選擇可能性更加豐富，因而可以走向更好的方向。

關於洛克希德事件

高橋：接下來是最近成為問題的洛克希德事件，這種問題在美國或歐洲應該都有，具有共通性，但在某種意義上來看，我覺得也有屬於日本式的方面，大家覺得如何？

傅：是這樣的。但賄賂與手續費之間如何區分是一個問題。例如，公司交際費不能算賄賂吧。如果交際費稍多了，是否可以收取小禮物或是稍大一點的禮物？什麼情況是由普通交際費變成了賄賂，這是個難解的問題，是很難說清楚的。

高橋：所謂賄賂，任何地方都有賄賂與手續費，如果在這次的事件中與其他國家這類醜聞有所不同的話，那麼可能就是從事仲介活動的幾個黑幕人物，是他們策劃的──給人的這種印象很強，在這一點上，如果說這是非常日本式的現象，也可以說是日本式的。

傅：我覺得這不是日本式的。世界上存在一些相似的東西。我將日本與其他國家進行比較，日本的官僚和日本的職員，官僚對自己所在的部門或政府非常忠實，職員也對自己的公司非常忠實。在發展中國家雖然也是這樣，但其他國家，政府官員為了自己的家人或自己的朋友會收取賄賂。但這種事情在日本是非常少的。然而，如果是為了自己的公司使用仲介人，這是常有的現象吧。

高橋：剛才，您說到對自己的公司非常忠實，但我覺得正因為忠實，所以內部很難透露出消息來。

傅：這是非常有意思的。美國的卡爾・科奇思（Carl

Kotchian）對自己公司的事情是可以自由談論的。我從美國的朋友聽說，卡爾・科奇思一直都是這種性格，並不是對公司持有什麼反感才這樣做。因此他在華盛頓也可以非常自由地發表意見，這時是不考慮報紙和大眾的反應。相對之下，丸紅的職員我覺得非常有意思。丸紅的人還是為了公司說「我不知道」（笑），這樣的事情有點像當年的武士，為了丸紅藩，為了主君，面有難色地拚命忍耐，盡自己的力量。這是日本的典型吧。

戴：傅先生請您告訴我們，像丸紅的職員子弟在學校受欺負，這種現象在美國會發生嗎？

傅：也會發生。也許沒有日本這麼嚴重，但還是有相似的情形。例如越戰時，軍隊方面的子弟在學校就經常被欺負。因此是有這樣的事的。

堅韌嗎？年輕人

高橋：說起丸紅子弟受欺負的事情，如果再想一想，並不僅是這次的事件，二、三年前的所謂商社的壟斷購買、大賺黑心錢，無論實際問題是否存在，但給人印象非常深刻，特別是丸紅壟斷購買糯米的事件，存在接受司法當局調查的事實，再加上發生這次的事件。但另一方面，如果聽一聽大學生的就職希望，現在商社的人氣依然非常高。

傅：現在仍這樣嗎？毫無變化？

高橋：是如此。

傅：丸紅呢？

高橋：從丸紅來看，現在內定的人有一百幾十人，其實，沒有人會認為出了事就要辭職。明年希望就職的人會怎麼樣呢，即使是去商社，可能會有人考慮「希望去丸紅以外的公司」的人；但反之，也會有人覺得丸紅是別人都不去的地方，那我去吧（笑），日本人會有這樣算計的。現在的年輕人對於利益是很敏感的，這種時候去這個公司，競爭對手會少一些，這樣更好。有人是這種反應，真的是很堅韌的。

戴：這很有意思。

傅：這有點像大學學潮〔譯註：反對《日美安保》〕時，有人想這次有了進東大的機會了，所以要進東大。

高橋：這種「堅韌性」確實存在。剛才的話使我又回憶起一些事，東大學潮時，考試中止了一年，這一年東大沒有畢業生。這樣一來，日本的就職結構就有了一些變化，京都、一橋及東北大等大學認為「今年是個機會」，希望報考國家公務員的學生增加了很多。因此，年輕人正在轉變這個層面確實存在。可是，毋寧是延續「背靠大樹」和「立身出世主義」，追求這類意向的學生依然很多。

戴：但是，有關當時東大的事態，據我聽到的傳聞，中央政府機構的局長級幹部最為擔心。

傅：為什麼擔心？

戴：因為進入政府機構是有序列的，像是哪一年進入之類的，這樣就中斷了。所以只中斷一年不行，也許要中斷四年以上，日本才會變（笑）。

高橋：沒有成為促使日本改變的因素。

戴：一年是不行的，依舊是東大的影響力在持續著。因為僅僅一年可以漠視。可是四年以上還漠視就不得了了。如果能就此改變就有意思了，可惜沒到那個地步。

麻雀的學校與孩子們

高橋：接著如果進一步考慮更底層的中小學教育問題，前述有關昭和50年間的評價，戰後出生的二十幾歲的年輕人也做出同樣的評價。他們對於戰爭中的事情完全不了解，卻與明治、大正時代出生的人們同樣表示戰爭不好，高度成長好，覺得這幾年很不像話。

有關戰爭的評價，經常會說到德國、義大利的新納粹主義等，但不了解戰爭的世代中又出現了新軍國主義的風氣。外電消息經常會這樣報導，但其實在日本，我們僅從這個調查來看，年輕世代中有非常多的人認為第二次世界大戰是錯誤的，戰爭以前的政策是錯誤的。戰後的中小學的社會科教育經常被人稱為「日本教職員工會教育」，他們認為日本教職員工會的意識形態對於教育是有影響的。我覺得日本教職員工會的問題還在其次，倒是戰後的社會科教育、歷史教育的表現之一就在其中。在這個意義上，教育和媒體一樣，對於人的意識形成或這種社會評價、政策評價的形成，賦予了非常大的影響，我覺得是很清楚地表現出來了。

傅：在我的印象中，比那些內容更重要的是老師們與學生的關係、父母與孩子們的關係。如果是在美國進行那樣的教育，孩

子覺得無趣就會表達自己喜歡的內容。但是日本的孩子，正像剛才「麻雀的學校」歌曲中所唱的「嘰嘰喳喳」。正如歌曲所象徵的，學生都是在做同樣的事。就是所謂的模仿吧？在家裡也是一樣，父母對孩子說「要這麼做！」孩子也完全聽命行事。美國的孩子會多少按照自己喜歡的方法去做。歐洲人也會這樣。因此，即使書本的內容批評戰爭，孩子也會持有一些不同的意見。

而且，我覺得在日本特別是家庭中，母親非常重要。在家庭中非常努力地對孩子進行教育。與孩子有非常緊密的關係，真是很認真地教育孩子。因此，日本人的孩子有一種傾向，就是對母親非常同情。凡是母親說的話，大致都是接受的。

另一方面，我感到驚訝，日本的老人學習新東西非常快。

高橋：您是說有學習意願嗎？

傳：不一定是學習。例如，日語中的外來語。當你認為日本的老人應該不知道一些新詞彙時，結果一見面老人們已經在使用這些新詞彙了，真的令人驚訝。這是上了年紀還在學習呢？還是因為處在新時代需要改變自己的意見呢？總之，我的印象是日本的老人比美國、歐洲的老人改變自己意見更快一些。因此，雖然日本的老人經常說起「代溝」的話題，但我覺得日本的「代溝」沒有外國那麼大。

戴：大致上到了一定年齡後，父母親就會順從孩子。就是聽從孩子的話。

高橋：有一句話是「老來從子」。

戴：是的。是我們中國人教了奇怪的觀念，對不起呀。（笑）

受害者意識的情結

戴：傅先生剛才所說的話，我是這樣看的。所謂「日本教職員工會教育」這個詞彙，是不是具體的「實像」，忽然覺得也許是虛構的「虛像」吧。我的孩子也是在日本學校學習，大體上看看教科書，有關戰爭幾乎都沒有提到。有關殖民地也沒有提到。有的只是原子彈爆發和東京大空襲所受到的苦難，都是根據受害者意識所編輯的。基於這樣的形式，有關戰爭政策的失敗等即使有老師個人進行講解，但在教科書中幾乎沒有這些內容。因此，我的孩子會有一些微妙的反應，因為心裡有中國人的意識。

另外，日本教職員工會在反對戰爭方面特別投注心力，在1955至1965年前後還可以，但其後幾乎就沒有再做什麼了。可是，一般情況下，人們對於戰爭，即使是看電視，也都是透過原子彈爆發等非常悲慘的情景，越戰中的美萊村大屠殺等了解到戰爭是不好的，第二次世界大戰是不好的。但是，有關第二次世界大戰中日本應該擔負的戰爭責任自覺或是定位，那種政策是不好的，我覺得並沒有以這樣的方式使年輕世代持續接受相關的教育。

高橋：這不僅是年輕世代，我覺得大概所有日本人都沒有對於政策中存在的錯誤，政治家或者說國民應負有什麼責任在這個意義上的戰爭責任，似乎都沒有感受到吧。

傅：是不是只感覺是軍隊不好呢？

高橋：總之，透過「一億總懺悔」，表示所有人都不好。但反言之，就是誰也沒有責任，大家都是受害者，這就是剛才大家

所談的那種情緒性的反應，好像壞事都是外壓造成的，都是外來的，這大概也是日本人對戰爭的思維見解吧，在某種意義上來說，這是日本人的弱點或說是問題點，與最近石油危機的對應方式也有關係，這種淺薄，也許是一種無責任意識。

戴：大家可能誤解我今天淨是對日本媒體進行批判了，實際上並非如此。我是這樣思考的。像日本這樣一般教育水平很高的國家並不多。但是從全國四大報紙的發行量來看，真是不得了。幾乎所有的家庭必都訂有一兩份報紙。大家是怎樣理解報紙內容這另當別論，但大家都在閱讀。這在全球來說也是不得了的事情。僅此來看，其責任也確實太重大了，正如傅先生所說，包括記者俱樂部制，就這樣將上面傳來的記事原樣刊載出來，實在是讓人感到困惑。

高橋：時間差不多了。今天，兩位的意見不期而進入了「日本人論」的領域，根據各自的立場，有的問題非常嚴厲，有的問題又非常溫和，各種見解使我們感到非常具有參考價值。

本文原刊於《現代ビジョン》第13卷第5號，東京：経営ビジョン・センター，1976年5月，頁14～21

輯二

認識亞洲之心靈

美味求眞與農業復權
——日本人的飲食生活與食糧危機座談會

◎ 劉淑如譯

時間：1976年

與會：神谷慶治（東京大學榮譽教授）

　　　川本彰（明治學院大學教授）

　　　戴國煇（立教大學教授）

農業是生命的根源

川本彰（以下簡稱川本）：最近大家都在高喊農業危機，而過去國際分工論叫得震天價響時，都認為日本不需要農業。

仔細想想，我認為國際分工論有兩大致命的缺陷，其一是隱藏在和平這個美名下的強者的邏輯；另一則是將生命根源的糧食放在不過是其他生活便利品的石油等同一個層次去考量。國際分工論是因石油危機而宣告破產，但美國等國現在為了要對抗石油資源的占有體系，而打算以食料當作武器。

資源的占有問題當然必須克服，但如果要利用它以糧食的占

有對抗，我想將步上無止盡的全球性毀滅之路。

接下來是有關農業的價值。我想不單是財貨的生產，關於它可生產更高一層價值一事，也必須重新加以檢討。糧食乃生命之根源一事，我們是否已經遺忘許久了？如果只是思考生產財貨，那麼在同一空間競爭，農業輸給工業乃是理所當然的。於是，便想毀掉農業用地，擴大工業用地。其結果，日本便放棄了農業而開始用日圓大肆向別的國家購買糧食。然而，我認為這已經不適用了，而且也不是今後該走的路。

教授您最近提到布里亞・薩瓦蘭（Brilla-Savarin）寫的《美味禮讚》〔*The Physiology of Taste*〕這本書很有趣，應該還是與農業價值有關吧？

神谷慶治（以下簡稱神谷）：最近我的想法也有所改變。從學者的角度來說，在研究農業的人當中，我們的前輩大多屬於薩瓦蘭式，因愛好食物而產生食物的基礎就是農業的想法，進而研究它。到了我們的年代，食物是通俗的，談論食物的人讓人覺得似乎是平庸之輩。於是，農業便漸次成為社會問題，但現在則出現反省，認為大家都忘了食物是一切的根源。以往我們大學午休時好像都一定會聊到食物，例如橘子一出來，大家就會藉此討論要怎麼吃才好吃，或哪裡生產的好吃等，大家都有自己的想法。所以就是這樣先從感覺切入，而漸次轉移到社會問題。

若考慮到未來，了解飢餓是什麼感覺的我們，有雖然粗茶淡飯，沒有食物才麻煩之感，但當戰後世代的人愈來愈多，而不知飢餓為何物的人也日益增加時，他們不知道食物的重要，也不會去思考。一旦如此，就會發生意想不到的事。過去，只要出錢就

可以解決，但今後可就行不通了。

　　剛才川本教授提到工業，就全球來看，從十幾年前起已有人提出超工業社會的概念，而如今工業時代似乎可說已經過去了。服務業的人口已經超過工業人口，而未來這股趨勢可能會持續增強吧！因此，工業即使在某些程度上是必要的，但必須在某些地方加以限制。不過，像是服務或糧食，由於需求非常多，因此沒有必要限制。尤其我們似乎可以斷言，未來不會有糧食生產過剩的情況。

　　另外，剛才也有提到薩瓦蘭，日本在明治時期也曾出現過村井弦齋（1863～1927）所寫的暢銷小說《食道樂》〔《食道樂》〕，仔細閱讀後會發現，剛才所提到的問題，書上都有介紹。昭和以後，木下謙次郎的《美味求真》一書則出了三冊。研究農業的人如果沒看過這些書，就不能成為真正的研究者。不過，到了戰後，只零零星星地有一些不起眼的小書出版，而不見有本質性的東西出現。其中隱約覺得似乎有某種關聯。

美味的追求使農業變好

　　戴國煇（以下簡稱戴）：最近出版的都是一些入門一類的書。在追求美味當中，對料理的思想或者對人們來說食物為何物的根源性的探求則完全沒有，而全部是技術性的。的確是一個問題吧！

　　另外一個問題是，現在出現不知飢餓時代的世代，且在高度成長的過程中，傳統的食物消失殆盡。目前雖然興起回歸傳統的

風潮，但其背景似乎是為了自我防衛，或者因出現食不下嚥的食物，在本能上為了保護自己才以自然飲食的方式進行對症療法！我認為已出現要如何從社會性的角度去接近的問題。

川本：若分成美食派與粗食派，則真正的美食派未必認為貴的東西就好吃，便宜的材料也能從中感受到真正的美味，能從文化的角度去品嚐；而粗食派則是在平凡的食物中去感受食物的價值。我想其實這兩種人是一樣的，且這當中具有對食物的本質性意義，也就是品嚐時、雙手合十後再享用食物的思想，不過現在這些都被人遺忘了。仔細想想，以前我的父親輩吃飯前必定雙手合十。不過，這種事我早就忘光了，我想農業的價值的一部分就在這裡，我們有必要重新去思考。

神谷：我們也一樣，盡是在乎一些蛋白質、脂肪、碳水化合物、維他命等東西。營養學家或許可以這樣認為，但難道連農學者也可以這麼認為嗎？如果再不思考一下「美」或「尊重」的思想的話……。我們都變得太過於追求只要做出來就好、只要有錢賺就好了。

川本：如何利用不起眼的材料煮出中國菜，這方面的研究不是已經累積了很多嗎？

戴：過於美化它也不行。以中國菜來說，在中國大陸悠久的歷史當中，反覆歷經了飢餓、戰爭、傳染病、異常的天候，從這樣的歷史的形成過程，演變到任何東西都必須拿來吃，這生活智慧的屬性，所以才能煮出美味的中國菜。

另外是剛才也有討論到的，糟糕的是，只要靠索尼（Sony）或本田，就可以把糧食從國外帶回日本的極為單純的想法烙印在

年輕一代的腦海中。還有，在追求所得分配結構平等化的動向中出現一個問題，就是對人類而言，適當的卡路里大約是多少？這一點目前並沒有被當作社會性的問題討論。一個人若攝取4,000卡路里，恐怕會過度肥胖或者罹患糖尿病，若把這種情形放在全球去思考，則沒有什麼意義。目前在印度只能攝取1,600卡路里。我們要如何去面對這個痛？遺憾的是很少有人去思考。

神谷：科林‧克拉克（Colin Clarke）曾憤慨地提到這件事，他說，那些嘴巴上說糧食不夠的評論者們不但吃得多，也剩得多，自己攝取了高達五倍的卡路里，卻一直說糧食不夠，真是奇怪。意指若那些人能節省自己吃的東西，那麼食物可能就充足了！

另外，大家都說，在美食方面，即使材料不好也可以做得很好吃。這樣一來可會很麻煩。因好的料理人出現，就會去追求好的東西。哪一個產地生產的什麼東西如何好，這些事專家都知道，而這對農業也有加分作用。而且，真正的美食家是自然食家，因為自然是最好吃的，所以一定要尋找可供「自然」就好吃的地方。這就是如何善加利用自然的美味來做料理。因此，料理人或追求美味的人會去尋求美味的產地，無法如此，農業也沒有辦法搞好。我是已沒辦法太老了，不過各位若是懂得怎麼去品嚐，農業就會變好了（笑）。

呈現兩極化的農業

戴：現在的農民不要說追求美味了，甚至被價格的結構牽著

鼻子走，而被迫生產一些不能吃的東西。

　　神谷：我剛才提到的追求美味和農業兩者，是佐藤寬次教授說的。他晚年到東大的農場巡視時，有人把蔥拿給他看並介紹「這是蔥。」他說：「這真的是蔥嗎？」換句話說，在農場，大家都認為那是蔥，但對佐藤教授而言，那並不是蔥。因為大家都把它當成蔥在賣，所以現在的蔬菜都變成那樣，而原本的蔬菜則不見了。

　　戴：我太太在家裡有種菜，因沒有使用農藥，所以就長出蟲來。後來我們討論到該怎麼解釋長蟲的蔬菜呢？最後認為，我們和蟲一起生活是自然的，只要洗乾淨加熱，就不會對身體產生影響，且無論如何能從農藥危害的恐懼中獲得自由。日本人大多過於在乎外觀，像香蕉也是一樣，我們這些來自香蕉產地的人都認為要等到香蕉出現斑點時再吃，才是最好吃，不過，日本賣的香蕉都很漂亮但不好吃。所以我都是等到斑點出現，變成一堆堆便宜拍賣時，才去買。

　　川本：教授您對這個現象怎麼理解呢？岡山有一家水果店很有名，叫做「初平」，因厭惡公害的社會，而把店關掉，僅依舊經營自家的果園。聽說其果園的產物只賣給全日本12名懂得品嚐的人。以12名顧客來維持，東西可能賣得很貴吧！但味道當然很好。也因此，農場主人便說：「我是從事真正的農業。」

　　神谷：理想上似乎是要那樣吧！東西是貴了一些，但非某人種的就不行，的確有那樣的事吧！奢侈的人，現在也還是這麼堅持呢！不過，太貴就傷腦筋了，但那樣不是有趣多了嗎？

　　川本：一方面，若是變成這樣，另一方面就會出現便宜而大

量生產，卻不問味道如何的農業。前幾天我參觀了肉牛的生產，過程實在太過於殘酷了，令人難受。在那裡，他們會先買小牛，不讓牠們運動，為了不損失能源就把牛拴起來使牠過其一生，用類似稀飯的飼料將牠們餵得飽飽的。我認為這是蹂躪牛權，而不是農業，因他們對牛的生命也沒有任何感謝，只不過把牛當成生財的工具罷了。牛還是要讓牠像牛一樣在草原上飼養，看到時感到愉悅，吃著時感到美味，我想這樣的農業才是本來應該的吧！不過，正因為國土狹小，所以還是會出現力圖在狹小的土地上提升生產性的農業，及能提高金額的農業。也就是，農業已走向這兩種極端了。

　　神谷：我的計算也差不多如此。大約10年前，平均每10畝的粗收益約有20至30萬日圓及2至3萬日圓兩種，未有居中間的。現在更加往這方向發展。

　　川本：教授，那麼這麼一來，你認為理想的農業會變成什麼樣子呢？

　　神谷：我沒有想過理想的農業，我想從現階段去推定，應該會出現這樣的農業，或希望能出現這樣的農業吧！

天道與人道的調和

　　川本：我認為原來的農業應該如同它的字面所示，具有把農業變成文化，也就是耕田本身即具有文化的義涵。在這樣的農業經營中，有兩股力量在作用，其一是停止用手耕種而改用鋤頭、鐮刀及拖拉機的機械化農業，也是愈遠離自然就愈高的農業；另

一則是愈貼近自然就愈高的農業。

　　我想兩者合一才稱得上是真正的農業，但日本自明治以降只將與自然緊密結合的一方說成彷彿是日本農業的菁華一般，於是最後便步入戰爭。

　　戴：就是被當成富國強兵的材料。

　　川本：接著，戰後發現這樣不行，於是瘋狂地投入節省勞動的機械化農業、賺錢農業，其結果就是現在我們所面臨的農業危機。因此，我認為將農業原來具備的兩個方向統一起來的農業該出現了。神谷教授之前也提到，必須克服追求所得‧技術萬能的農業。

　　神谷：有關這方面，我個人其實感到很困惑。親鸞或老子的思想是主張遵循自然過生活。二宮尊德則說即使是自然，也不能按照過去的方式，而有人道和天道。也就是說，對事物的想法中一定有人道和天道兩者，因不能一味交給天道，所以人道也必要。現在混在一起不知哪一個是哪一個，才是現況吧！

　　現在所謂的自然食品，絕對不是用原來的自然農業做出來的，雖說是自然食品，但其中也加入人道。所以，問題在於如何調和天道和人道。「該合的不合，該分的不分」一語，不只適用於農業，也適用於一切吧！

　　川本：尊德曾說，「人道半忤逆天道，半順從天道」，也就是說，兩邊都有才是人道，只有一邊是不行的。所以我認為雖然我們在人道的經營上是對應天道的，但已喪失了忤逆和順從它的控制力。

　　神谷：我認為以個人來說或許是喪失了，不過以社會整體來

說，則並未喪失。我想整體一定調和。

　　川本：是嗎？過去教授您曾引述存在主義者海德格（Martin Heidegger）的名言說：「現在即使原子彈或氫彈沒有爆炸，我們也已喪失控制人類所創出的科學之力量，其中有著人類最大的危機。」我覺得很有道理，不過現在我認為我們整個社會已喪失該控制力。

農民相信科學嗎？

　　神谷：沒這回事。學者之間或許是如此，不過，農民究竟相不相信科學呢？就連我也不相信醫生。我常說，絕對不要去看醫生，而且，請各位讀讀海森堡（Werner Heisenberg）或愛因斯坦的理論。現在的科學都是或然論吧！我們能相信它嗎？

　　所以在這裡我要提到一點，即是今天我所讀的書中，有一本是修馬克（E. F. Schumacher）寫的《*Small Is Beautiful*》（日譯本書名為《人間尊重の経済学》）〔譯註：中譯本為《小即是美》〕，其中引述一則故事，提到達爾文（C. R. Darwin）於30歲之前，都沉浸在莎士比亞（William Shakespeare）和音樂中。之後他就埋首於如何從錯綜複雜的現實素材中，尋找單純法則的工作。此時，偶爾想讀詩或莎士比亞時，就去讀，讀後卻發現實在無聊至極。年輕時喜歡聽音樂，現在卻不行了⋯⋯。這本書就是傷懷地書寫，像我們這種從事實證科學的人，是否連鑑賞力都已退化了嗎？

　　我們的夥伴可能也已變成如此了吧！不過整體來看，沒變成

這樣的人還很多，他們還享受文學及音樂，還是很健全。

　　還有，修馬克這個人有很長一段時間在學校教達爾文。修馬克說，若一直教實證主義，就會教出一些煞風景的人，文學、音樂、什麼都不懂。所以，教育一定要改革。從這點來看，我們所受的教育還是不行，我們必須培養出更柔軟的人，懂詩，懂音樂，也懂得食物的甘美。

　　戴：意思是在說，自然科學是可以信任的東西嗎？人類在某一時期以前，對自然力有一種恐懼感，也就是說，人類曾是自然的囚犯。後來從某一階段起，開始認為能夠征服自然，一直到今天。在農業面上則是以投入無限的化學肥料的方式呈現，破壞了土壤的有機性，直到最近才開始反省。

　　自然科學亦有其局限，我認為重要的是該怎麼找到其局限，而向前走。以中國來說，有繼承自祖先的類似人生哲學的東西，也有順應而不違背自然的想法。但這往往是造成中國人無朝氣的原因，相反的，變成必須去征服自然。我認為要如何使這兩方的銜接點能調和，可能是目前問題所在吧！不知道這個部分在農業方面要怎麼樣去應用呢？

　　川本：您是說這個部分要由農民去做嗎？

　　戴：現在的農民早就不是農民了，因他們生產一些自己不想種植的東西來賺錢，而整個體系已變成這樣了。

　　川本：農民原有的智慧中，過去曾有部分是控制違背自然和順應自然的東西，但現今農民是否具備這樣的智慧是個疑問。

　　不是農民。不過，我認為從關島的洞穴出來的橫井先生具備這種智慧。他之所以能倖存下來，是因為洞穴中會有蟑螂跑出

來，接著，吃牠的蟾蜍和吃蟾蜍的老鼠就會跑出來，於是他就吃這些老鼠或蟾蜍。不過，他說並沒有將牠們全部吃掉。他很有智慧，知道如果全部把牠們吃了，食物鏈的關係就切斷了。這種智慧連獅子都有，而人類卻喪失了，特別是文明國的優等生已沒有這種智慧了。

神谷：或許那才是真正的智慧吧！所以，向來都在學習實證主義的優等生全都不行了。我想以後的教育若以早期的感覺來說，就是必須用劣等生教育。不能依賴「我懂，交給我」這種人，最好交給認為自己不行的人。我想這恐怕不只是日本，全世界似乎都已進入這樣的時代了吧！

所謂農民的原理

川本：二宮尊德的教義是道德和經濟的一致吧！現在的經濟學卻全部將道德這東西丟掉，只窮究錢財與錢財之間的關係，據說那已經失敗了，因此，讓道德和經濟的一致吧！比方說，博藍尼（Michael Polanyi）好像就曾說，所謂經濟是社會的副系統。

神谷：在經濟方面很優秀的人，應該是不管什麼道德而只精通單純經濟學的人吧！這種人會平步青雲的。明治以後，受到三權分立主義的影響，流行起什麼都可以分，而這似乎帶來災難！像現在專門化的學門根本派不上用場。雖然必須將現實抽象化，然後再讓它回歸現實，但現在都只是將現實抽象化而已。所以，現在的學問或許對某些階級的人來說是可能有必要，但對於一般人來說，則是沒有必要。

　　川本：亞當・史密斯（Adam Smith）提到「看不見的手」，在我們的經濟的時代，這「看不見的手」全都不見了。

　　神谷：現在，「看不見的手」是政府，這是一隻握有權力的手，所以就變得很奇怪。洛克希德事件就是很好的例子。

　　川本：洛克希德的原理也是公平交易，在農民的世界也適用。不同的是農民都把它放在無限當中思考。其在本質上是不同的。即使是經濟，也會在比較短的期間內思考其合理性，然而，因為農民總是在永遠中去思考合理性，所以我們現在似乎需要這種農民的行為！我想在這當中尋求克服文明社會危機的契機。

　　神谷：剛才我提到的修馬克也講到這一點。修馬克說，大家都認為在經濟面，大的東西就是好的，但small is beautiful，小一點其實比較好，大的東西好這個想法，是19世紀的思想。那也是理所當然的吧！

　　川本：我覺得藉由應用這個農民原理，未來日本的農業有可能會復甦。

　　前陣子我有個機會參觀了兩三個在日本有亮眼成果的農場經營組織，在那裡，是組織的全體人員共同進行農耕作業。以往這時，都是按照工資決算，不過，那裡因為是全體人員共同從事同比例且平等的工作，所以就不這樣做。究竟是怎麼一回事呢？就是一種基於今後連後代子孫都一直要往來的概念，也就是彼此互相照顧的原理。以往這種農業被認為不合理且不經濟，也很封建，因此馬上就會根據短期間等價交換的原理進行決算。不過那裡則是實施長期性的等價交換。我認為這個原理將來似乎也適用。

　　神谷：封建性現在似乎已變成具有正面意義的詞彙了！「那

個人很封建」，現在這句話可是變成一句讚美的話呢！（笑）

戴：那應該就是教授您所說的「永遠的土著性」吧！不過，現在有一個問題是，我們怎麼去面對在前近代性的社會結構中出現了打算反過來利用農村特殊原理的情況呢？

神谷：是嗎？會被利用嗎？實際上應該不會被利用吧？表面上或許看來會被利用，不過真正的農民不可能被利用。

川本：柳田國男提出了「農村獨特的三個經驗」，他說，應該也要讓農民的這種行為能適用於都會。柳田提出的三個經驗，一是將勤勞化為快樂的技術；二是若運用智慧改善消費，生活安定之路就更加寬廣，三是將土地及其他天然的恩惠與人類的幸福相結合。我認為這三個經驗非常重要。

我曾經在某個地方提到這件事，結果有一個人很生氣，說那是地主的邏輯，並說過去地主都是利用它們來賺錢。我想那的確也是事實，不過，也不應該因為這樣，就否認農民的這三個行為。例如目前在都市大家都認為勞動是不好的，認為愈縮短工時，人類就會愈幸福。確實在某方面是如此。不過我認為，工作也是快樂的，要是缺少了這種心情，人就沒有活下去的價值了。因此，我認為這個原理很重要，將來無論在農業的重建上，或是整個社會的重建上，都很重要。

然而，在現實中，農民則是被利用殆盡，也被壓垮了，這是因農民本身具有被壓垮的弱點嗎？

神谷：農民是不敵政府的權力。還有《食糧管理法》＊，農

＊　食糧管理法：日本政府於1942年制定，簡稱為食管法。目的為管理食糧、調整供需與價格，並控制其流通的法律。．

民就是因此才被壓垮。「看不見的手」還有安全感，要是變成「看得見的手」，那麼消費者和生產者恐怕都要緊緊依賴這隻手了吧！所以，到時這隻手就會承受不了。總而言之，主要的原因就是政府的《食糧管理法》。

尊德的再評價

　　川本：二宮尊德是明治以降文部省所想出來的背負薪柴邊讀書的故事，被利用為勤儉儲蓄的口號，但我認為尊德的教誨並不是那樣。他的教誨「至誠・勤勞・分度・推讓」中，推讓往往被忘了，剩下來的，則是被東拼西湊地利用。

　　神谷：文部省似乎只是把適合做為教材的拿來利用吧！或許原本應該要宣揚推讓的部分，但不知是否不妥當，所以才只是教導分度和孝順及勤儉。另外一個是出人頭地吧！教科書上提到尊德是由農民變成了不起的官員。這一點與明治的功利主義相結合。

　　川本：尊德的教誨中，推讓是最重要的，一旦把推讓拿掉，就變得奇怪了。

　　神谷：認真工作而儉約，有了錢，則墮落就無法推讓了。基督教中也有這種東西，而馬克斯・韋伯（Max Weber）也說過同樣的話。

　　川本：所謂推讓，就是永遠之中的給予與取得（give and take），最後回歸自己的一種想法吧！

　　神谷：我認為現在的農家稍明事理的人都懂得與別人往來時

自己要多做一些。如此一來能長期維持關係，且最後自己也獲
益。

川本：這種想法存在中國的人民公社，工資的決定方式等，
即使自己是以指導者身分工作，似乎也等大家的評價。

戴：好像先自己提出，大約妥當就決定。問題在於那樣的原
理只有在那樣的體制才會出現。以日本來說，自私的主張反而造
成混亂的狀態；而以中國來說，至少還有人民公社之共同體思
想。

川本：工資的決定方式是上級的指示，還是自然的智慧呢？

戴：我想基本上兩者都有。在理論常和現場有關聯的關係
中，一般都是採納現場的意見或汲取地方的特殊性而決定。所以
也是追求消除都市和農村間的予盾方向。

神谷：我要講的是我所知道的某共同體的故事。有位一起工
作的夥伴在帳簿上動了手腳，這件事很快地被大家知道了，但大
家都保持沉默。因擔心結盟會破壞，所以保持緘默。不過，事情
變成私下耳語，因此到孫子的世代都還會作祟，人際關係也變
糟。因此，像資本主義那樣，先決定工資後再做決算也是很重要
的，不要因這種事而破壞了重要的人際關係。

建構新農業

戴：最近日本農民的新面貌如何呢？雖然大家都在高喊農業
危機或提倡自然飲食，但農民還是經常吃虧。年輕農民有沒有振
作起來改變態度呢？

神谷：在聚會上，農民變得比較能無後顧之憂地說話，但我感覺年輕人很安靜。勇於發言的，多半是40至50歲的人。

戴：過去象徵著進步的都市，已充斥人口過密化、公害、飢餓等矛盾，因此已出現了討厭都市生活，討厭用金錢買取時間的生活想法。還有，都市人過去一直都瞧不起農業，最近則不再如此。連知識分子都開始吹捧起農業來，這反而恢復農民的自信，所以我想今後想要經營具有個人特色的農業的機會似乎增加了吧！

川本：或許農民已藉由農業再發現論獲得了自信，不過，這個農業再發現論，也有其危險面，即為了體制面的自我辯護而發言的傾向，並有都市人為自己發聲的傾向。例如，「保全綠色」也是工業方或都市自己摧毀它，一面卻又想把責任推給農業，因此我認為它不是一種積極想要從農業內部找出價值的東西。

神谷：這部分似乎必須廣泛考量吧！目前的農業，若沒有工業就沒辦法。像是肥料公司，或機械・設備公司、流通機構等，沒有這些就不行。因此，雖說是農業，目前有農場農業和農場外農業兩種，兩者合起來就成為廣義的農業。這一點，社會主義和資本主義都是一樣。所以，我們也必須考慮在現實中早就沒辦法與工業關係切割的農業。

川本：但我認為農業現在完全由工業支撐，因而這方面並沒有調整好。

神谷：沒錯，雙方必須不要成為對方的負擔才行。有必要在同一個平台上進行調整。

川本：這時，要是在經濟價值產出的競技場上做調整的

話，農業就將比較弱，所以，必須把農業的積極價值拿出來才行……。

戴：整個歐洲的近代工業常將農業手段化。現在則有一個問題是，這回能否將主體放在農業而將工業手段化？要如何將農業與工業組合起來，這種新構想無論如何都是必要的。

川本：這個話題討論不完，時間已經到了，所以我們就在這裡告一段落。今天真的很謝謝大家！

本文原刊於《現代ビジョン》第13卷第9號，東京：経営ビジョン・センター，1976年9月，頁13～19

東南亞的心與近代化
──「亞洲人懶散嗎？」座談會

◎ 李尚霖譯

與會：青木保（大阪大學助教授）

　　　木田南夫（P. T. United Tractors東京代表）

　　　戴國煇（立教大學教授）

　　　山川滋（東南亞貿易投資觀光促進中心）

主持：小泉允雄（JETRO經濟資訊部）

一、何謂東南亞式勤勉

開場辭

　　小泉允雄（以下簡稱小泉）：首先，我想大略地說明一下，為何將這樣的題目做為一個問題而舉辦今日的座談會。為何選擇這樣的題目？日本與東南亞的經濟關係，一年比一年密切化，已不用多作解釋；這密切不僅是量的擴大，內容上也變得非常複雜。例如，在以商品貿易為中心的過去，雙方的關係，可說大抵

不外乎物與物的關係，或者是停留在金錢與金錢的關係。如今，這關係，不管喜不喜歡，已進展成「人對人」的關係。這層關係也直接呈現在日常經濟活動，例如，日本企業對東南亞的大量投資、日本人僱用東南亞人每天工作等。

況且，這層「人對人」的關係，並不能說是萬事都非常順利。最近東南亞諸國對日本的批判、學生們的反日運動等新聞報導，和以前相比，不管日本的報紙或是東南亞的報紙，雖都已不再刊載，但這些新聞並非消失，而是自由言論在各個國家受到壓制，或各國陸續發生更急待解決的問題，我想才是原因所在。因此，東南亞與日本的「人對人」的關係，很多地方依然有待改善。另一方面，日本對東南亞的投資及其他的經濟協助，整體上仍持續增加中。

正當這樣的時刻，這場座談會的首要目的，在於試圖探討如何思考「人對人」的關係。

雖然我也了解，有人主張乾脆停止投資，在這裡姑且不論經濟關係的善惡論，總之，以承認現在雙方的經濟關係在深化的前提下，我希望來思考「被要求的是什麼？」一事。

首先，我的觀點非常平凡，現在我們被要求的，可能是我們日本這方對東南亞人的理解。我在東南亞旅行，總始終感覺東南亞的人們理解日本的努力是日本人嘗試理解東南亞的好幾倍。這點，只要比較雙方的中小學的教科書，相互間如何介紹，便很能明白。因為在日本的教育中，日本對較近的東南亞──和歐美相較，幾乎完全漠視。由於連一點試圖理解的努力都沒有，以致我們對東南亞仍存在著各種誤解；理解的第一步，在於去除這些誤

解或偏見。

　　為數眾多的誤解中，最顯著的一個，便是認為東南亞的人們比較差，即使不那樣說也認為他們「懶散」。

　　雖然屢屢有人提及，明治時期以降的日本思想，肇始於福澤諭吉的「脫亞論」主張，這一直都是主流；但即便層次沒高到思想的程度，我認為在培育我們長大的氛圍中，有這種傾向。在場的各位，除了木田先生之外，孩童時代全在二次大戰中渡過，舉例來說，大家都是讀《冒險彈吉》〔《冒險ダン吉》〕這漫畫長大的。現在重讀可以清楚地知道，漫畫裡對「南方」的印象，正是認為人好但能力低。不管是《冒險彈吉》或是《野狗小黑》，主角在日本時都是普通的小孩（或是野狗），也就是與「粗松君」或「丸出駄目夫」〔譯註：粗松君與丸出駄目夫均是笨頭笨腦的漫畫主角〕同類。但，他們一到「南方」或亞洲去，不是立刻變成國王，便是立下大功勞。為何如此？那是因為即使在日本，素質在平均水準以下的粗松君，一到「南方」，由於當地人更懶散，主角一躍而顯得傑出，這樣的設定，正被視為放諸四海皆準的常識。今日有許多日本的商人前往東南亞。前往東南亞的人，增加了很多比像我們這般「冒險彈吉」世代年輕的人。即便如此，在我看來，上述誤解可說並未銷聲匿跡。

　　今日的座談會，希望能深入這一部分。首先，我們當中，木田先生與東南亞的關係維持最長，我想請教您，在日常生活的經驗中有何感觸？

風土條件是關鍵

木田南夫（以下簡稱木田）：我戰前出生於印尼，並在那裡成長。小學、中學、大學與印尼人、華人、荷蘭人、荷裔混血兒等一起念書，一起踢足球長大。在這段過程中，我絕不認為印尼人特別懶散。懶惰與否，恐怕會因觀點而異。

但是，如果提起非常私人的感覺，由於那邊的氣候非常炎熱，以日本人的步調做事的話，我想無論如何體力上都無法維持太久。即使觀察戰前荷蘭人的生活，他們大抵早上八點到上午十一點左右工作，下午一點時已回到家。二點左右吃飯，之後便睡午覺，或是到俱樂部去消磨時間。我想這並不是因為荷蘭人懶惰，而是因為印尼的氣候條件，無法讓人像日本人由早工作到晚。

剛由日本派遣到印尼去的人，最初的二到三週，由於無法擺脫日本的步調，以在日本的方式執行工作，電報一來，會立刻當天回信。但是，過了二至三個月的話，步調便會慢了下來，出現所謂的「現地化」的現象。歸根究柢，雖說粗略，但人類的勤勉程度，我想與風土、氣象有相當大的關係。

從兩個體驗談起

小泉：青木先生在泰國研究泰國社會，並非僅限於書桌上，自己也有出家做和尚的體驗，由這寶貴的體驗……

青木保（以下簡稱青木）：關於東南亞的人們是否懶散的問

題，首先我想講的是，到目前為止，包含日本人在內，所謂已開發諸國的人們，先天上便有南方人懶散的先入為主觀念。也就是，一開始便認定，他們要不是有能力的懶人，要不就是能力差！

依我的經驗，介紹我個人打破這種先入觀的兩個經驗給大家。我於1965年因為取得「聯合國教科文組織」的調查支援獎學金，第一次去泰國。曼谷有「聯合國教科文組織」的分部辦公室，那辦公室非常大。所長是印度人，實際執行工作的副所長則是菲律賓人，其他還有許多泰國人。我和一個年紀相仿、同樣是學社會學的日本人，兩個人在那裡，被菲律賓人副所長徹底地盯上。他是個十分勤勞的人，從早工作到晚。我們如果犯錯，馬上會被他指出許多問題。另外，我們自己做的事，每三天便被要求寫一次報告。他會仔細的閱讀報告，然後告訴我們哪邊不行。一開始，由於我們語言還不習慣，總之，就是搞不清楚狀況。如此，與他相處四個月，東南亞的人在同一性質的工作上成為自己的直屬上司，他是我第一次的經驗。那印象十分強烈。不管怎麼看，都不能說亞洲人懶散。

只是，由那人的考勤標準來看，我們兩人四個月的工作算是很努力。關於這一點，最後一天，他稱讚我們說，你們做的非常好，之前荷蘭來的聯合國教科文組織的學生，一個月便受不了而回國。你們非常好，拚命的像牛頭犬一般。由此來看，首先，我強烈感受到，根本無法一概而論，說哪一國國民勤勞，哪一個民族懶惰。

另一個體驗是，二、三年前我在泰國曼谷一間小乘佛教的

寺院剃髮成為托缽僧，修行了半年左右。小乘佛教的戒律有227條，我們在這些戒律之下，生活在完全獨立的世界之中。寺院裡大部分是泰國人，雖然也有外國人，但日本人剛好就只我一個。有印尼人、越南人、尼泊爾人，以及馬來西亞人，此外，還有法國人、英國人、美國人、印度人，大家無分彼此，出家修行。

如此一觀察，由於完全遵照相同規則，在經過一個月、二個月後，勤勉程度的排行榜，自然而然浮現出來。我雖然也算相當努力，但就勤勉度來看，只算排行中間左右，絕對不算優秀（笑）。另外，美國人、法國人，這些人一和各種民族在同一規則下生活，與泰國人、印尼人相比，也不能說多麼勤勞。最勤勉的人，剛好是泰國人。關於這點，我目前仍尊敬著他。真的是十分精進的高僧！這個人我想任誰也比不上。累積了這些經驗後，總無法以「懶散」之類的評語，一竿子打翻一船人。這對我而言非常的困難。

最近日本的知識分子，雖然嘴裡不太說亞洲人是懶人，但如論起是否真的發自內心這麼想，在大部分的人心裡，我想多多少少仍認為東南亞人懶散。我是因為碰巧進入二個大家共處一室競爭的地方，因此這些話總無法說出口。我留有一種印象，自己即使再怎麼努力，就算在那樣的僧院，勤勉的程度至多也不過是「中」等左右，絕對得不到「優」。這是事實。並不是因為我喜歡泰國才這樣說。

因此，關於「勤勉」，雖然我想提供很多素材，但首先我想告訴大家，由於最初有這樣的經驗，我本身無法接受一概而論的論斷。

小泉：關於相同的問題，我想聽聽在菲律賓的經驗。

山川滋（以下簡稱山川）：是的。大概由於我覺得自己本身本來就懶，因此在馬尼拉待了三年，回到日本並沒有因此特別變得更懶。此外，如果說起日本人是否特別勤快，我對這也沒什麼自信。現在看看自己周圍，至少我們父母輩口耳相傳的「日本人很勤勞」的說法，對我而言，感受並不具體。

只是，剛才木田先生曾提及的風土問題，我認為不只是氣象、自然風土，尚有所謂社會性的風土。換句話說，日本社會被構築塑造成：人們如果不以自己是勤勞的感到自負，光是每天的日子便讓人寸步難行，讓人覺得很難生存下去。我們自己告訴自己勤快，毋寧說，有自欺欺人的一面。

然而，我派駐馬尼拉時發現，一般的菲律賓人完全沒有感受到周圍有這種制約。對他們而言，自然就是環境本身，社會的、人類所創造的煩惱牢籠之類的東西，不要去理會便沒事。至少與日本社會相比，制約確實可說較少。

進入這樣的菲律賓社會，我們日本人工作量想要如同在日本一般，絕對不可能。木田先生剛才所提到風土的問題，外派人員平均會待上三到五年，其中，約有半數生過大病。要之，所處的風土——包含自然的及社會的——之中，所謂的正常勤勉狀態，絕對不可能與日本人在國內所想的一樣。因此，我也無法草率地認定菲律賓人懶散，我們日本人如此斷定，我覺得不好。

午睡是不好的嗎

小泉：戴先生，不好意思，讓你最後一個開口。青木先生剛才說的刻板印象中，日本人往往有此傾向。

戴國煇（以下簡稱戴）：有別於剛才所提的風土、氣候層面，我認為人種主義、人種上的偏見這一層面是歐洲的資本主義的產物之一，必須加以重視。也就是說，白人以外的人種，原本天生便庸庸碌碌，這是人種、民族的屬性。這樣的想法，不是18、19世紀，歐洲資本主義征服世界過程中的副產品嗎？日本明治維新以降也繼承了這些想法吧。明治日本追隨西方，不自覺地在自己內心裡也存在著人種主義、人種上的偏見，不知不覺化作體質的一部分，直至今日。一方面，這種偏見能發揮功能，也與山川先生所說生活的步調有關。資本主義的體質在於追求高效率。高效率主義追求畫一性，而將人類捲入其中。然而，東南亞的生活規律則有所不同。無視這一事實，而以資本主義的標準或其生活規律來看，當然是趕不上！因而要做下「南方的人有問題」的結論，極為簡單，而且，由於是日常生活之中的事，因此很難處理。

因此，我想舉出幾個具體例子。曾有這樣的事。後藤新平說服留學歸國不久的新渡戶稻造，要帶他到台灣，讓他擔任殖產局長。新渡戶稻造出身札幌農學校，留學美國，之後在台灣指導甘蔗的栽培。當時，有段非常有趣的軼事，新渡戶稻造提出的條件，除了薪水問題外，還有允許他睡午覺。現在依我個人的解釋，這是新渡戶稻造思量自己在台灣的環境中的生活步調，他自

己的一項試探。然而，由於新渡戶先生去台灣是明治30年代初年的事，對當時的日本人而言，提出午睡這樣的條件，說他非常懶散並不奇怪。

即使現在，週日以外的日子午睡，在日本會被認為懶散，不是嗎？（笑）

說起午睡，即使是現在的中國、東南亞，與日本稍稍不同，乃是日常生活中不可或缺的部分。戰前的日本人，說中國人懶散，到了新中國成立，又說中國人變得異常認真；日本的評價是片面的。然而，中國人依舊在午睡，這樣不會稱讚的太過了嗎？（笑）即使新中國成立，中國的人們依舊好好地午睡，另一方面，拚命地工作。

這問題不限於日本人，因為每個人都會將這種生活步調的問題以自己的標準去打量別人，所以才會對其他國家的風俗習慣產生誤解。

小泉：戴先生雖提及不光日本人如此，但很遺憾，我卻有一個印象，覺得我們日本人以自己的價值觀去裁斷其他國家的性格特別強烈。這並非僅是我個人的印象，我有機會蒐集並閱讀了相當多明治以後日本知識分子的「亞洲旅行記」之類的文章，亞洲便是懶散的「下筆法」，即使是閱讀近代日本代表性文學家夏目漱石的《滿韓漫遊》的文章，在這點上也相當嚴重。修道社的《世界紀行文學全集》〔《世界紀行文学全集》〕裡，收錄了日本明治以降知識分子的各種旅行記，像三木清、高見順這種在日本有傑出表現的人，觀看亞洲的眼光也籠罩著先入為主的觀念。與此相比，歐洲有很多人對異質文化的觀察不戴有色眼鏡。這是

在作家層次的比較。

　　戴：說起生活步調，我再說一個自己的經驗吧！

　　我是昭和30年來日本留學，那時第一次體驗了日本的生活。老實說，至少在我所屬大學的研究室，同學們的讀書方式，讓我覺得「日本人這麼懶嗎」？（笑）學生不知什麼時候會出現在教室。一出現的話，馬上便玩起棒球。午休時，也有人打麻將，相撲一開始，立刻看電視（笑）。但是，剛開始不知道，大家回到家的話會一直念書，直到清晨送牛奶的人來的時候。因此，留在大學研究室的人多半肺不好，近視的人也多。因此指導老師東畑老師對我開玩笑，「這麼說戴君你都沒戴眼鏡，也沒得肺病。看來你是最懶惰的」（笑）。我如此地被誤解，但另一方面，我也誤解大家。總之，大家晚上十點左右開始念書念到早上，然後睡覺，中午前才來大學。由於我不明白這種特殊的生活步調，所以產生誤解。

　　由這層意義來看，最重要的是如何思考社會的生活步調之問題。如青木先生所說的一般，先驗的將懶散視為是人種上或民族上的屬性，我想強調的是，如青木先生的體驗中也有「那是錯的」！

農村的勤勉・都會的勤勉

　　小泉：到目前為止，聽了各位的反對意見，批判了認為東南亞人懶散的刻板印象。然而，雖覺得羞恥，我想在這裡告白，我自己也曾這樣想過。當然，我雖不認為因為懶所以能力低，或者

懶不好。但是五、六年前，我曾在各種場合力言「東南亞悠閒說」，藉今日的座談會，我想取消這話（笑）。

我於1960年代後半派駐香港三年多。當時香港經濟以驚人之勢發展，在此一背景下，香港為三餐拚鬥的人擁有非常人所能及的勤勞與耐性。只要帶日本業界的人到工廠參觀，大家都歎服不已。勤勞到「連日本人也吃驚」。那時，我本身雖然很喜歡從香港出差到馬尼拉、金邊，但無論如何，對東南亞都留下悠閒的印象。感覺不管哪裡，綠蔭下都可看到成年男人躺得滿地。事實上，這些人之所以如此，是因為來到都市找不到工作，對被香港及日本的勤勉沖昏頭的我來說，看在眼裡，只覺得是種非常幸福的懶散。

因此，回到日本，想到亞洲時，我一時產生一種思考習慣，將亞洲劃分成以香港為首的勤勞的漢字文化圈（日本、韓國、新加坡等），以及靠天吃飯、怠惰的東南亞。幸福的東南亞與漢字文化圈相比，經濟成長和出口產業的發展較遲緩，也是理所當然。

這種劃分方式之所以在自己內心中崩解，我想是受惠於之後去了幾次東南亞旅行的經驗，因那時我也能到農村。說起緬甸、柬埔寨（戰前），雖也是東南亞最悠閒的國家，但一到農村，不管大人、小孩，幾乎從早工作到晚，對早上爬不起來的我，光這一點就頗受感動，即使只是模糊地抱著「東南亞人懶散」之類的想法，也覺得自己很慚愧。

木田：確實，印尼的農民也非常勤快。早上在雞叫聲中起牀，一整天耕田。

　　小泉：說起「東南亞的心」的話，主題或許變大，但我漸漸的覺得，在東南亞農村自古相承的生活與心，存在有所謂「東南亞式的勤勉」。只是這種「東南亞式的勤勉」，或者說其中所孕育出的步調，是否直接與都市的勤勉或者近代的勤勉有關聯？我想這是個大問題。農村勞動與工廠勞動的差異問題，在後面再談。

　　山川：農民既認真又勤勞，但一到城鎮的工廠去，怎麼說都不能用，這種感覺——在我印象裡並非不能理解，這樣的說法確實有問題。昨天還在農村，一到大都會來，可以賺錢的地方，不外是道路工程等臨時工，或者城鎮的小工廠。一進都會的工廠，環境變成全然生疏。當地合資企業日方代表的社長、副社長級人物，看到工廠中的菲律賓人，幾乎都有認為菲律賓人懶散的傾向。這種想法根本不對。

二、思考標準的差異

廚房的工作・日本中國之差異

　　戴：畢竟，如何工作是一種習慣問題，而與人的優劣無關。再舉一個例子吧！我來到日本，當然我的身分僱不起女傭，但碰巧我家親戚有請女傭。昭和30年，女傭還未被改稱為「管家」之前不久，當時我拜他們之賜，首次有機會仔細觀察日本婦女在廚房裡的工作方式。這在我們的眼中看來，十分有趣。女傭在瓦斯爐前，做好飯後，再做菜；做好菜後，再煮湯。由我們中國人的

標準來看，這非常沒效率。爐子有三、四個，合理地同時進行，才是我們主婦的作法。然而，仔細想想，或因中國人的家庭料理菜色多變，而有那樣的步調；日本的話，只要有烤魚與味噌湯，加上醬菜與飯，便綽綽有餘。因此，如果是家庭廚房勞動的話，日本人比較悠閒，不需要急。

然而，一旦成為受雇的一方，就如同日本的工廠經營者到外國，抱怨那裡僱用的員工般相同的關係會出現。被人抱怨「日本的女孩子為何這麼懶？怎麼教都不會」之類的（笑）。

但是，就連這問題，誇張點說，也具有非常物質的背景。那時來到東京幫傭的，大概都是來自茨城、栃木等地的妙齡女孩，我之後做「農村調查」才清楚了解；說起這些人的飲食方式，冬天味噌湯可以放在坑爐上幾天，吃的時候加入白菜等再溫熱，生蛋添加醬油與醬菜，就能解決一餐——也就是，他們做菜、煮飯的體系是由這樣的生活傳統中產生。然而，中國人的話，家境小康的家庭，由於中國料理冷的話不好吃，很多菜必須同時處理、同時端出菜。因此，在物質條件上，日本種米即使冷了也香甜可口。澆上醬油，也可口。但是中國的在來米冷的話就不好吃，乾硬難嚼。

總之，由這些小小的差異，產生工作方式的不同。若有企業家或經營者認為東南亞的勞動者懶散，究竟與我對親戚家女傭的誤解有何不同？

小泉：現在戴先生所說的，不局限於東南亞，工作方式與勤勉中，存在著那國家、土地的獨特型態，這種看法真的很有趣。但是儘管如此，日本人認為與一般東南亞人的平均值相比，日本

人更勤勞，這種認知方式，現實上確實存在。姑且不論好壞。例如田中（前）首相在1974年到印尼時，總統蘇哈托曾說：「日本人工作過度。」東南亞人沒有這樣想的傾向嗎？

青木：那是有的。以前在新加坡開國際會議時，會議不只東南亞人，也有歐洲人參加，午後也有安排午睡的時間。午睡時間一到，大家都看著我，有人說：「你是日本人，不會在這時候午睡吧。」確實，日本人有勤勞的神話。但我自己卻睡得很熟，背叛了大家的期待。

小泉：請努力背叛（笑）。因此，東南亞未來的國家建設，或說是近代化，以此為目標時，這時，能以傳統的作法、型態進行下去嗎？原本的悠閒遭到否定，即使無法做到日本般的地步，但不同於向來的行事作風，是否受到尊重，是個問題。我想和各位討論這點。

來抱持雙重標準吧

青木：將剛才戴先生的話加以衍伸，如果將日本對工作的態度做為一種標準，以這標準來衡量東南亞人、衡量美國人，會產生問題。若採這樣的標準，確實，一般日本人無論誰到了東南亞，都會理所當然地認為東南亞的人不做事。這事本身也完全沒必要否定。總之，這是事實。如果套用日本的標準的話！因此，最必須警戒的，首先是不可以抱著這種標準到東南亞，因而指責對方。

再者，反過來，不管怎樣都認定對方最好，因而說日本不

行，如此地立刻反省。我覺得這樣的反省也未免太快了（笑）。還不知道是好是壞時就反省，我想大概有極端的意見。

我一開始提出的問題，總之不管是哪邊的標準都不要先入為主，只要進入就能自然地下判斷的狀況的話，便能清楚地看到事物原貌。這是我偶然的體驗，在這裡提出來。這也是我在一開始的引言，不首先思考這事不行。

此外，不管怎麼說，所謂的懶惰、勤快，在當地人們的心中，畢竟還是有誰懶惰、誰勤快的評價。泰國人也常指著其他人，說人懶散。因此，以他們的基準衡量的話，當地也有真正勤快的人，也有懶惰的人，總之，不可以只用我們的標準。忽視這點會有問題。我們的立場，尤其是把東南亞當作問題時，我們主張必須擁有複眼，或是雙重標準。首先，我們擁有現在所生活的社會的標準，亦即是，以日本為中心的世界標準。用此去觀看東南亞是必要的。

再者，不能全以日本的標準來決定，必須將另一個標準納入視野內，明白東南亞如何評價懶惰、勤勞，兩邊的標準都必須採用。

追求新的價值觀

戴：我想討論一下田中前首相訪問印尼之際，蘇哈托總統批判日本人「工作過度」這點。

如此的評價不僅東南亞，歐美也有。例如說日本人是經濟動物論、電晶體收音機的推銷員等。

　　受到這樣的批判時，日本人中也有如剛才青木先生所說的，立刻反省的人。我認為不管是蘇哈托先生的觀點，還是日本人方面的對應方式，雙方都錯了。問題的本質，不在工作過度或者懶散，而在於經濟學所謂不等價交換的問題；亦即是，在於日本出口的物品與東南亞出口品之間交易條件上的問題。以更具全球規模的角度來說，如何重新調整國際間的所得再分配比較重要，而不是為懶散的好壞爭得面紅耳赤（笑）。例如，日本人自認為只有日本民族的手藝高超，但看看不管是古時印度的棉布，還是中國的雕刻、刺繡，或是吳哥窟、婆羅浮屠的遺蹟，很清楚的可知這種看法是完全錯誤的。同樣的，由東南亞一方來看，也沒必要覺得自己沒日本人那麼勤勞。

　　青木：然而，若問題再稍回到現實，日本企業跨出海外時，只要是企業，前提上，海外工廠的效率必須提升到與國內相同。

　　戴：沒錯。

　　小泉：這是由貿易面來說。剛才戴先生所說的不等價交換問題，我覺得是資源與工業製品的價格問題。另一方面，工業製品的生產、貿易之中，廣泛論之，擁有國際競爭力是不得不然的宿命。因此，雖然以各自傳統的步調來從事製造也可以──當然，戴先生並沒有這樣說──但在國際經濟中，卻存在著不允許如此下去的結構。也因此，必須以效率、生產性等相當國際化的基準來思考。

　　戴：確是如此。

　　青木：正因為如此，或者說是無法擺脫這種想法，思考事物變得以這種想法為中心。剛才戴先生舉了廚房的工作為例，到了

國外，接觸不同的做事方法，是很重要的。但一般日本人在東南亞生活，至今尚未想到在那土地上，存在著自己應該學習體系之習慣。

日本人的勤勉未必一律不好，也不能說東南亞人怠惰，這正是剛才所說的標準問題。然而，我覺得現在並不是單方面說哪邊好、哪邊不好，反而到了結合雙方再創造一個積極性價值的時候。並不是日本人單方面迎合對方，或者單方面要對方迎合日本人的標準，綜合雙方優點，開發這樣一種體系，對日本人而言，不是最需要的嗎？亦即是，不綜合雙方的優點，積極地往前看不行。一味地擺高姿態，或相反的只是卑下地反省，又會變成好像在搞「一億日人總懺悔」的運動般。如此，與其說沒有意義，不如說是危險。

否定亞洲的，也正是亞洲的心

戴：不管是現在或未來，日本或美國，對東南亞的衝擊都很大。而受人影響的東南亞各國，如青木先生剛才所說的近代——雖然不知道使用這用語是好是壞——形式的國家，並未十分成熟。然而，由於受到這樣的衝擊，使得東南亞近代國家的形成，朝由上而下的近代化方向移動。即使前提是依地方或者部落的不同，對應方式有時間落差。

這裡，想以中國人為例探討看看。中國以前幾乎沒有公共衛生的觀念。但是，現在新中國成立，這狀況產生急速變化。當然，黨、政府的領導力很大。然而，不只如此。中國明顯地出現

或可稱為社會目標的東西，有讓國民接受的機制。剛才也提到若東南亞的國家建設變得明確具體，漸漸以如此的形式對應下去，或許每個國家對應的方法和速度各不相同，我想會變成那樣。是好是壞另當別論。

　　小泉：總是考慮到少數民族立場的青木先生，恐怕會認為是「壞」。

　　青木：不，我不想如此斷言。之前才說必須抱持雙方的標準，東南亞的人們現在正試圖擁抱雙方的標準。

　　因此，剛才大家所說的只是東南亞悠閒的一面，我反對以此來說明東南亞的心。現在東南亞也有人單方面認為需要日本式的勤勞，也有人認為是美德。除此之外，也出現努力追上日本、西方的氣氛，日本人的勤勉並未被視為嘴上可加以批判的壞「價值」。也有很多人視為是一種「理想圖像」。

　　小泉：否定亞洲的，也正是亞洲？

　　青木：沒錯。但是，另一方面，與這剛好相對的「價值」也被好好的保存、珍視著，我們也不能忽視這一面。也正因為是東南亞的人才會這樣。如果是日本，一被認為有價值，大家立刻飛奔過去。日本人有全體一致的傾向。因此提倡勤勞，勤勞便變成一切，喜歡遊樂便被視為不好。

　　東南亞人即使重視勤勞，一邊雖有必須效法日本，或者近代的想法，同時有汲汲營營於賺錢是罪惡的感覺，儼然存在。這種事，換句話說為了賺錢而勇往直前並非人類本來應有的生存方式。這也受到各種宗教的影響，總之，有現在所說的兩種態度並存。這種並存，可說是東南亞的現況。

　　小泉：可以看成那是和平的「並存」嗎？另外，你認為將來所謂的「近代的」一方，會變得強勢嗎？

　　青木：愈是知識分子，這樣的並存愈是無法相安無事。自己的內心會產生一種矛盾。只以泰國為例來看，我有這種感覺。

　　因此，由日本人方面來看，我們以一面的標準詰問，他們會用另一面的標準來回答；改用另一面詰問，又會得到相反的回應。東南亞的人，往往並不總是態度一致，像是謎一般的存在。二種標準並存，想要解決如此的矛盾，實在困難重重，這是東南亞的條件；由日本來看，無論如何總想說，「從一面去進行比較好」。更具體的說，為了遂行近代化，必須更勤勉和合理化。但是，正如剛才所說的，由於兩種態度之所以不易並存的狀態，非常牢固，所以我不認為東南亞會一口氣傾向近代化的一邊。

　　東南亞像日本人、歐美人般，迅速地適應資本主義的發展或是近代化，不僅是歷史社會條件的不同，也有精神上的態度問題。忽視這一點，我們便無法理解東南亞，東南亞也無法理解我們。

三、東南亞傳統的心

為何而勤勞

　　小泉：聽了大家的話，我非常明白東南亞與日本的想法、生存方式，絕不是哪邊好、哪邊壞的問題；東南亞無論如何有其差異之處，有試圖在差異中摸索新事物的東南亞存在——雖然我覺

得日本現在也正在摸索新事物，在這裡，也為了釐清問題所在，我想稍就「東南亞式的事物」一一釐清。

首先，由我來點第一把火，我想先就「為何而勤勞」的問題，來看日本式的近代化與東南亞的傳統事物差別。

至今所提及的標準問題，日本的話，若限於邁入近代化的明治以降時期，是後來時代的要求與國家目標，而訂出一個明確的標準。首先，是影響明治以降日本思想家的歐美初期資本主義的節約和勤勉。進入明治時代，日本以相當大的國家權力推行義務教育，那時這些美德被納入富國強兵的口號之中，明治以降教育的實學主義和勤勞觀，可說進而創造出「立身出世主義」。

另一方面，即使推行這樣的教育，依然具有日本型或者極端日本特色的一面。現在的實學主義雖與西方的近代也有共通之處，但它還有所謂國家主義的一面。亦即為了國家而粉身碎骨工作的人。二者與其說成為建造日本教育的兩大支柱，不如說對日本人的心性全體產生極大的影響。

例如，即使閱讀關於《女工哀史》＊時代，紡織女工的各種文章，可感受到很強的意識，工作不僅是「為了父母」，也「為了國家」。即便是這種心情不過為了自我安慰，但這種強烈的報國心，至少現在的東南亞是沒有的。連流落到東南亞的日本煙花女子也是如此，甚至有抱持賺取貴重外幣意識的人。閱讀戰前在東南亞所謂的「邦人活動誌」，常可看到這方面的記述。

如同這些事例所顯現的，我不得不認為，姑且不論日本人是

＊ 細井和喜藏著，東京：改造社出版，1925年，共446頁。

否特別勤勉，在追問為何而勤勞時，日本人有一種特殊的勤勉。亦即是，即使是同樣的勤勉，口頭上卻很難說出勤勉的出發點是為了自己，而必須說是為了日本、公司、鄉土、家人……是為了比自己更重要的事物。有時，為了看不到的抽象事物，努力工作，奉獻犧牲。相對的，東南亞一般來說，傳統的個人主義氣質很強，即使未說是為了自己，也會說是為了家人、村子，由身邊看得到的地方出發。關於「心」的問題，我想留待後面再討論。青木先生，想請您談談泰國的國家觀。

青木：確實，東南亞各國，不管怎麼說與日本不同，國家這東西的基礎並不明確。亦即是，不管是在民族、語言、文化，「國家」並非是完整具同一性。因此，正如小泉先生所說，東南亞無法像日本般，為了「國家」一心邁進。例如即使以馬來西亞為例來看，馬來西亞人不到一半。泰國人的話，平地泰人，易言之，統治泰國中心部的人們，人口數不到總人口的40%，其餘60%左右是各個不同民族的混合。基於此點，當然很難構成國家這概念。

泰語中有「muang」這語詞，不管怎麼說意思都是「場所」。一般雖也指「城鎮」、「國家」的意思，但如譯成日本的「國家」，這是錯的。另外也有「prathet」這具有國家意義的語詞。一般的泰人說「muang」是指自己住的「場所」。如果是個住起來讓人心神愉快的好場所，人們自然會有守護該地的意願。

因此，國家至高無上的命令大致無效。就算有效也是現在，在抽象的泰國這樣的前提下，泰國現在持續地整合。換句話說，進入泰國國土的，不管是中國人也好，馬來人也好，越南人也

好，大家都被統合在「泰國」這一抽象觀念之動向，現在才好不容易形成，以前並沒這樣的觀念。像日本般，那種「為國奉獻」的愛國心，難得一見。我接觸過許多泰國人，有幫傭、農民，也有和尚，我問過許多人，但沒人有「為泰國奉獻」的愛國心。

以日本為例的話，有人將駐在海外的人員比喻成武士。這比喻我絕不同意，因為所謂的武士，大致上具有道德上的含意。然而，確實，日本駐在海外的人員，多少都會有「為日本奉獻」的念頭，這點大不相同。我們在東南亞工作時，不可否認地，也抱著不輸給歐美人類學者的心情。可說湧現一種「為了國家不好好努力就不行」的心情，我覺得要在東南亞各國找尋與這相同的心情相當難。以這樣的標準，「國家」的命令是無法被視為至高無上發揮功能的。

山川：菲律賓的話，比起所謂國家這種抽象觀念，人們心目中的核心不如說是家族、親戚及村落。但是，另一方面，由經濟上來看，那裡的財閥勢力強大，即使只是出自家族的家族愛，恐怕足以左右整個菲律賓的國民經濟，產生好或壞的影響。

儲蓄這件事

木田：為何熱帶的人，不像日本人般地工作，另一個理由，我想是自古以來便沒有儲蓄的觀念。印尼過去沒有冰箱，即使是現在，一般民眾也沒有。因此，即使採集許多香蕉儲藏起來，三至四天便會腐壞。由於這是長期幾百年、幾千年的習慣，使他們欠缺儲蓄物品的觀念。

青木：泰國也一樣。寺院裡，早上出門托缽要來一大堆米飯。會剩很多。剩飯怎麼辦呢？到了傍晚全部丟掉。是丟白米哦！日本人由於有白米信仰，無論如何都會覺得「怎會做這麼浪費的事」，而覺得反感。

戴：對現在木田先生所說的事，我的想法是這樣的。事實上台灣的少數民族也一樣。要之，他們不儲藏東西，由金融面來說，這與他們的儲蓄傾向極低有關。這現象背後的原因，首先，木田先生所說的東西易腐壞問題一般認為是次要的，主要原因在於得天獨厚的自然環境讓他們能就近利用身邊資源。因此，可以不必考慮儲蓄，只要取現成的就好。要吃椰子，採下來就有；想吃香蕉，摘下來就好。如此，某種意義上，他們身邊有非常多自然的恩澤，能夠立刻利用。想想在這樣的生活步調中，的確沒有儲藏物品的必要。

我們中國人，特別是我，我是客家出身，客家自從逃離黃河流域後便一直到處流浪。因此，客家料理、醃漬物等在中國料理中，至今仍以能久放不壞的特殊技能出名。所謂的梅江菜、東江菜即是。要合理地解釋這現象——最後，不外乎是因四處逃難中所開發出來。因此，目前的太空食品、航空食品也是由這樣構思製成的。因此，要創造出東西，必須有迫切的需要。

如果在東南亞的話，丟棄的東西最後仍是進入自然循環的步調。他們不像我們，廠商做了什麼東西出來後，便刺激、強制大家快去買。東南亞到不久前都還是這樣的社會。

結果，環境使然之故，資本主義或是經營者想要叫他們工作，即使發獎金、加薪水，他們也不像資本主義國家裡窘困的人

們般欣然接受。勞工只要覺得還可以吃三天，便會休息三天不來，這樣的事例常見於非洲、新幾內亞；東南亞也有這樣的事，恐怕只有程度的差別。說起來這也是理所當然的事，因為不管怎樣的事都不需要那麼忙碌。但是，那些追求高效率的大老闆們不會如此想。

小泉：但是，自然與人類幸福之均衡，已有相當程度崩毀。以印尼為例，現在爪哇島的人們便赤貧如洗。走進農村，種米的鄉下人不到都市的話吃不到米。如此均衡失調的現在，我們還能認定「傳統的悠閒的心」依舊存在嗎？

戴：確實，已發生了都市化、貧民化的現象，而現在也確實到了不得不發生變化的時候了！

木田：沒錯。可以這樣說。

戴：只是以台灣為例的話，少數民族的話，常有人這樣說：根據人類學的教授們指出：「台灣的少數民族是馬來系印尼人」。這種說法似乎已成通說──我不大確定──但他們在與我們漢民族頻繁接觸之後，很明顯的，戰前郵政儲金的傾向非常高。因此不事儲存絕非他們先天的屬性，在與異文化接觸中，會形成新的對應方式和主張，他們會考慮儲存，也會開始存錢。

宗教心與勤勉

小泉：提到亞洲的心時，還有一個特色，即宗教心的深厚、信仰的虔誠。在東南亞，菲律賓有天主教，印尼、馬來西亞有伊斯蘭教，泰國、緬甸等地有佛教，雖然各地的宗教不同，但對宗

教的信仰之深則是共通的。我認為這也是亞洲的心的一種面相。我想請教青木先生，你自身所體驗的泰國小乘佛教信仰，是否無法見容於馬克斯‧韋伯所主張的——說不定他是錯的——近代意義的勤勉觀。所謂的不相容，是偏見嗎？

青木：現在小泉先生所說的非常有趣。要回答這問題，我認為可分二個點來思考。換句話說，雖說您提出所謂的「東南亞的心」，但如探求共通點的話，這種心是無法言表的存在，或是無法看見的存在，對這種存在的珍愛、敬慕或者也可說是敬畏。東南亞非常重視這些存在，並且畏懼不已。這種畏懼，除了「害怕」之外，還有一種「敬畏」的意思。

「東南亞的心」一言以蔽之，一直以來被說成人類學傳統主張的精靈信仰；然而，我不喜歡這樣的理解方式。我最近與馬來西亞詩人的談話，其中提及，馬來人認為不論是一棵樹、一枝草根，裡頭都寄宿著生命。例如砍伐一座山林時，日本的企業一來，立刻全部砍伐殆盡。若是馬來人的話，如果有一百棵樹，會留下五棵。這是因為相信樹有生命，所以必須在一個區劃中保留下生機。就是這樣的心情。總之，馬來人相信無論是樹木或石塊，天地萬物都存在有生命。因此，即使人類需要砍伐樹木，也不可摧殘所有的生命。即使馬來人做的事與日本人相同，這點會不一樣。由於他是詩人，難免會強調詩意的一面，但泰國人也有相同的感受，而且很強。

因此說起「東南亞的心」，最基本的，是我們日本人幾乎失去的「萬物生命說」，這種視自然如同人類般的感受在東南亞非常強烈。現在已開發國家，諸如人類學等學問變得很發達，有心

再一次探索這類事物的心情也變強了。這不分美國、日本。我覺得這種事對人類的存在也是很重要吧！這是第一點，也是「東南亞的心」最基本的東西。

另一點，剛才提到宗教時……

小泉：海外傳來的外來宗教嗎？

青木：沒錯。以及是某種程度的高等宗教。雖說宗教沒有「高等」、「低等」之分，但由所謂的體制化層面來看宗教，則佛教、伊斯蘭教屬於這類。說起東南亞與這些宗教的關係，例如小乘佛教，其本質上有合理的教義，但不像中歐新教一般將工作視為至高價值。僧侶絕對不接觸財物，不追求金錢，也不役使肉體，連運動、跑步都不行，甚至打掃自己的房間也不行。因為工作並不是好事。

在泰國，一般人被稱為「khon」，日本人便叫「khonjii-pun」。然而僧侶或國王卻叫做「on」。亦即是，人類分成二種，on是比較偉大的存在。on並非是特別有錢才偉大，而是一種人類的典範。每個人都想變成on。雖然只要成為僧侶便能成為on。身為on的僧侶，身為模範的on，由於勞動是他們的禁忌，所以勤勞這觀念，換句話說，從一開始便不可能產生如二宮尊德〔譯註：在此指勤儉的典範〕般的人。

小泉：這點與儒教大不相同。

青木：這不限於小乘佛教，伊斯蘭教的「恩寵」也相同。另外我想再補充一點，所謂的小乘佛教，並非如我們在經典中所讀到的，小乘佛教與剛才所說「東南亞的心」的基礎密不可分是共存的。裡頭包含著邪教、咒術的成分，如果在歐美、日本，立刻

會被視為異端。這樣的要素與小乘佛教共存著。也因為這點，無論如何都不會產生馬克斯・韋伯所說的崇尚勤勉精神，換句話說，不會產生辛勤工作會得到救贖的想法。

勤勞的女性

小泉：懶惰的人反而得救（笑）。

青木：是會變這樣沒錯。但這種狀況下，單單只偷懶也不行。你必須常常布施僧侶、寺院，因此，早上四點就要起牀煮飯，為布施而準備。日本一般的家庭主婦，最近連飯也不好好做了，不是嗎（笑）？這點與泰國的家庭主婦的勤勞相比，可說天壤之別，她們天亮前就要起牀，為僧侶做飯。這一點我非強調不可。日本的男性在同一水平上比較，還算勤勞（笑）。

戴：這樣講會有問題（笑）。

青木：日本的男性與泰國的女性在一起的話，是最好的組合也說不定。

小泉：越南的女性也很勤勞。

青木：是啊。所以真的不能一概而論。

經濟發展與宗教

小泉：再回到宗教心的主題。

根據您現在的說明，我們很清楚地明白，東南亞並存著東南亞當地傳統的神祇與外來小乘佛教的神明。這現象在天主教教徒

甚多的菲律賓，以及以伊斯蘭教為國教的印尼、馬來西亞，也大同小異。據說菲律賓基督教的祭典裡混雜著古代土著祭拜稻神的儀式。木田先生，您對印尼的伊斯蘭教有什麼看法嗎？

木田：印尼與日本人──特別是現代的日本年輕人相比，普遍來說宗教心深厚，這是無庸置疑的。印尼人自己若擁有了某種程度的地位，首先便會大方地與身邊的親戚分享財物。這是他們的習慣，也與宗教心大有關係，類似的例子不勝枚舉。總之，他們與效率主義、合理主義有難以相容的一面，這是事實。

青木：加上宗教性的因素，為了賺錢，或者為了累積資本，剛才木田先生所說的為了蓄積的勤勞，他們的宗教並不鼓勵。如果是為了蓄積，不管再怎麼勤勞，都得不到救贖。所謂的勤勞是捐贈與布施他人。

小泉：還有伊斯蘭教視資本的周轉或者孳息生利為罪惡。我的同事小野澤到日本貿易振興機構的吉隆坡分部，調查馬來半島東海岸漁村的流通機構，他搞清楚了流通或漁民金融，為何全都掌握在華人之手。他認為原因之一在於馬來人因為宗教因素，不熟悉從事賺取利息的生意。

對自然的慈愛

戴：剛才青木先生提及東南亞人們的「萬物生命說」與日本人不同，但我有些不同的想法。日本不管是怎麼鄉下的農家，庭院都會種花。總之，這點可看作一般庶民憐惜小花草；我覺得日本人是庶民階層對生命充滿愛憐的民族。

即使想以中國為例，由於我沒去過中國大陸，只能提台灣的經驗。台灣農家幾乎不會在自家庭院前種花。要之，因為自然就呈現在眼前。以種植盆栽、培育小花小草為樂，這在台灣非常少見。因此，我覺得青木先生所說的破壞自然這部分，勉強說來，是指跑在日本資本主義最前端的那部分，此部分曾幾何時，似乎已忘卻了對自然的畏懼。再者，也過度相信自然科學之力。認為利用這力量，人類可以完全控制自然。況且，他們控制自然的方式，不是以順應自然法則的方式控制，而是以違逆自然的形式，用水泥讓自然窒息。這一部分不是在資本主義的氾濫下產生的嗎？

青木：由中國人的角度來看或許如此，但中國人與東南亞的人們相比，在這點上完全不同。日本的自然破壞，不管到怎麼鄉下去，狀況都是在鄉村開闢道路，改變成觀光地。這點，與剛才說到的日本庶民、資本家無關，是全體日本人的問題。

小泉：而且，我不得不說，「庶民之心」也改變相當大。因此，很遺憾的，我反對戴先生所說的。例如我們小時候如果用刀子劃傷樹木，一定會有一個老婆婆不知從哪冒出來，要我們向樹木道歉。她會告訴我們，樹木會疼痛、哭泣。現在已不會如此。小孩可能會被罵「這樹是兩萬元買的」（笑）。庶民之心的這種變化，乃是日本經濟發展所產生的，當時的老婆婆們都已去世，這一點，我認為是日本人的悲哀。

戴：這種說法，有一部分我也贊成。因為許多人確實被金錢役使，但庶民的心底深處，我認為還保留著珍惜花草的心。

享受生活的心

　　小泉：另一個與「心」有關的問題是，菲律賓人樂天，泰國人保守，在國民性上有差別，當然，並非「亞洲一體」。然而，我認為，東南亞的心裡共通點是悠閒享受現世的態度。亦即是，為了子孫犧牲奉獻地工作，或是像二宮尊德般，滿臉憂鬱地一邊工作一邊讀書，這種生活方式，在他們的傳統中不大看得到。快活過日子的態度相當強烈。我不知道用日語如何表達，像在泰國每天聽到「sanook」（快樂）、「mai ben rai」（沒關係）等字眼即表現了這種態度。另外，在日常的招呼中，他們會說「吃飽了嗎」之類的話，這是由華南到越南、大馬地區共通的。日本學者凡事不深刻、嚴肅地看待誓不罷休，很多學者解釋這樣的招呼是因為三餐不濟、貧困所致。日常的招呼用語應該不會有那麼深刻的根源，我覺得這句話終究只是呈現一種態度，那就是每個人無時無刻都能體會「吃」是人生最大的享受。

　　青木：根據佛教的教理，每個人都帶有「業」。要消除業，得花56億7,000萬年，直至彌勒出世。這一期間有所謂輪迴轉生，死一次後會轉生，再重返人間，如此一再反覆。在教理上，這會一直循環。然而，現在的斯里蘭卡、緬甸、泰國、寮國、柬埔寨等地的小乘佛教，感覺上，將輪迴一口氣縮短在現世便全部循環完畢。總之，輪迴轉生每天晚上都會發生。睡著後便是死了，明天再重生——變成如此的形式。人的期待變快，現世利益常掛在嘴上，並且要求快還要再快一點拿到手。

　　加上小乘佛教中，一般人就是俗人，在佛教的教義上無從得

救。只是俗人對這點也無所謂。總之，一般人幾乎不會期待自己像僧侶般進入涅槃境地，得到救贖。一般人所希望得到的，怎麼說都是有個現世天國——sawan（天堂）這一語詞即是——吃了滿腹美味的東西，有美女陪伴。

只是，為了達成這目的，該如何是好？說起方法，只有捐贈寺院，照顧僧侶的生活等佛教關係的管道。只有透過這管道才能達成現世天國，由我們的角度來看，實在是饒富趣味的一點。

因此，在傳統泰國人的心中，此世的目的在於享樂，他們有強烈的傾向想避開操心的事。表示愉悅的狀態叫「sanook」，這在日常中頻繁使用。

這點，透過同樣的「佛教」，僧侶想達到涅槃的境界，一般人則想到達現世天國，目的地雖然不同，但在仰賴佛教救濟的方法上，這一點卻是相同的。這也再次印證不工作未必不好，但不可誤解的是工作並非全然不好，為了捐贈布施而工作是很好的。

小泉：日本有「三年寢太郎」的民間故事。這故事可清楚的看到日本的懶人，以及古代日本人對懶人的包容。這故事至少在明治以後富國強兵的時代，在教科書等處便不大受到尊重；大受到好評的，是二宮尊德等「村中最勤勉的人」的故事。

另一方面，在傳統村落，人們心中這三年寢太郎不僅是懶人，也是從共同社會疏離的人，其中，以現今的用語來說，也包括了精神障礙者。對這類人的包容，有時甚至可說是敬愛。古時候俄羅斯的傳統村莊，在這一點上，我認為可說相當具有亞洲特質。19世紀俄羅斯的村莊，據說村裡的弱智者、精神病患，被視為「瘋癲修行者」，而受到尊重、敬愛。有學者說，這便是托爾

斯泰的《呆子伊凡》的原型。對東南亞的民間故事，我的知識只有閱讀過英譯選集的程度；但即使如此，印象中讚美勤勞、勸善懲惡的故事很少，相反的，有很多故事表現出對「沒用的人」、「被排除的人」的包容。

青木：你現在所說的，確實也可用在泰國。但受到「尊重」的與其說是懶人，不如說是像是惡作劇之類的舉止。或者更貼切的說，是為了讓事情順利的運作，這類的舉止被視為必要的。例如像這樣的座談會，大家一直談著嚴肅的事情，為了轉變這種狀態，能讓氣氛一新的存在。

我在兩年前當和尚的時候，常被要求在大庭廣眾下演講關於日本的宗教。如此，演講完後，一定會有人問一些不相關的問題。這種舉動是刻意的，大家會因此哄堂大笑，全場的人似乎因此放鬆心情。

電影中不是有悲戀電影的類型？心情隨著劇情變沉重時，泰國電影常在這時冒出一個與劇情毫無關係、戴著鬼怪面具的人跳起舞來。舞蹈結束後，又開始放映與舞蹈完全無關的下一個鏡頭。

如此，視當場不需要的東西為「必要」之物。他們不會讓心情老是維持在同一層級，而是有時會轉換層級，藉以得到活力；總之，也可說是不管如何，每個人心中都有盡量避免單調化的文化裝置。

這點與日本人大異其趣。日本的話，嚴肅的狀態會維持到最後，以電影來比喻，劇情到最後都扣人心弦，不能讓觀眾淚如雨下，甚至會覺得可惜。運用不同次元的衝擊來調和劇情，這在日

本不會發生。

四、華人與原住國民

為何說是「華僑」

　　小泉：另一個我們日本人長年的成見是「因為華僑勤勞，原住國民懶散，所以華僑主宰當地的經濟」。東南亞確實有經濟上不成功的華人，也有貧窮、受到壓抑的華人系住民；但挑有錢人來看，以人口比例來做比較，「華僑主宰經濟」的印象也有道理。但可以因此認定這是因為華人勤勞、原住國民懶散所造成的嗎？這一點務必想請戴先生發表意見。

　　戴：首先，華人系的人們——原被稱為華僑的人們——如同最近達成經濟迅速發展的新加坡華人常被當作典型般，東南亞所謂的原住國民會被說是懶人、沒用的傢伙。關於這點，我做為一個中國人，不僅心裡不好受，並且也感到憂心。這是一個問題。

　　第二個問題，我想由歷史的層面來探討看看。原本華僑社會（現在逐漸由「華僑」轉變成「華人」）形成過程中的主流，明白的說，是歐洲殖民地主義者由重商主義跨入帝國主義階段的過程中，基於統合東南亞人民的需要，換言之，經營殖民地時必須追求更有效率的榨取，而接納了中國人，形成了華僑社會。因此，即使閱讀麥克奈爾（McNair）等歐美華僑研究者累積至今的任何一種文獻，他們都會如此說。要之，歐洲的白人在那樣的熱帶，若沒有華僑，什麼都做不成。不只學者，殖民地行政官僚也

同意這點。我認為這是首先要注意的，對錯與否則另當別論。

　　第三個問題，或可說是生活環境、條件的問題。我不認為中國人特別勤勞，至少當他們離鄉背井時，出外討生活無論如何都得快速賺到錢，他們在這樣的條件逼迫而拚命工作，不寄錢回鄉下不行。華僑到東南亞時，歐洲的殖民地統治者需要時，便利用華僑；不需要時，便一再煽動當地人屠殺華僑。加上，另一方面，身處社會最底層的原住國民當然會對華僑白眼相向。不可或忘，華僑在現實的榨取機制中位處中間的不安定地位，這也型塑了他們的行動模式。再者，還有一點，中國人紛紛移出，大概以鴉片戰爭前後為最主要的時期！雖然更早之前也有，稍晚也有一部分，但最主要還是在鴉片戰爭前後。這一階段是中國內部商品經濟急速擴展的時代，而離開中國的人，也熟悉這樣的商品經濟。

　　明白地說，東南亞如同青木先生所說的，現在才好不容易一步步地在型塑近代國家的樣貌。在這之前當然也存在著鬆散的國家型態，或者可以說是部族社會，這一階段東南亞淪為殖民地。因此，發展的階段與中國不同。與同一時間爭先恐後來到東南亞尋找香料或天然資源的歐洲人相比，由於一般的東南亞村民靠豐沛的自然資源悠哉度日，因此熟悉商品經濟的中國人夾在中間，被動或主動地扮演起歐洲統治者幫手的角色。因此，這些被稱作華僑的人們當然精於資本累積，也有儲蓄、利息，甚至資金週轉的經驗。這種狀況下，存在著「成功即蓄財」的契機。其後，說明白點，一方面華僑擁有一種機靈，一邊為歐洲人所用，一邊誆騙歐洲人。另一方面，華僑也利用原住國民所謂文化水平較低的

情形。這種複雜的雙重機制發揮了作用，現在的狀況是這種機制留下的結果。

　　山川：新加坡大概可說是華人所建立的都市國家，那裡的人們如剛才先生們所說的，以日本做為好榜樣，並對日本有相當正面的評價。但也有一個問題，八月我花了一個月時間走訪東南亞國協五個國家。去那邊幹什麼呢？這是因為四至五年前東南亞聽說日本的家具市場很大，東南亞可以出口家具到日本，他們產生這樣的想法，加上日本的採購者蜂擁而至。然而，看統計數字，卻完全沒有增加。日本方讓他們有所期待而開設工廠，認為如此一來日本便會購買他們的產品，結果，卻沒有訂單。這變成一個大問題。雖然有些離題，我為了這件事走訪東南亞國協，在新加坡，讓我頭痛的是，那裡的藤製家具工廠頑固地主張新加坡製品比菲律賓製品好，更比印尼製品好。日本家具廠商的人和我一起去，不管我們如何具體說明，對方總無法接受認錯。

　　由這件事，我想說的一點是，新加坡人也瞧不起周圍的東南亞各國人，他們有著與日本人一模一樣的刻板印象。

華人的兩面性

　　戴：華人一方面意識到自己是歐洲人的馬前卒，也有由於自己也受到壓迫，不得已而做的意識；同時，相反的，在接受歐洲式的價值體系過程中，也接受了人種歧視、人種主義式的偏見，另外尋找歧視的對象。對歐洲人來說，華人也是黃種人，雖沒什麼了不起，但比起馬來裔的人還可用，華人這一邊也有接受這種

觀點的不良傾向。因此，剛好在新加坡這樣的都市國家，而且雖民族組成複雜，但有75%是所謂的華人系。況且，教育水準相對地也較高。因此，新加坡由轉口貿易發展成一種加工型貿易。如此一來，當然步上日本後塵。雖然規模較小，但新加城所處的條件、狀況宛如縮小版的日本。由這觀點來看，新加坡會認為由國家水準來看，周圍的國家都不行，完全重蹈日本向來的東南亞觀的覆轍，乃是理所當然的。

我擔心的是歐洲人曾說過的黃禍論。原住國民族群是不是可能以這種論調的新變種攻擊華人？換言之，這讓人抱著疑懼，黃禍論若被排斥華僑運動所吸收，悲劇恐怕會再加深，不幸的狀態將持續下去！

山川：回到剛才家具的話題，不管是菲律賓還是印尼，都有令人難以置信的高超技術，以及另一種形式的勤勞。只是一直被隱而不顯，新加坡人無法理解這點。這點與日本相同，不修正的話不行。

小泉：木田先生與印尼華僑一起創辦合資事業，由印尼經濟的現實中，如何思考這問題？

木田：由結果來看，不管怎麼說，華人在資本力方面比較強，因此原住國民幾乎都受人僱用。

小泉：以同一標準相比的話如何？木田先生，您是萬隆工科大學畢業的，以萬隆大學畢業生為例，分為從事同樣職業的華裔印尼人及原住民，雖然這說法我不喜歡，與「純印尼人」的比較如何。

木田：大致上，受過荷蘭所留下的近代教育，不管是華人，

還是純粹印尼人，勤勉的程度幾乎沒有差別。在頭腦上，印尼人也有很多優秀的人。也有很多人腦袋比華僑好很多。因此我們日本人對印尼人的刻板印象，以我過往的經驗來看，我可以斷言，這種想法是錯誤的。

華人社會也產生變化

山川：在菲律賓人口比例上，華人的比重小於馬來西亞、印尼。即使如此，由流通的層次來看，華人系所編織出的網絡，和其他東南亞國家相比並無二致。正因為如此，連日本人的商業活動也受到限制。

然而，菲律賓的華人社會或許也受到戒嚴令的影響，我派駐期間，深深感受到改變相當大。首先，握有領導權的人改變，快速自動積極的與菲律賓同化、轉換以往路線的人，成了領導者。我想這路線若順利繼續下去的話，菲律賓的菲律賓人與華人之間的歷史問題會漸漸消解。

小泉：與領導權交替有關，也有世代交替的問題。這問題在香港感受特別強烈，直到1960年代中期左右，香港社會的核心分子，幾乎都是肩負著某種形式的「中國大陸的影子」。但現在並非如此。不管是商場，還是其他社會環境，核心成員都在香港出生、香港長大，這點與以前大不相同，可說是與東南亞的所謂華人社會相同嗎？在如此的變化中，若仍以二、三十年前所型塑的華僑觀來看事物，會變得奇怪。

五、何謂東南亞型的近代化

看工廠勞工

　　小泉：換個話題，首先想聽聽山川先生與木田先生實際觀察工廠勞工的體驗？

　　山川：菲律賓正如大家所知，95%以上的日本跨國企業，日本資本只占少數。在這種狀況下，菲律賓與日本的合資企業，通常與生產第一線的勞工互動密切的，都是菲律賓人的中間幹部。說起一般日本人的工作，不外在辦公室算錢，然後再送回總公司。因而在這樣的環境下，「平均每人的生產額」很低。這是與日本相比之後產生的數字，因此就這點而論鐵證如山。這些坐辦公室的人，出乎意料與工廠的勞工沒有互動，也並不特別需要。因此對勞工的生產性等問題，可說往往都只停留在數字上的理解。相形之下，日本技術人員反而比較有機會接觸第一線生產現場，比較容易理解菲律賓式的生產方式。遺憾的是，技術人員不久就回日本，很難幫助母公司更正確理解現況。

　　木田：我從事過種種工作，說起工廠經營，我曾接受日本商社的些許協助，在爪哇中部的狄恩高原設立蘑菇栽培場及罐裝工廠。即使只看罐裝工廠的女工，她們的作業技巧十分嫺熟。我認為不比日本人差，而且工資便宜，大概日薪65日圓。這是距今四至五年前的事。就我而言，我的印象是只要好好地教導，他們便能完成我們的要求；從勤勉程度觀之，也可說與日本差不多。如果將工資也列入考量，甚至可說生產性比日本高。

小泉：若單純手工的話，如同木田先生剛才所說，若是技術需要再稍微熟練的工作，例如以操作特殊旋盤為例，以往日本企業家、第一線的技術人員的意見是這樣的。亦即是，假使學歷等在進公司前的條件與日本人相同──嚴格來說，要完全相同應該不可能，施加訓練的話，所得的成效也幾乎與日本人相同。這樣的意見常見於派駐新加坡、香港的人，但老實說占全體比例的較少數。其次，若對他們施加訓練的時間某種程度比日本人長，亦即是，若日本勞工是訓練三個月，便延長成六個月、九個月、一年，如此也可完成同樣的目標。接著，則是一種悲觀論，認為無論再怎麼訓練，都無法完成同樣的目標。這在我的印象五至六年前似乎很多。

但是，最近或許是因日本人的經驗也豐富起來，第三種悲觀論可說大致上已銷聲匿跡。當然，狀況依工作的類別、國家的不同而異，與往昔相比，不同之處在於第二種意見變成主流，換句話說，只要在訓練期間和方法多下功夫，則可得到相同的成果。

習慣與熟練是問題

戴：剛才聽木田先生說有關印尼的狀況，我在馬來西亞曾有稍微不同的體驗，容我發表一下意見。那時我去參觀一間華人系開設的模具工廠。馬來西亞似乎規定員工至少三分之一必須僱用馬來人，當然必須給相同工資。然而，說起工作的速度，老實說有點落差。聽說馬來裔的員工，總是跟不上輸送帶的速度。當然，如同剛才大家所說的，只要等一段時間，他們便能適應；相

反的，無法慢慢等待，正也是資本主義追求利潤的邏輯，這就是
問題所在。

小泉：戴先生所說的，不是特定作業訓練的小問題，而是文
化的問題。

戴：沒錯。我再說另一個關於東南亞旅行的印象。東南亞人
倒咖啡時，會倒到咖啡滿出溢到托盤為止。日本的常識則是倒七
至八分，不可以滿出來，雖然在老店升斗裝酒時與此相反。總
之，我不明白日本為何咖啡杯要附托盤（笑）。姑且不論味道、
氣氛，一進咖啡店，咖啡倒到溢出來，這畢竟是一種社會習慣。
這雖是小事，這樣的習慣，結果，也正是工廠勞動的作法或規律
等最根本的基礎。

小泉：稍微抽象化來說，便觸及剛才所提到的農村式的勤勉
與近代式勞動的差別。東南亞自古以來人類的勞動是以稻作勞動
為基本，其特徵在於由耕田、引水開始，到除草為止，都是大家
同心協力，每一個人都參與稻作生產的所有過程。相對的，近代
化的工廠勞動無法不分工，因此每一個勞工只能觸及所製造產品
的一部分。再者，稻作的話，如同印尼的互助習俗所呈現一般，
以村莊為單位的合作被視為美德，受到無比的重視。然而，資本
主義勞動重視競爭，在管理方法上，常常為提高生產性而導入競
爭原理。剛才木田先生、戴先生所說的習慣，最後可歸結到這點
上。姑且不論是否應該強制改變這些習慣，戴先生認為能夠改變
嗎？

戴：日本的話，農村的年輕小伙子，明治時代以來，都被徵
召入伍，在軍隊體系中接受組織性的訓練，鍛鍊他們遵守規律，

近代的勞工可以說是透過這樣的機制產生的。許多東南亞的國家，即使說擁有近代的都市生活，也是不久之前的事，因此這一點，還差日本很遠。

一般來說，只要經過五至十年，以村裡的父輩或男性為中心，暫且不論好壞，便會習慣近代性的事物，如果這變化能進入家庭生活，婦女勞動也會產生新的變化。這樣的過程，雖然現在已可看到，但企業家卻等不及了。

木田：確實，日本人很性急。

戴：不，不只是日本人。只能說資本主義讓他們這樣。只是是否會永遠不變，則並非如此。台灣高雄自由加工區的某家日系企業，不知是否因為考慮到工資的問題，僱用了大量台灣的少數民族——我想是阿美族，這是三至四年前的事，根據日本相關人士的說法，當初光要規範這些台灣少數民族按部就班工作，就很頭痛。他抱怨說漢民族可以立刻進入狀況，少數民族卻無論如何都做不到。他對我說：「那些人果真不能用嗎？」我對他說：「沒有這回事！山裡有山裡的規律，與平地的規律不同。你想讓他們立刻適應，無異強人所難，花兩三年時間的話，狀況應該會改變吧！」前一陣子，我打聽加工區阿美族的狀況，聽說他們已大致適應了。雖說如此，我不認為可以立刻改變。如剛才所說一般，資本主義沒耐性等才是問題。

未來近代化的方向

小泉：或許這主題有些過大，但最後我想探討東南亞的將

來，想要探討東南亞近代化的方向！戴先生剛才說「日本軍隊鍛鍊勞動力」，是相當敏銳的見解！

戴：不，這幾乎是常識。

小泉：東南亞今後還會再近代化，但與過去日本走過的路不同。東南亞的近代化，或者說能發揮東南亞優點的近代化，或許我是在做夢，但希望大家能夠談談重視農民勤勉於工業的方向。

戴：如剛才所說的，基本上判斷懶散與否在於有什麼看法；與未來東南亞各國的國家建設何去何從沒有直接的關係。只是，一般而言，破壞與新生往往是一體兩面的關係。在這層意義上，東南亞，比如說現在泰國的混亂，在某種意義上不得不說隱藏著新可能性的萌芽。對民眾而言，雖然這是悲慘的狀態，但問題在於泰國人如何善用這逆境，以及是否能夠善用。

觀察東南亞國協五國的政權，都是以軍事政權為中心，雖然怎麼看他們都是重蹈日本、歐洲近代的覆轍，但當下卻是主流。因應這樣的現況，敵對陣營接下來能否提出反命題？將小泉先生所說，換個方式來講，即為避免都市人口過度密集，如何善用地方主義的好處。就我個人而言，我左思右想，近代化不應漠視地方特性、語言而統一使用國語，不應該破壞地方文化。

對必須提出反命題的陣營，我不清楚中國是否足以成為典範，但今後中南半島三個新的社會主義體制國家，是否能創造出獨特近代，會對東南亞產生強烈衝擊。問題之一在於是否波及敵對陣營的政府，同時，另一個問題是東南亞內部的民眾是否能自發地一面師法中國、中南半島三國的作法，一面又以這些國家為警惕，如何創造出獨有的近代；今後的東南亞各國，我想會是由

上而下的近代化，以及由下而上的「現代化」二條路線持續交相攻占的地區。

我所期待的是人類能擁有多樣性的發展方式，各有自己的道路不是很好嗎？特別是如同青木先生所說，不管是語言問題、民族問題，或者部族問題，在東南亞都呈現了多元的樣貌！到目前為止，資本主義式的近代化對東南亞的多元性往往都是負面的，這是一大損失，只因以一元化可提高速度。而且，同時，不知何時今日的日本，自己早成了資本主義式劃一化的俘虜，陷入進退兩難之境。因此，對擁有能以最自然的形式探求多元主義的可能性，對擁有這樣條件的東南亞現況，我抱持著某種實驗的「樂趣」。或許有人會說我毫無責任感，才會如此期待。然而，我期盼的是，東南亞能在多元文化、多元民族並存的形式下，一邊保持地方主義或地方文化的優點，並且獨自探索自我民族的新步伐、發現自己的路！雖然困難重重，但我個人抱有這樣的夢想。

在日本型與中國型之間

青木：我以前與東南亞人的聚會時，提及雙重認同的問題！換句話說，今後的東南亞無論如何最重要的，可能是對二種不同的認同，使自己同時去配合。

若延續剛才所提的都市與農村問題的話，一邊是日本的模式，另一邊則是中國的模式，這是完全不同的模式。日本農村人口已完全過於稀少，全集中到都市；中國則人口分散。因此，觀察東南亞的現況，我想以哪一種模式都無法順利解決問題。東南

亞的都市實際上基礎還很薄弱，既沒有像中國般的歷史性大都市，也沒有日本般的工業中心地。再者，由於沒有重工業，人口也不可能不斷集中到都市。

因此，是否真能創造出介於所謂中國模式與日本模式之間的模式？我認為這是東南亞的社會主義圈，或是所謂的資本主義圈兩陣營智慧上的較量。

今後，不管是哪一陣營，姑且以泰國為例，資本主義一方如何分配財富，換句話說，怎樣壓抑有錢人的欲望和虛榮心，適當地分配財富，乃是無法逃避較量智慧的問題。

另外，以越南的問題為例，今後如何解決都市化的問題？這是雙方智慧的較量，某種層面來說，是人類近代史上一個最大的戲碼。

不管怎麼說，東南亞必須在日本模式或中國模式二種極端的模式中試探摸索，找出規模適當的模式邁進。這問題屬民族語言及人心的層次，總之，便是近代的合理性與所謂土著的合理性孰輕孰重的問題。我們日本在二個標準中二選一，只取近代，東南亞是否能揚棄這樣的指向性？換言之，是否能開拓出一條在雙重認同下，二種標準自己都能與之合而為一的路線，創造出我們日本沒有的，中國也沒有的模式？這是最大的問題所在。因此，日本、歐美，或者中國，能順利提供他們智慧借鏡的，可說便能勝出。

戴：請不要過度去打擾人家。

青木：沒錯、沒錯。因此我覺得特別困難的是，我們現在與東南亞並沒有什麼直接貿易、投資關係。

即使思考文化的問題，對我們而言，如何順利參與東南亞的雙重認同的構築，這樣的問題，不單是東南亞的問題！現代世界必須解決的最大問題之一，不正在東南亞進行中嗎？我有這種感覺。

後發制人

戴：某種意義上，我否定先發制人，如果真有後發制人（笑）的話就有趣了。

小泉：那很好啊。「先發制人」是目前為止的文明，特別是資本主義文明的法則，如果再加入「後發制人」新型態的話，那確實很棒。經濟學發展至今，也討論起所謂的後進者利益來了，以更大的文明的視野來看，這種觀點確也有道理。

戴：東南亞受過歐洲的統治，所以了解歐洲。清楚日本的近代，以及戰後的歷史，也了解中國的作法。因此，如剛才所提及的，如何一邊區別可去效法與警惕的部分，一邊抱著如青木先生所說的雙面認同，游刃有餘地不捲入其中，善加利用，不慌不忙，為取得「後發制人」而努力。

小泉：只是，雖然我非常贊同戴先生所說，對於東南亞的近代出發較晚這一事實，在各種問題中，我想提一個我一直在思考的問題。與明治日本相較下，日本近代的出發期、升空期，其實並未落後歐洲的開發中國家太久。因此在物質層面上，要追趕歐美也遠比現在的東南亞容易。我認為今天主題之精神問題也很重要。換句話說，對明治日本而言，西方資本主義精神「值得學

習」的，徹底稱頌自由競爭、個人勤勉的主張，這類主張在發展期的資本主義精神可立刻連結到近代的勤勉觀。當時斯邁爾斯（Samuel Smiles）的《自助論》〔*Self-help*〕譯成日文的《西國立志編》〔《西国立志編》〕而成為暢銷書。然而，東南亞現在看看周遭的資本主義，不過是消費型的資本主義，不講節約，講求華美，以奢侈消費為善，現在的資本主義不藉這些手段便無法成長。不管是個人、個別的小企業，自由競爭的理念已被揚棄，現在是大型企業主宰一切的資本主義。一言以蔽之，東南亞眼前所看到的現在資本主義精神，遠較100年前明治日本人所看到的遜色許多。

東南亞現在的經濟也常出現同樣的現象。資本主義的邏輯運作為，少數者的奢華所創造的「市場」及一般大眾低水平生活水準（低工資）支撐著近代工業，兩者缺一不可。因此，即便只就今天所談論的「心」的問題來看，我不認為東南亞會如明治日本般順遂。如此，我雖然覺得前途真的很困難，但如果這種狀況下還有大的希望的話，便只有戴先生所說的「後發制人」得以實現。

青木：與此相關聯，以大制小是好或壞有關的是，這問題東南亞也已有相當的意識。幾年前，東南亞的知識分子最常讀的，便是修馬克的《小即是美》這本書。

小泉：「大即是好」的相反。

青木：那本書有段時間，不管到哪裡大家都在讀。作者是德裔英國人，結論就是以價值而論，小即是美。但小如何在政治、經濟面上擁有強韌力量，又是別的問題了。

　　小泉：這也算一種結論吧！就當作今後的課題吧。雖然還有很多話要說，但時間已到。謝謝大家！

本文原刊於《海外市場》第27卷第303號，東京：日本貿易振興会，1977年1月，頁10～31

對大學再生的期待
——永井道雄vs.戴國煇

◎ 李毓昭譯

時間：1977年

地點：朝日新聞社

對談：永井道雄（《朝日新聞》特約評論員。1923年生於東京
　　　都。1944年京都大學文學系哲學科畢業。1949年美國俄亥
　　　俄州立大學博士課程修畢（Ph. D.）。歷經東工大教授等
　　　職，於1970年轉任《朝日新聞》評論員，1974年就任三
　　　木內閣文部大臣。目前為中教審委員，著有《日本の大
　　　学》、《大学的可能性》、《異色の人間像》等）
　　　戴國煇（立教大學教授，詳歷略）

　　戴國煇（以下簡稱戴）：感謝您在百忙之中抽空前來。永井
先生曾在京大念書、做研究和教學，也曾在東工大任教，還去過
哥倫比亞大學、加州大學當交換教授，在日本和外國的經驗豐
富。而在辭去東工大的教職後，在《朝日新聞》以教育問題的評
論員身分活躍，經過多方面的觀察後，又坐上教育行政的最高職

位，成為出自民間的文部大臣，試圖展開多項有新鮮感的政策。本刊是教職人員、學生和家長一同思考立教大學未來走向的園地，因此今天要請您依據一路走來的體驗和臨場感，以不同的視角，自由地討論大學問題。

從「對立」到「混亂」

永井道雄（以下簡稱永井）：日本的高等教育政策非常落伍。正好20年前，我就寫過一本書，書名是《考試地獄》〔《試驗地獄》〕，約在15年前寫了《日本的大學》（中公新書）這本書。另外還出版了許多本書，但簡單來說，這兩本書的要旨就是「考試地獄」愈來愈嚴重，日本的大學會動彈不得。我的預測後來印驗了。

問題要如何解決呢？就考試地獄來說，我們有日教組，也有文部省，兩者互相對立，讓人很頭痛，沒有任何出口，所以非得建立對話的關係不可。文部省也必須要提出使小學、中學、高中產生活力的政策。而說到大學，日本有國立、公立和私立大學，和文部省維持著水火不容的關係，根本無法融洽相處。現在光是四年制的大學，就有四百所。

然而大家都以為日本這個國家變得糟糕透頂，找不到解決辦法，可是昭和45年經濟合作暨發展組織（Organization for Economic Cooperation and Development，OECD）的教育使節團曾經來訪，留下一本報告書，標題為「日本的教育政策」。從這本書一開始的要旨就可以看出，日本有文部省和日教組、文部省和

大學，大學裡面又有老師和學生，在彷彿群雄割據的狀況下，連彼此都不溝通，實在不像話。因此在第二年的昭和46年初，文部省開始針對這個問題提出基本政策。我是在昭和49年就任文部大臣的，這方面已稍有進展。

　　至於大學，其實文部省和國立、公立、私立已有某種程度的合作關係。問題是國立、公立、私立大學之間是不是有合作關係？文部省已分別和各大學建立關係，而與日教組之間的關係也在最近建立了。請看今天的晚報（《朝日新聞》夕刊，6月10日），標題是「教育混亂」，而不是「教育對立」。終於走到「混亂」的階段了。大家都對「混亂」一詞感到吃驚，其實從「對立」到「混亂」就花了相當長的時間。只依當日看到的情況去想是不會知道的，但經過相當長期的奮戰，已經有進展了。

私大補助和傾斜分配

　　從傳統上來看，日本的私立大學在明治初期非常了不起。東部有立教，西部有同志社，都是教會學校。當時還有五大法律學校（早稻田、中央、專修、明治、法政大學的前身），各種人才輩出，與東大分庭抗禮。

　　約在大正7年（1918），「上班族」一詞慢慢形成，因為日本發生了產業革命。那時中國的辛亥革命還發生不久。日本發生產業革命，產生了上班族。中國則有國民黨企圖發動一種中產階級革命，卻因為國土實在太廣大，無法處理農地改革等問題，而以失敗告終。日本的國土小，可以進行產業革命，但實際上也曾

遭到多次失敗，沒資格嘲笑中國。大學問題就是其中之一。

　　大正6年蘇俄發生革命。大正7年日本頒布大學令，決定讓剛才提到的那些專門學校都升格為大學，立教也是一樣。到這個階段為止還不錯，因此有大量的學生進來。私大的學生人數很多，老師的任教時數隨之增加，而引發教師薪水過低的問題。這時其實應該要去思考是否要補助私大。應該做卻沒有做，就跟國民黨沒有去思考農村問題一樣。

　　實際上，這個問題的答案是在50年後才出現，也就是昭和46年在中央教育審議會的報告中提到，補助私立大學非常重要。所謂國家的財政援助方式就在第72頁裡。換句話說，明治44年（1911）新內閣成立，大正7年發布大學令，昭和46年才有了答案，晚了差不多半個世紀。

　　這份報告出來後，因為學費等問題而發生大混亂，而在昭和45年由文部大臣坂田道太做出沒有法律也要出錢補助的決定，所以在法律通過之前就有為提供補助金奔走的時代。決定的內容是在五年內支付私大經常費的二分之一，起初從20％開始。然而通貨膨脹的速度很快，照著昭和45年的計算去做，在我當大臣時已經是第五年了，雖然金額有增加，但實際上只達到經常費的20％。

　　戴：也就是說，比率並沒有增加。

　　永井：雖然金額增加，比率並沒有增加，與日本的通膨速度差不多。

　　我於是根據報告訂立私立學校振興助成法律。這部《私立學校振興助成法》在國會通過時是昭和50年。這時和坂田先生的時

代不一樣，是有法律依據的。我認為必須立法的原因是財政惡化，如果實行時沒有法律保障，遲早會撥不出錢來。現在的計畫是，盡量在五年內把比率提高到平均50％。因為財政困難，我覺得實在很難在五年內達到這個水準。

只是私立學校振興助成法有一個特色，就是決定了傾斜分配。作法有兩種，第一種是針對經營問題的傾斜分配，另一種是針對教育、研究內容的傾斜分配。

先說經營方面，例如現在私大的實際名額都比預定名額來得多。但只要每年維持在某種程度以下就沒有問題。每年某程度以下即可，今年的話大約是3倍以下就會補助。可是我通過法律那一年，最多的大阪有22倍，東京是14倍。這些私立大學的補助是零。

戴：立教是1.2倍，幾乎與預定名額相同，很值得驕傲。

永井：許多學校向金融機關借錢，有的連利息都沒繳。這種學校就不補助。而如果經營非常好，也就是教師和學生比率比較理想，能維持某種程度，就會增加補助。總而言之，就是經營越健全越好，有多項詳細的標準。第一種傾斜分配就是以這個方式去做。而另一種是針對教育、研究內容，例如戴先生在立教大學教書，學校有許多像戴先生這樣的外國人，也收留學生，或是教育方式有特色等，符合列表中的許多項目，就在第一年撥出17億日圓，第二年度超過30億日圓，幾乎多了一倍。傾斜分配就是以這兩種方式展開。

戴：關於第二種傾斜分配，我只曾在「文明懇談會」的休息時間與您站著聊了一會兒，沒想到會這麼正式。這是用預算分配

來促進大學的國際化，但老實說，大學教職員幾乎沒有人知道這種預算分配的方式。大學相關人員接下來要面對的課題，將會是如何主動接住文部省投過來的「球」，再把它投回去。

　　永井：大致而言，目前平均的經常費補助達到四分之一。可是這只是平均數字，有的大學連一毛錢也拿不到。依剛才所說的兩種標準撥款的學校應該有35％，這樣的傾斜再繼續五年的話，會有什麼事發生呢？會有相當大的事發生。有的地方很快就達到50％，而出現與之前的私大不同的情況。其次是國立大學會受到刺激。如此一來，就不能再說日本的國立、公立、私立情況各有不同，而是會互相刺激，形成「大學社會」這種橫向的關係。這是最重要的。

　　戴：這時，當然重要的前提是文部省如何堅持「我支持但不支配」的原則，或者不堅持就傷腦筋了。另一個問題是評價如何做到公平。

　　永井：在作法方面，沒有辦法能夠保證文部大臣經常是公正不阿，何況也有資訊不足的問題。所以現在正在考慮由專家來組成分配檢討委員會，由這個專家團體來對私立學校振興財團提出報告，建立撥款機制。

　　戴：您在考慮這個問題時，有沒有想到引用美國評價大學的作法，當作傾斜分配的另一個標準呢？例如柏克萊、史丹福在美國的大學中有什麼表現，這種方式有沒有考慮過？

　　永井：除了教育部，美國的教育行政改革在其他地方也很盛行，民間有特別的學者組織在進行大學評價。我認為以日本來說，目前由私立學校振興財團對私大試行多種作法會比較好。

戴：這時私立學校振興財團有沒有可能出現獨裁？檢查得出來嗎？關於這方面，我還要指出一點，就是在美國，為學生寫推薦函是比較公正的。

永井：是啊。

戴：雖然也有其他情況，但一般而言是比較公正的。日本社會就會牽涉到人情義理，而無法老實寫出來，包括學生成績報告書在內，問題很多。我認為必須事先考慮到如何把檢查分配檢討委員會是否獨裁或喪失活力的機制加進來。

從篩選方法的嘗試

永井：這個問題可以公開討論。除了補助金，還有入學考試的問題，在剛開始時我曾經考慮以文部省主導型做了二次考試，一個是升學適應性檢查，另一個是能力檢定測驗。兩次都失敗了。原因很多，其中一個是剛才所說的大學和文部省之間的互不信任。接著是由國立大學協會要進行入學考試的改革。而公立大學協會也附和了，光是國立大學就有85所，公立大學34所，兩個加起來119所都完全同意，將從昭和54年開始。而在文部省的入學考試改善會議，也提到要把私大加進去。這時問題就來了。

亦即把國立大學或公立大學舉行共通第一次考試，和美國的作法一樣，把一期校、二期校的區分取消。公立也是全部一起舉行，因此各大學報考的人數不多。這時就會在第二次考試時出現許多有趣的設計。例如面談、寫論文。所以依之前的念書方式是考不上的，因為要以兩次考試加總的成績來審核。如此和「科

舉」考試制度就不太一樣了。以前是非常科舉式的，以記憶為主，不是嗎？

戴：確實是。

永井：我想把私立加進去也好，是因為實際上光是報考國公立大學的人數就約有40萬人。因為沒辦法全部上榜，所以有相當多的人會再報考私立，差不多占了六成吧。而只報考私大的人只有十多萬人。昭和54年度是來不及做了，但是在目前的階段，私大必須思考的是如何加入國公立的考試，由私大連〔譯註：類似台灣的私校聯盟〕去考慮或由立教去考慮都可以，文部省也必須與私大好好溝通以什麼方式參加。「私大連」如果從第一次考試就自己出題，要耗費相當多的費用。不如第一次就考一樣的東西，搭順風車，然後在第二次時，例如由立教各學系考量，用獨特的問題去考學生。

戴：當然這時要考慮到入學者的適應性。可是以面試來說，要消化那麼多人，是很大的負擔。

永井：實際上能進入面試階段的人不會那麼多吧。

戴：我希望能限制人數，節省之前耗費的社會成本。這裡有些地方與傾斜分配的問題重疊。總之，私大的危機有相當大一部分是出在財政基礎脆弱、不穩定上面，因為一向都要以考生的報考費來維持部分不穩定的財政基礎。我是不清楚這個部分有多大，但如果要共同舉辦第一次考試，要如何彌補產生的缺口呢？而就算可以在第二次考試時消弭一部分，私大的理事還是會非常擔心。有沒有更積極也更理想的作法呢？

永井：我們也許會對入學考題有創意的學校進行傾斜分配。

所以立教可能要去思考，如何設計從社會觀點來看非常值得學習的入學考試。日本所有的大學，連同私大在內一起舉辦入學考試，國公私才會出現以入學考試為主的競爭。哪個學校會出現最有創意的考試呢？

在這同時，國公私各校都要去想一想，到底要招收什麼樣的學生，也就是說必須去自己思考，我的學校想要提供什麼樣的教育、想要研究什麼？現在並沒有人在思考這一點，只是讓人知道有我們這樣的大學在，總之來考考看吧，然後學生通過考試，就進去了。不是這樣，而是從一開始就去思考，入學考試要出什麼樣的題目，說得更明白一點，就是我們大學的什麼學系要招收什麼樣的學生，我們要做什麼樣的教育，做什麼研究。不論是國立、公立還是私立，大概將從1979年開始自主。國立和公立也必須在今年〔1977〕得出答案。

至於私大哪裡要帶頭，由私大連帶頭去做應該不錯。立教也屬於這個部分。

這麼一來，私大連的加盟校就會各自提出有趣的考題，彼此也不再只是在私大連之中競爭而已。國立和公立已經開始了，而私大連最快也要到1980年才能加入，屆時就必須參考國立和公立之前的作法，推出更有創意的東西。到時候國公私的競爭就會在入學考試時發生。

體質改善之內外

戴：只是到時候大學的外在環境，也就是社會對大學的期待

或看法不改變的話，光靠大學自己的力量很難改變。指定校制度是來自於偏重學歷的心態，要如何排除就是一個問題。光靠大學，實在無法應付。

　　本來就某方面來說，大學一方面要具備超越社會的見識，一方面也要針對社會多方面的要求，以不扭曲大學本來的理念的方式去培養人才，回饋給社會，但實際上大學卻受到高度成長和工業化的擺布，在不知不覺之中變成社會本身的囚徒。這在社會面要以什麼方式改變，或是如何為大學定位，又是另一個層面的課題。

　　永井：所以企業界也發生了非常有趣的現象。首先，企業界設有指定校制度，原因是同樣都是大學畢業生，卻有相當多名不副實的大學畢業生。我當文部大臣之後曾請他們廢除指定校制度。可是再深入去想，大學的實質也非改善不可。有了現在的《私立學校助成法》，會發生什麼情況呢？譬如給入學名額灌水的學校顯然會減少，對某種私大會去改善體質。照這樣下去，要請企業廢除指定校制度就比較容易說出口，也比較容易說服他們。

　　可是從另一方面來說，只要大學畢業就能混飯吃的風氣還是很興盛。

　　戴：不念書，只要維持學籍就好的作法也很頭痛……大家都覺得困擾，卻無法改善。

　　永井：對。只要付學費就能畢業。有的大學是以這種方式經營，因此我們修訂了一部分的學校教育法，設立專修學校。這是不頒發文憑的高等教育，與實際的職業緊密連結，多半是醫療、

技術、女裝方面的。

戴：這是把實用的部分交給專門學校來做，而恢復大學本來的面貌。

永井：是的。到去年12月為止，根據學校教育法修正，這種學校有1,600所，學生人數有20萬人。就業率比大學還高。這麼一來，以後的大學就會受到挑戰，新的高等教育能夠與頒發畢業證書有名無實的大學競爭，這時才有可能完全廢除指定校制度。

戴：您剛才提到，《朝日新聞》刊出標題「從對立到混亂」的報導，這也是一種進步。非常有意思的是，永井先生的看法中包含著混亂本身並不是危機的觀點。事實上，如何在混亂中從內部找到新的病歷簿，如何利用此病歷簿去改變情況是一個課題。混亂正好是改變的契機。

永井：我們試創了今天提到的許多事情。我們還沒有這方面的指南，今天的談話也是其中的一部分。至於文部省的行政會如何改變，我們也需要有相關的指南，也希望請《立教》這本雜誌去檢討這方面的事情。

戴：如果拿日本和美國做比較，美國這個國家本來就是想要中央集權也沒辦法，因此我們看到私立大學可以和州立大學自由競爭，給世界帶來某種新鮮感。可是日本是後進的資本主義國家，從一開始就不得不採行中央集權，所以有文部省。戰後文部省和日教組對立，好不容易來到「混亂」的階段。本來人才的培植與造就應該要有百年計畫。也許會形成內政干涉，但之前的文部大臣人選都稍帶有應付日教組的性質，讓人無法苟同。所以永井先生當上文部大臣時，我覺得有好戲可看。本來文部大臣應該

要任期久一點，才能在各方面做長遠的規劃。

　　還有一點，基於戰前和戰時的痛苦經驗，一般的大學關係人都是「反」文部省的。這種沒有對話的狀況不僅是非生產性，也可以說很不幸。偶爾還會看到，應該「反」文部省的大學關係人在解決自己的問題時竟然要請示官方，我們可以把這種「依賴」看成日本「近代」體質結構的一部分，要說奇怪也是夠奇怪的。可是您認為文部省官僚、文部體制內部有足夠的新鮮活力嗎？

　　永井：我覺得有。如您所說的，以往日本的問題是學校和文部省互不信任，但其實文部省已有一些進展，目前的情況已經變成是各校在不知所措。

　　大學的入學考試制度有了這些改變後，就應該是私大連跟著行動的時候了。或各大學開始行動也是可以的。文部省並沒有主導權，只是在呼籲國立大學協會、公立大學協會改變考試方式，私大隨後加入是最好的，所以也設立了專門機構。但因為有以往的關係，私大一直無法產生共識。這時還是需要建立體制，政府要讓大學主導，或是由教育人士來主導推動。這方面已經就緒。這次日教組系統的代表學者梅根悟校長（註：日本教育學會會長）會加入中教審，也是因為有相當的認同。請梅根先生加入也花了三、四年的時間。一般老師就不知道了，大概也要兩三年吧。

　　大學老師也是一樣，國立大學校長、公立大學校長加起來有一百一十多位，每個人都贊成改變考試方式，可是他們一回學校，就會被校內的老師批評說，你們是受到文部省的指使吧？其實不是，那些人是自己改變了想法，但接著還是要去面對大學老

師和校長的關係存在著無法充分理解的鴻溝。

　　大部分的私大依然覺得那是國立與公立的問題，與他們無關，但是文部省的政策並不是這樣，而是抱著要是私大願意參加也完全歡迎的態度。這就是為什麼現在情形是一片混亂。

　　戴：我另一個感覺是，或許是日本近代的性格使然，日本整個國家根本忽略蓄積的工夫，而只靠著不停流動的模式在運作，而且動作靈活，運轉也很順暢。這種「成功」可說在不知不覺之中連大學應有的形象都侵蝕了。學生上大學只是為了拿到畢業證書。企業也只顧自己，想要吸收能用來當齒輪的大學畢業生。企業對大學的期待，說穿了就只要達到某種程度的篩選就可以了，等進到公司再加以鍛鍊成齒輪使用。這時包括指定校的問題在內，企業這邊對大學並不是很信任，而社會這邊對大學的想法也是必須改變。

　　永井：沒錯。

　　戴：我之前在留學生座談會上說過，東南亞留學生很困擾，因為沒有地方受訓，畢業以後沒有事後的照顧，拿了畢業證書就回國了；回國後也沒什麼用處。

　　永井：確實是這樣。所以去歐美留學會比較好。

　　戴：變成什麼都要依賴別人的豆芽小孩，一點用處也沒有。日本到了現在這種地步，光靠「從模仿到創造」等不徹底的想法或只有流動的手工活兒已經不敷使用了，亦即已經走到「神」只在自己身上的境地。應該是企業這邊、整個社會的領導人要重新思考大學要培育什麼樣的人才的時候了。

　　永井：那是大學相關人士應該要第一個去思考的。

戴：我知道有些大學人士也在拚命思考，做出新的嘗試⋯⋯

聯合研究所的可能性

永井：舉個具體的例子，我在文明問題懇談會上不是邀請了四位非日本人嗎？戴先生也來了。而在大學問題懇談會上，我請了上智大學的畢道（Giuseppe Pittau）校長參加，因此我任職的期間，就有五位參與了文部省的行政。在法律上，像戴先生身為大學人士，要待多久都沒有問題。東大和立教大在法律上可以交換學分。如果由文部省去做這件事，就可以推動。就是有這樣的關係存在。日本終究和歐美社會不一樣，而中國應也有這種情形。政府有時候必須去帶動，但最後還是要由大學主動去做。不然就算更改法律，他們也不會去交換學分。

戴：有些部分是惰性造成的。

永井：沒錯。大學有些地方相當落後。

還有，大學不是去複製，而是大學必須從事有趣的研究。現在學校教育法已經修訂好，也通過了，可以設立獨立研究所這種機關。因此可以不只是在既有的學院中設置，連聯合研究所也可以成立。譬如立教和上智、東大、早稻田聯合起來成立在法律上是可行的。可是法律在國會通過兩次，也經過討論了，大學卻還沒有聲音。這是因為大學沒有養成自動自發的習慣。所以雖然法律已經進展到這個地步了，卻還沒有反應。

民主主義是要靠自己去建立的，自己去建立的習慣反而是明治初期的人比較強。至於戰後日本人的民主主義，雖然有批判的

聲音，卻不會自己去行動，只採取局外人的立場。所以希望大家至少先從考試方面著手，而要接著進行非抄襲的研究，就必須撤除立教、早稻田、慶應、東大等藩籬，成立研究所，因為依現在法律已經是可行的了。

還有也可以在國內設立招收外國人的私立大學。可是哪一所大學在這方面做得最好呢？就是由畢道先生擔任校長的上智大學。這是日本人必須要檢討的地方。立教本身也設有其他地方看不到的特別的教育課程，其他大學也有。哪一所在做都沒關係。可是很奇怪，日本人就是做不來。有人說文部省必須改變制度，可是實際上制度改變了也是不做。問題就在這裡！

接觸異文化與創造新文化

戴：日本人有一種想法，就是接納留學生只是在對留學生施恩。

永井：要說施恩的話，那麼日本人也是有受惠的。

戴：我希望抱有永井先生這種想法的日本人愈來愈多。接觸異文化是創造的新契機，可是很遺憾，一般人似乎不這麼認為。為了擺脫書齋型、文獻型的刻板，我覺得必須更努力去推動以人為主的國際交流。

永井：會漸漸往那個方向移動的，像現在的日本人也不是因為好奇才去跟戴先生學習的。真的這幾年來已經有進展了。雖然花了十年時間才來到目前的混亂階段，但是我一點也不驚訝。話說回來，戴先生談到的日本人情況，以及與異文化接觸而蓬勃發

展的想法，其實以前的日本人和中國、朝鮮的關係就是這樣，而明治維新時代也是相當強盛，只是現在的日本沒有。以日本人來說，目前或許是史上最乏味的時期。

戴：要用一句話來說明的話，我會說現今的日本人沒有「人生」。每天為金錢與時間忙得團團轉，無暇他顧。

永井：我倒是相信還有可能性。明治初期的日本人就是這樣，我現在大聲呼籲的話，就會慢慢產生效果。戴先生也在立教用力鼓吹，立教的老師就會覺得「誠如所說」（笑）。

戴：哪裡的話，我還是新兵。

依我短短一年半的見聞，教授會常會有長期計畫要怎麼做的問題。我印象最深的是在通膨和財政基礎脆弱的限制下，很難擬定長期計畫。

永井：可是現在立教的補助金已經達到經常費的27.8％了。所以和已往已經很不一樣，只要沒有發生通膨，就有相當大的可能性。但並不是所有的私立大學都這樣。

戴：在這種狀況下，如何積極重組傳統，維持個性，或是產生新的個性是一個課題。這方面的嘗試無法進行的原因很多，其中一個就是包含財務之類在內的外在因素。

永井：我認為由立教的董事會、教授會去推動立教要怎麼做的方針、提出入學考試的作法是最好的，最好盡早落實。以此向社會呼籲。問題是要由私大的哪個單位來做。如果只是一直在說要表現學校特色，只是觀念性而不行動也沒什麼用。立教的考試要這麼做，首先就要把重心放在這裡，然後思考學校特色，也就是要招收什麼樣的學生，特色就會顯現出來。

　　要由私大的什麼單位來做呢？不是整個大學出面也沒關係。學系也可以，必須追逼到那裡來思考。那麼中學生或者外國人就會知道原來只要以這種方式念書就能考進立教，那樣的學生進來後，就要以該教育方針教育，而學校特色的問題就具體思考。

　　戴：像入學考試要怎麼做的問題，是屬於教授會，但經營問題就不是教授會能夠了解的。這麼一來，教育行政的專門部分就……

　　永井：這方面也非培養不可。

　　戴：是如何合作。

　　永井：是的。光是抽象性地思考校風是沒用的。要是讓教授會的成員能夠了解財政狀況，就要提出考試要如何辦理的具體方案。財政面和教育面雙方的問題都會出來，由教授會去思考這些材料不是非常必要嗎？

　　戴：有人說近來的學生似乎處於1960年代叛亂後的冷漠情況。真的是這樣嗎？其實他們是在用自己的方式拚命想要取回人或自我的狀態。歸根究柢，大學相關人士就是要與學生一同主動而努力地檢討大學應有的面貌。

　　非常感謝您。

本文原刊於《立教》第82號，東京：立教大学，1977年夏季號，頁2～12

「援助」方與被援助方
——亞洲的民族主義與日本座談會

◎ **劉俊南譯**

與會：阿利芬・貝（資深媒體人）

　　　戴國煇（立教大學教授）

　　　豬狩章（前《朝日新聞》曼谷特派員）

如何對應「援助」

　　豬狩章（以下簡稱豬狩）：進入八月後，舉辦了第二次的東南亞國協（ASEAN）首腦會議，日本的福田首相也應邀出席。中南半島淪陷後，一直處於變動狀態的「援助問題」成為最大的課題。因此，今天希望包括「援助方與被援助方」的問題，特別就日本對亞洲政策的情況等談一談。

　　日前，新加坡總理李光耀來日本提出了援助要求。之前來日的菲律賓總統馬可仕（Ferdinand E. Marcos）也要求擴大援助。都是執政的政權方對日本的援助抱有期待，日本也準備這樣做。但是，應該用什麼方式做，怎麼做才好？對於這些還是過於模糊

了吧。

　　反論之，包括中南半島三國與東南亞國協這些國家是否都希望得到「援助」。如果希望，那麼是為了什麼？最近我對此很在意。越南等國經過三十年戰爭，希望使受傷的國土得以恢復，使價值觀不同的國民團結，經濟上也希望進行整頓，因此需要的東西必須從外國引進。這是易於理解的。但另一方面泰國，需要什麼呢？再三思索，他們是要維持現在的反共體制，而希望民生安定。是不是也為了民生安定而希望得到援助？那樣的話，援助這邊的對應是不是也不一樣呢？

　　最近，從印尼透過電報傳來的資訊也說，投資環境正在惡化，投資額逐漸減少，原因之一是賄賂。一個案件需要百分之二十至三十左右的賄賂，這在經濟上就沒有甜頭了。還有一點是政府經常改變經濟政策，突然將關稅加倍，或改變契約內容等，這樣就不能進行安定的合作。然而，更大的原因是民族主義的問題。我所在的泰國也同樣出現投資環境惡化的情形，首先，請貝先生就總選舉結束後，印尼正準備歡迎福田首相一事，以及印尼的意圖是什麼等談一談。

何時才能走出追隨美國外交的框架

　　阿利芬・貝（以下簡稱貝）：您提出了幾個非常難以回答的問題！我想，與其針對這些一個個從實際面回答，不如先就稍微概念性的問題予以掌握，然後再理解具體問題吧。

　　首先是「援助」的問題，從歷史來看，這援助從何時，以怎

樣的動機開始的呢？不回到30年前即1947年的美國政策，就不能
理解現在日本援助的背景。從杜魯門政策到馬歇爾計畫，從經濟
援助變成了軍事援助，其主要的動機是圍堵共產主義勢力。為什
麼要圍堵共產主義勢力呢？就是要擴展資本主義的勢力。恰好
1947年的日本，由於是戰敗國家，因而被要求成為美國的同盟
國。包括賠償問題，要將日本的工廠全部讓渡出來，使日本成為
農業國家等，這是美國本來的政策。但是由於處於世界冷戰期，
各種情況都對日本有利，以致韓戰後成為了美國的同盟國。這時
東南亞是處於怎樣的位置呢？

　　東南亞因為要爭取獨立，所以與美國的同盟國也未能合作。
因為印尼必須抵抗荷蘭，越南必須抵抗法國。美國本來希望這些
獨立鬥爭稍向後推遲一些。因此，美國、歐洲對於獨立鬥爭不僅
沒有提供協助反而站在壓迫方的立場了。日本這時是看熱鬧的態
度。結果是東南亞沒有出現共產主義國家。在經濟上、政治上都
未結盟。因此，這時從資本主義國家方面來看，東南亞不是應該
援助的對象。由此，與美國同盟化的日本和東南亞之間的裂痕就
加大了。從印尼的情況來看，是在蘇卡諾政權倒台後才開始出現
「援助」的說法的。也就是說，所謂「援助」本來就是為了資本
主義勢力的擴張，或者說是為了支撐親美政權的安定而採取的措
施。但是，這些對於長期的經濟安定具有什麼作用還是一個疑
問。

　　從美國來看，越南是一股共產主義勢力，可是，我認為從胡
志明個人的歷史來看就會明白，這是一個「亞洲民族主義者」。
不是共產主義而是民族主義，這可以從最近越南對於經濟合作的

態度中清楚地看出來。

　　另一方面，隨著杜魯門政策擴張，在歐洲建立了NATO（北大西洋公約組織），在中東建立了中央條約組織（Central Treaty Organization，CENTO），在北亞建立了種種包括日本的安保條約。在東南亞是東南亞公約組織（Southeast Asia Treaty Organization，SEATO）。這些都是強制性的反共組織。凡是美國或美國同盟國希望的這些組織就都被迫接受。東南亞國家建立了「馬菲印組織」（Maphilindo），這是自發性建立的地區合作組織；英國建立的東南亞協會（Association of Southeast Asia，ASA）與此對抗。兩者合一就是東南亞國協。因此，開始時日本、美國都不太歡迎。但是，在越南「陷落」或「解放」後，不得已予以承認了。

　　民族主義一詞，當然是歐洲的用語。歐洲經過民族主義的勃興與緊張，進入了帝國主義的歷史階段，亞洲的民族主義則是為了樹立對抗帝國主義的民族認同運動。因此，這次福田首相說，在亞洲民族主義高漲對於日本是不利的，這是真心話。為什麼這樣說呢，因為如果沒有民族主義，日本可以為所欲為。我們認為，民族主義是在文化、經濟、政治上的國家防衛，如果不能理解這一點，就不會懂得亞洲的民族主義。

　　於是又出現了卡特政策，即放棄反共的政策。這樣一來，吸取了美國反共政策甘甜乳汁的日本，有一種被扯後腿的感覺。迄今為止一直追隨美國外交政策的日本，處於今後應該怎麼辦的困惑之中。八月在東協的會議上，如果福田首相要說：「今後我們要這樣做」，那麼迄今為止的日本外交必須進行全面調整。

自上而下的近代化與自下而上的近代化

戴國煇（以下簡稱戴）：我認為，如果用簡單的話來說明現在的情況，就是在第二次世界大戰後從西歐帝國主義獨立出來的國家今後要建設何種國家的問題。說是東南亞其作法也是各式各樣。在這些國家之內也存在對立。如果大致進行劃分，有一個方向是先進行自上而下的近代化。在這裡掌握主動權的是西歐帝國主義培養的人們。並不是說帝國主義培養的人就對帝國主義什麼都贊成，而是一方面進行反抗，同時又盡可能地以歐洲近代社會做為樣板，並不是動員民眾以激烈的方式從根本上進行變革，而是搭既有的殖民地遺制「便車」的方式予以推進。一方面引進議會制的民主主義，另一方面則引進資本主義的生產方式，總之是要建立自己的政治、經濟體制。相對於此，還有一種考慮，認為這樣是趕不上別人的，僅這些人掌握主動權，民眾方面的人權得不到實現，總之是要自下而上，對歐洲型、日本型的近代化提出反命題。他們認為，歐洲、日本的近（現）代模式有局限性，搭這種便車是翻不了身的。總之是存在自上而下的近代化與自下而上的近代化兩種方向。因此，貝先生所說的「亞洲民族主義」其實是非常難以理解的。印尼的蘇卡諾是不是沒有亞洲民族主義，我看是有的。胡志明也是有的，李光耀又是如何呢？雖然稍微有些變形，但畢竟是做為新加坡人要建設自己的國家，因此，在東南亞國協中，雖然是反共組織，但也是朝淡化反共色彩的方向前進。

這樣來思考的話，就必須明確地認識到：亞洲民族主義的旗

手是誰。否則，對應的方法也要改變。說到民族主義，日本的年輕人有拒絕的反應，但在亞洲還是有效的。由於有效，所以必須考慮是誰掌握主動權，是什麼階層擔當這樣的責任？否則，就不能做出正確的對策。日本在這方面則非常曖昧，「要理解亞洲人的心」、「要了解亞洲民族主義」等曖昧的掌握方式已經到了不能被接受的情況了。

將上述予以弄明確的是中南半島三國的事態。今後中南半島三國也會有各種重大的事情發生，至少這三國要恢復自己的國家，建設自己的政治、經濟體制，這是很明確的。因此，福田首相這次出席會議，如貝先生的精闢見解，由於搞不清楚自己在美國外交保護傘下會走向何方，日本現在必須考慮自己的發展方向的呈現。不過，這次福田首相出席東協，在與內政的關係上，對亞洲政策如何展開也是非常重要的事。

不了解對手就不能推出自己的外交

猪狩：討論至此發現了兩個重要的問題。

也就是日本能否推出自己的外交，交涉對手之民族主義的真正旗手是誰。雖然給與援助但結果什麼也沒用的就是南越。那164億日圓到底是為了什麼？在日本之中，沒有就東南亞整體進行這樣的議論。結果，援助成為與政權的民族主義緊密結合、但與國民脫離。因此，在政權穩固時不會暴露出問題，可是其政權一旦崩潰，結果是為了什麼都搞不清楚了。正巧統一的越南以現實的姿態走來了，日本雖還沒有反省，而越南也深知如此，有可

能的話就會順勢利用日本。總之，這樣發展下去，從大處來看，我想日本是錯了。

可是，在我看到的範圍中，民族主義的型態在各國皆不同。對於韓國，日本可能認為這個國家是在日本援助下成長起來的，因此只要用錢控制就能隨心所欲，但我們觀察到的韓國很奇特。自參加越南戰爭後，一下子就變了。在被美國拖入戰爭之前，還一直說「不要」、「不要」，一旦參戰後，就明白了這對於政權有很大的好處，不僅安全保障上取得了保證，對於國內軍隊的維持也有好處。同時，經濟上取得好處的一夥，在中南半島解放後的現在也轉移到曼谷等地活動。已經開始展開有如第二個日本般的動向。日本如果不了解這些，將會犯大的錯誤。然而，提高韓國新興國家的能量，諷刺的是日本，其政權卻進行了非常大的PR〔譯註：公關活動，public relations〕。「追趕日本，能夠追趕過」……。這樣一來，結果可能是好的，但作法有些怪，這種聲音卻被壓住。

即使是泰國，如果中南半島社會主義化了，大概不是要看社會主義的好處，而是覺得不能變成那樣而實施民族主義。即使福田首相什麼理念也沒有地飛往那裡，他聽得到的也只有這些。日本政府在當地高官們，只與政府執政黨接觸，因此本來就缺乏的資訊就更偏頗了。同時，從日本去的人們都是二、三年的任期，大多是想只要沒有大的過錯就行了，幾乎都是沒了解當地的實情就回來了。這種情況在杜魯門政策以後一直持續至今，完全沒有成長。這樣發展下去，結論就是凡事出錢就行便完了，武斷地歸納到GNP百分之一的論點上。將有什麼樣反彈與影響，身為日

本人的我實在感到非常寒心。

　　戴：也可以說是沒有成長，但更嚴重的是做為以往日本政黨政治的體質，沒有碰觸到這種問題。也就是說只要與美國一起行動，國內政治也就會搞好，對於東南亞也大致沒有問題。另一方面，體制及其周邊的人們也考慮在從美國的控制獲得自由的過程中，以符合日本高度成長的型態予以對應即可。對此，雖然在野黨方面批評援助的腐敗等，但實際的機制誰也不清楚吧。總之，包括執政黨、在野黨這次都是第一次撞上了如何「自己做主」的牆壁而不知所措。

ASEAN各國的意圖

　　貝：福田首相現在的問題，是在國內不能充分發揮領導力的立場，到東南亞也不能說明自己到底能做什麼。如果與美國不能清楚地做一個區隔，東南亞是不會接受的。這30年來的日本，就像原來的英國與美國那樣，一直存在著「日本到最後也可以美國兵與美元來戰鬥」的天真幻想。這次卡特（Jimmy Carter）出面，要求自己的事情自己做，這樣一來，福田首相將如何提出自己的構想？戰後在日本政治還沒有恢復時，憲法、農地改革與勞動改革都是以和平方式被強制推行的，今天，這一筆帳轉來了，福田首相卻在逃避。對於日本而言，連根本性問題都不能解決，到東南亞能說什麼呢？

　　戴：但是，看看日前來的馬可仕和李光耀，東南亞的首腦們與過去都不同了。過去，是以戰爭賠償的形式，彼此心照不宣處

理「援助」問題。但石油危機以後，東南亞的政治在成長，自我主張非常明確了。在某種意義上，可以說是對日本的體制施加了壓力。如果日本以後也想成長，我們不能承諾迄今為止的那樣，就可以坐享其成，應該分擔部分任務，這就是馬可仕演說的重點。因此，正如豬狩先生所擔心的，從長期來看，還不知道是好事還是壞事，日本的納稅者對於對外援助如何想是最為重要的。與美國人不同的是，日本人的納稅者意識很淡薄，對於繳納稅金的使用完全沒有嚴格的監視，但如果是自己出錢的援助，它會產生很大影響。

　　貝：馬可仕和李光耀希望日本給予更多援助的發言是理所當然的。菲律賓一直是在美國的指導下成長的。新加坡也是一樣。但是，從憲法來看「印尼經濟是以家族式經營進行」，是採取了反資本主義、反共產主義的立場。最近的總選舉，很多人批評蘇哈托政權的經濟政策脫軌了。而且，現在最發展的城市雅加達，執政黨輸得很慘，這種現實日本要好好看清楚。為什麼呢，在日本，不僅是商社，而且在政治家中，都有只要按照日本走過的道路去模仿著走就可以的看法。因此，就出現了這樣的疑問：為什麼日本要提供援助，而印尼好像還不高興。但是，在印尼，如果是為了某種認同性組織的擴大而提供的援助與經濟合作，我們不想要，這就是總選舉的結果。因此，到了那裡，福田首相即使說再提供一些等，也是燒香找錯了廟門。

　　戴：在我聽說的範圍裡，印尼有一種動向：盡可能脫離日本援助的壓力以使得自己一身輕。泰國也在學生市民革命之後政變後的混亂形勢中感到不安，希望盡早進行償還。但是，在另外一

方面，還對政權擔當者就增加經濟援助的要求施加壓力。印尼的情況，如果按我剛才的區分來看，「自上」的近代化中，還有不同的集團的動向。在這意義上，菲律賓的馬可仕還一身輕。李光耀更是一身輕。印尼與泰國會出什麼花招，就日本體制方面而言必須特別小心。

日本與東南亞的自我認同差異

貝：日本在經濟上是很強的，但是卻完全沒有在主義上的接觸經驗。從最近的例子來看，有關卡特的人權外交，在學者之間就存在著過於抽象、很難理解的意見。印尼集聚了80個人種，因此統一的核心是「主義」。日本在與蘇聯進行漁業交涉時，使人感到以「日本人一億人一條心」而可以整合起來，可是，在美國用「我們美國人」是整合不起來的。總之是以「主義」或主張做為要點，卡特以「後越戰」為期，要回歸「主義」的原點。其中心就是「人權」。印尼也大致統一，但這是一種名譽的認同，由於有歷史、宗教、人種的各種引力，如果不將這些計算在內就很難理解。

猪狩：我到東南亞各地採訪，學習到的一個是：「國界」與「民族」的問題。日本、韓國都是以海為國界，國內的人幾乎都是一樣的，沒有區別。但是在東南亞，站在任何一個國家的任何一個街頭，過往人們的膚色、頭髮、服裝都是不同的。在新加坡，夜裡電視結束播放時，四個播音員一起出來，用中國話、英語、馬來語及印度語分別說「再見」，然後畫面消失。這是出現

在同一個國家的情形，而且國界非常模糊。泰國與柬埔寨的國界只有寬二十米左右的河溝，走過那裡架的橋，就是柬埔寨了。即使不過橋，河溝的水乾涸時，只要從下面走過去馬上就到了對面。與寮國的國界也是在湄公河乾季時變得很窄，一下子就可以過去。在這樣的地方，要考慮以什麼來整合為一體的同時，思考自己國家的內政與外交。

日本是一旦有事就能團結起來的國家，一直有這樣的意識，因此這次被質詢的，不僅是福田首相，還包括每一個日本人。於是，這次想得很嚴重。在嘴上說著日本要重視與外國的關係，其實未能很好地保持對外關係，結果陷入孤立。在形式上雖與美國保持著強有力的關係，與韓國、東南亞也有很強的關係，但是以金錢締結的關係也會因金錢而分開，並沒有真正的相互信賴關係。因此發展到這種情況，先有了恐懼心理，為「不知如何是好」而感到慌張。對於如何提供援助沒有確定的方針。如果說過去有方針，也只是以捕魚與養殖漁業之型態形成就近的捕魚方式而已。但是，對手早已成為了競爭對手。韓國已經很明顯是這樣了，在某些領域已經追過了。這在東南亞也不是不可能的事情。新加坡已經出現這樣的勢頭。如此一來，就會有這樣的感受：為什麼要我援助，對我不但沒有好處，還使得競爭對手增加；而出現不願提供援助，或將已經提供的再收回的情況。

與其大家都變好，不如我出類拔萃，常居優勢地位的想法較為強烈。可是，這種想法在今天的階段理論上是當然的。例如，從東南亞國協來看，除新加坡之外，出口品幾乎都是第一次產品，日本沒有大量購買的必要。總體來說，日本會是出超是很清

楚的。因此，對方會提出：希望能注意經濟的平衡，這時，僅僅用小動作予以應付說：啊呀，這很不容易呀！那是不會建立真正的關係的。

因此，我們需要就今天這樣發展下去，會出現的結果而感到的恐懼心理進行根源上的分析，但還很難做到這一步。另一方面，東南亞無論是菲律賓或印尼，有那麼多島嶼的國家，如果不升國旗、不唱國歌，就很難整合起來。日本現在也正就國歌、國旗展開爭論，這其實是非常象徵性的。由於過分持有認同感，重新來過反而搞糊塗了。可是，在東南亞這是先決問題，在這個基礎上走過來的，因此有關援助也要考慮各種技巧予以對應。但日本沒有技巧，總認為上了談判桌就會有什麼好法子；而國民也不以納稅人身分提出要求，認為外交是在上位者的事，如果做不好，我們再抱怨，他們就會有所改善。

什麼是「援助」

貝：被納稅人責怪的理由是語言的魔術。其實是政府說要援助，因此這些錢回不來，所以才被國民抱怨。日本的報刊針對印尼如何接受這些借款有一些相關報導，但關於印尼如何返還借款並支付多少利息的報導卻一件也沒有。因此，一般國民的感覺就是印尼在吃我們的錢。

因此，政府應該更準確地說明比較好。雖說是援助但這些錢是會返還的，而且石油有了保證，木材也由此而來，投資的人們會因此賺錢，這些必須更完整地說明。援助看起來好像是在做好

事，但其實是在做壞事。現在日本的經濟援助在15個國家中是倒數第一名。在品質上是最差的。比原來的殖民地國家條件還差的多。即使這樣，還要說我們給與了經濟援助，這是反日感情的源頭。換個方向想，說是相互依存就會好一些，但在東南亞日本就是態度很傲慢的。這樣形勢對於日本來說會愈來愈嚴峻。

猪狩：品質很差，是指賺那麼多之意。借款的新聞在報刊上出現，在簽署階段還會出現。這樣一來就會形成借款兩次的印象。讓人產生他們怎麼還借款的疑問。而且返還時沒有新聞，加深對方是占便宜者的形象。

貝：接受借款後，必須購買日本貨、使用日本船隻及顧問等，由於有這些條件，這就又有了幾十個百分比的利益入帳了。

戴：這些與猪狩先生剛才所說的各國投資環境惡化的問題不無關係。我想美國也是這種情況，所謂「援助」，對研究者而言是非常難以研究的課題。因為在法規上及事實關係上都搞不清楚，且機制與資訊都是有關當局所壟斷。剛才，貝先生談到僅限於印尼，其實日本與印尼、日本與菲律賓、日本與新加坡、泰國的關係都各有不同。技術上及條件上都是如此。政治家是透過各種形式予以介入。因此，我們在此可以做的是，在新的狀況即將來臨的今天，所謂援助到底是什麼，應該與讀者一起重新質詢。「援助」的內容是什麼，今後將意味著什麼，只能講這些。至少我自己是。

貝：有關福田首相的東協之行，有人認為是為了簽署日本與東南亞之間的經濟安保之類的條約而去，但真的到了東南亞會承認是這個目的去的嗎？不是的。只是說「我希望出點力、發揮點

作用」，讓人感到有些前後矛盾。但是，由於世界變小了，福田在東京說了什麼，對方也馬上就知道，因此，應該更加坦率地向國民說明，經濟合作可以使對方安定，我們也可以賺錢。

猪狩：談到去東南亞的感覺，剛才已經說過了。從國民層面來說，真的是希望「援助」嗎？首先，吃飯的事情不困難。日本是失業就會死，因此在這一點也有恐懼心。但是，到了泰國，畢竟大自然的賜與豐厚，既有香蕉，又有木瓜，因此不會餓死。由於天氣很溫暖，西服、領帶等都不需要，一條圍裙就行了。對著生活在這種環境的人們喊：「援助！援助！」還要給他們什麼呢？大量的電視機賣到了農村鄉下，天線高高聳立，能夠看到電視是幸福嗎？騎著本田、山葉的摩托車是幸福嗎？從彼處人們的幸福概念來看，這是不受歡迎的好意吧。

如果從這個地方試著重新檢視援助——「援助」一詞雖然很漂亮，卻是名副其實的買賣。如果是買賣就有買賣上的資產負債表，因此，要是很好地去做也可以找到擺脫困境的道路。

因為是以「援助」一詞來掩蓋「買賣」，如果造成矛盾就不知該怎麼辦了。總之就只能說「出錢」。而且，這個錢送不到對方的一般國民手中，使人感到就是政策擔當者與日本公司的契約而已。

日本出錢的同時，就使對方腐敗。政策擔當者緊緊地壓制著社會的不安，日本就被人說成是在背後提供鎮壓的後援。做為日本公司一點好處也沒有。

不要輸出日本式的「欲求不滿」

　　貝：東南亞各國的政權擔當者大部分是在美國與歐洲受的教育，用明治維新的話來說，就是「脫亞」的一夥，是與國民的價值體系相脫離的一群人。例如，印尼最初的總理大臣夏薩里爾（Sutan Sjahrir）在日記中寫到：「一聽到歐洲的音樂，我的心就會被打動。歐洲的語言就像音樂一樣。但是，回到村裡後，自己卻如同一個外國人。」一年前在國際基督教大學（ICU）的學生研討會上，一個印度人也說了同樣的話。主要是這些從自己社會脫離的人們在掌握政權。

　　政權與國民價值觀之落差，在東南亞是令人感到憂心的存在。

　　所謂「近代化」，也是認為人有欲望是當然的事情，這就是被想為要建立用物資滿足欲望的體制。近代化以前的價值體系，認為人不應該有欲望。印尼也是如此。因此，即使說假借經濟援助之名目在銷售商品，反而是在傷害國民的心理。因此，即使雅加達那些充滿欲望的人們另當別論，農村鄉下那些沒有欲望的人們，也會因為不理解這些而不安。希望日本人也能夠稍微對此給予理解。即使說是經濟，但是和精神文化與價值體系是不可分割的。

　　30年前日本的總選舉中，社會黨提出的公約是：「一個日本人米三合，沙丁魚一條。」這是當時日本人的最高夢想。現在，沙丁魚一條是不能滿足的。不僅如此，GNP成為二倍，不滿也會成為二倍。這是刺激欲望的結果。我不希望將這些強加給東南亞

各國。

猪狩：這一點我很了解。從泰國等的情況來看，明明不是心裡想要的卻硬要給。東南亞的領導人沒有毛澤東型，都是到外國留學的優等生。但是，泰國的情形是，日本人閱讀兩種英文報刊，以為都懂了。其實泰國只有2％的人懂英語，其他人與這2％的人完全是不同的文化。而實際上，是這98％的人在支撐著泰國。日本只是與這2％的領導人建立了管道，銷售一些多餘的東西，產生反日運動是理所當然。

這2％的人如果被推翻了會怎麼樣呢？雖然日本對於以越南為中心的中南半島三國提供援助，好像較好地取得了平衡，但其中沒有「主義」。因此，兩方都出現「欲求不滿」。進而，不僅是「欲求不滿」，反而被利用，被外交高手的越南等牽著鼻子走。

戴：我有興趣的是，中南半島三國中，越南雖然是社會主義國家，但卻相當開放，要從日本接受所謂「援助」。其中可能隱藏著某種計謀，使人感到興趣。革命的擔當者是清楚的。領導人與國民之間沒有太多的乖離。目標也是清楚的。越南如何引進日本的援助一事，將會是很有意思的話題。

還有一個是撈取漁翁之利者的角色。接受援助者認為政府說是因為有杜魯門政策及馬歇爾計畫，美國也感到為難，因此唆使能任其擺布的民眾。賺的錢就存入瑞士銀行等，如果政情不安時，就一下子逃到別處去過好生活，有這樣的一群人存在。另外，未被撈取漁翁之利者之哄騙、頭腦清醒的民眾，則與美國、日本對抗。卡特說已經受夠了。日本應該如何做呢？沒有主義與

意識形態。日本沒有明確構築反共堤防的意識形態。只是經濟主義，結果只是「買賣」而已。其經濟相當部分依靠美國，如果想繼續生存下去，就不能有意識形態。必須明確提出的是，即使日本是作為特別存在，但亞洲是一直被欺負的。這是受到西歐帝國主義殘酷壓迫的亞洲人的同感。也是亞洲人要加入世界史之中的聲音。在注意這些聲音與同感的同時，應該予以對應的，這就是貝先生的意見。從歷史的現實來看越戰時日本的樣子，一部分亞洲主義者——年輕人另當別論，對於日本人而言，「亞洲」這個語詞，好像具有魔鬼的聲音——講了類似的話。為了維持日本的經濟，雖然很在意亞洲的情況，但無暇關注。魔鬼聲音的部分，在援助內容模模糊糊的情況下敷衍了。這部分今後必須明朗。必須這樣做的要因是美國的政策變更與中南半島三國的變化。如何對應這種動向，如何對應蕭條的世界經濟，雖然有其難題，不過實際上東協五國的政情今後會如何是更重要的。圍繞馬來西亞與泰國的國境，面對共產主義的問題，如何發展，也是很重要的題目。印尼也有爪哇與蘇門答臘的對立等問題……。

不了解宗教就不能理解

　　貝：馬來西亞的三分之一、印尼的八成都是伊斯蘭教系，今後、必須重視基督教系的勢力。也就是說，伊斯蘭教並不是單純的信仰，而是在政治、社會、文化各個方面具有統治力，今後東南亞的勢力之爭，是支援資本主義體制的國家與支援伊斯蘭教國家的對立。那麼，日本應該跟著誰走？我總是認為還是應先取得

伊斯蘭教勢力才好。

猪狩：雖然，有關國境與民族所感覺到的還是有「宗教」的問題。日本人似乎覺得有宗教信仰是恥辱之事。但是，東南亞人則相反，認為人的根柢有宗教。沒有宗教是奇怪的。迄今為止，雖然沒有宗教與意識形態也走過來了。但正如現在這樣嚴峻，仍然成為蝙蝠一樣，哪一方都不理會你。那時，即使是「一億成一團火」拚命努力，也不會有結果。

貝：日本人在國內說：「一億人一條心。」到了外國，為了打動東南亞人的心，說「我們是亞洲人。皮膚的顏色是同樣的。」但這是走錯了門。東南亞的連帶感是宗教。無論是白人、黑人或紅種人，只要宗教相同，就會產生連帶感。皮膚的顏色相同等，反而會招致反感。

猪狩：在東南亞，說日本人是香蕉，外面黃色，但剝皮後是白色，不把日本人視為亞洲人。沒有宗教的連帶感，又沒有與亞洲的一體化志向，想要得到連帶感與相互理解不是很困難嗎！日本人還不理解這件事。來自東南亞的留學生都變成反日而回國的，他們領悟到自己要走的道路不是這樣的吧？

心靈的國際化落後的日本

戴：說到留學生，與援助同樣，基調是「恩惠」，是我讓你來留學的想法，並不是與異文化接觸希望創造出什麼的想法。雖然部分人士有著向留學生學習的想法，也是非常倫理性的。與美國不同。因為世界正在變小，日本必須考慮的是，如何與在日本

的外國人相處，需要形成把在日的外國人當作夥伴、予以對待的想法。不是走向國外的國際化，而是日本內部的國際化。

　　貝：兩三天前，在上智大學教書的澳洲人克拉克（Clark）有場演講。他說，日本人頭腦中的國際化正在快速進展。但是，心靈的國際化還沒有開始。雖然握手，但沒有交往。不僅是留學生，外國人要成為日本大學的老師也很難。即使是海外青年合作隊，我以前就說過，印尼、馬來西亞的青年都加入，這樣實現國際化不是很好嗎。馬來西亞的青年去阿爾及利亞也好呀。印尼人來日本教書也好呀。可是，「這是日本的青年合作隊」一句話事情就完了。對於日本而言，只要購買日本的東西就是國際化，追求人與人心靈溝通的認識還非常缺乏。

本文原刊於《現代ビジョン》第14卷第8號，東京：経営ビジョン・センター，1977年8月，頁24～31。爲「アジアのなかの日本」特輯內文章

尋求眞正的經濟合作：與亞洲的連帶爲起點
——穗積五一vs.戴國煇

◎ 蔣智揚譯

對談：穗積五一（亞洲文化會館理事長）
　　　戴國煇（立教大學教授）

獄中的邂逅

戴國煇（以下簡稱戴）：首先要請教的是關於您曾經幫助亞洲各界人士，尤其是從事獨立運動的留學生，以及在獄中所得的亞洲體驗。您被關過好幾次吧！

穗積五一（以下簡稱穗積）：戰前我時常被關，但是戰後就沒有了。拘留所現在也可能改善很多，以前真是太糟了。

戴：朝鮮人也占了多數，與老師一起被關進去……。

穗積：當時是戰爭末期，以反東條與獨立運動的理由被關，一進去就發現許多同志已被關在裡面。因為怕被逼出不利的口供，彼此必須聯絡串供。堅持緘默者，被禁閉在單人房裡，以致精神逐漸錯亂，一被特高拷問，就會說出無實的供詞。怕因此被

穗積五一伉儷（第一排右八、右九）與亞洲文化會館相關人員合影，第一排左四為戴國煇，約1970年（林彩美提供）

他拖累，必須事先與他串供。用鉛筆芯暗地裡寫好字條，利用上廁所的時刻瞞著監視者的視線，從牢房的鐵絲網眼放進去。可是要取得他的回信更是困難。這個難事全部由同房的朝鮮青年包辦。他和我們是進來後才認識的，他要求出獄後讓他住我們的宿舍，警察當局要他先回去朝鮮一趟。後來這個青年哭著離開我回去了，而我還無法出獄。他回去後生了一場大病，戰後消息就斷了。如今我還思念這位青年不已。

　　這位青年在房內身體時常不由自主地左右搖動不已。他說這是自然的發作，好像動物園的動物在籠中，為了保衛自己，身體會自然搖動一樣。他比我早入牢，已被關將近一年了，因而心臟衰弱。我非常生氣，大聲抗議。雖然是在戰爭即將結束之前，但

如果鬧出人命，也會被追究責任，於是給他打了針。

　　當時，朝鮮、台灣、滿洲等地的青年都在從事獨立運動，通常是絕對不帶所寫的文件，可是住在我宿舍的朝鮮人的計畫書，從行李箱被發現，這下完了。說到拷問，與我們所受的完全兩樣。當時日本在台灣、滿洲、朝鮮等地所執行的拷問是什麼情況，我們透過刊物也都知道。可是我親眼看見殘酷的拷問。於是我於心不忍地問起：「為何要這樣殘酷地對付他們呢？」回答是：「他們不是人，你以為他們是人，才會有這樣無聊的問題。」怎麼說也沒用，真是殘酷至極。

　　寮〔譯註：新星學寮（穗積五一所經營）〕裡聚集的大多是窮人，因為亞洲人沒錢。有的住了二、三天就回去，也有與我們一起生活的留學生。當時搞獨立運動若被發覺，是攸關性命之事。我親身體驗到，在殖民統治下的人民如何吃虧受苦。但不管攸關性命等事，他們絕不放棄運動。

　　我也被逮捕好幾次，中野正剛先生被逮捕後切腹時，我恰好被關。當時連中野先生都不敢說「朝鮮也獨立吧」。但在宿舍裡，「人與國家都應該自主獨立」、「大東亞戰爭是只在解放亞洲的部分有被承認，但這之前要先解放滿洲、朝鮮、台灣」這樣的聲音才是大家相互的主張。雖然沒飯可吃，還是意氣軒昂，亞洲人不吃時大家都不吃。雖然家徒四壁，三餐不保，然而在同一目的之下，大家都平等，就無任何不平。氣氛愉快，什麼都敢做。當時，世界都在戰火中，每個人對自己的生命都不顧，不像如今在太平中苟且偷生，這是大家都有堅定的信念使然。

　　我雖然不大喜歡「同志」這個用詞，可是我真正經驗了包含

生活的志同道合樂趣。

　　我認為如此一來，亞洲問題也可能更加順利解決，然而現在依然困難重重。

背離人道的約束契約

　　企業招募所需僱用的研修生＊時，研修費的一半以國庫補助金支付，研修完畢後須義務工作三年。中途辭職者須支付大約100萬日圓的違約金。最近也有達到300萬日圓的。而名義卻是「經濟合作」，他們心有不甘！而且貿易失衡、輸出公害、進駐企業的雙方待遇彼我不公平、日本人輕視亞洲人等。日本人被討厭，我親身經歷過。只是口頭說「連帶＝團結合作」或是「共存共榮」而已。例如對於研修生討厭的「拘束契約」，也說不要廢止。一旦廢止約束，恐怕企業的接納人數也會減少。企業繳納研修協會的會費也隨之減少，職員薪資也減少。因而只是口頭說「亞洲連帶」，另一方面卻不願廢止拘束契約。這就是連帶的內涵，難怪被人稱為「勞動貴族」。

　　如今已經不應該再將留學生與研修生分開，我認為已到了統一掌握以建立對策的時刻。還無法將他們與企業、經濟分開來思考的時候。現實為如此，希望文部省也設法對應。這些才是現今的課題。

　　我以純真為宗旨，一旦說出口的事必定付諸實施。遇到他們

＊　研修生：被招募到日本企業進修（主要是技術）一邊工作一邊學習。日本企業的目的是為了獲得可供使用的低層技術人員，其與研究生、留學生的性質不同。

受苦或有困難，即感同身受。身心煎熬的結果，近年來血壓升高。雖然諸病纏身。幸虧奇蹟似地好轉了。

曾經訪問亞洲國家，他們卻對我幾乎不說什麼。雖然一句也沒聽說我也感覺得到。他們說不把我討厭的事講出來，我也會明白吧。例如關於「拘束契約」一事，雖然理事會已決議暫時廢止，也有企業廢止了，但是大部分都沒有。就是計畫今年認定若干程度的契約，階段性地廢止之後，然後一切廢止。大藏省說不可使用經濟合作的補助金，來招募附帶拘束契約的研修生。1974年田中先生到亞洲時，亞洲方面曾經提出這個問題，所以接受了指示。基於利潤的話，南北的經濟落差只會擴大，已開發國家也會有困難，因而才開始經濟合作。日本稱之為「Give and Take」。其實是99％的Take，僅1％的Give而已，但還是美其名為Give and Take。其實不該如此，所謂經濟合作者，應該先Give使對方發展經濟才對，可是實際上並未這樣做。

對研修生加以拘束，就是等於拘束長期間受禍害的亞洲人，不是日本人應該做的事。在日本禁止一切的拘束，為何要拘束亞洲或南方的人呢？這本來就是違反經濟合作的宗旨，所以我不能保持緘默。

戴：在野黨方面如何看這個問題？

穗積：還沒告訴日本的在野黨以及總工會。至於總評方面，就勞力的輸入，結果好像也承認了。因為這個拘束問題，乃觸及日本與亞洲關係根本的重大問題，到最後關頭，我以為應該提出議會討論才是。

日本與亞洲的斷層

　　戴：日前《朝日新聞》刊載了菲律賓評論家的〈日本人已經不是朋友〉〔〈もう日本人は友人ではない〉〕的文章。對此在7月5日該報上，外務省的亞洲局中江〔要介〕局長以投稿形式答覆了，哪一方才對，他提起去年〔1977〕8月福田首相前往東南亞時，提出了幾個約定，其實福田首相行前在本誌《展望》舉行了座談會。福田先生也提了「心與心的接觸」之事。具有批判性看法的記者們對此表示疑慮。另一方面在政府階層相互間，這可以說是依賴的結構，好聽的發言。其實中江局長等人的理解，與對方評論家們的感受之間，也許有相當的差異。對這個差距，善良的日本納稅人也就是一般的庶民不知道如何理解才好。我們對於來自亞洲方面的疑慮也很在意，似乎日本的作法不太受歡迎，可是亞洲局長的說法也有道理，徘徊於這二者之間，令人有搖擺不定之感。

　　穗積：不過，我在菲律賓並無這樣的體驗，但是在泰國排斥日貨運動爆發的前年，在當地依據各方面的消息，以為事件將會發生。於是和當時的大使以及進駐的企業商人談起此事。可是無論向他們怎麼說，他們都認為反日運動不會發生。碰到其他的人也都一樣。滯留泰國的日本人好像已經失去感覺了，就像一些人常說的，搭乘日本飛機，到了泰國就住日本飯店，有大丸百貨也有日本餐廳；至於汽車，在1971年的時候就有60％是豐田及日產的製品；入夜後便是日本企業的霓虹燈天下，到處都是日本人。據說日本人並無輕視泰國人的意識，可是由泰國人來看，唯利是

圖的貪財作風、對泰國的事毫不關心，這樣全然不用心就會覺得不受重視。

　　翌年再訪問泰國時，我覺得事件一定會發生，但是誰會了解呢？日本人不會了解日本人與泰國人之間的落差與斷層。日本人和亞洲人及南方的人們，其關係也可說一樣。因為不了解，日本人就自我判斷，以自己的尺度來做事，結果持續傷害對方的感情。在日本曾發生的事件，留學生突然間發怒，破壞玻璃窗、器具等。追查其原因才知道，他們累積了太多討厭的小事，最後忍無可忍而情緒爆發。外務省、文部省均不能了解，一副若無其事。直到1972年排斥日貨事件爆發，他們才發覺有斷層。原來大使館取得資訊的來源只是當地的企業以及JETRO，或是泰國政府方面而已，一般泰國人是不論何種重大事件都不會告訴大使館人員，這似乎已是常識。例如打倒他儂政權、進行抵制的資訊，這些都不會進入大使館及企業界。自日本回來的留學生及研修生是站在被僱用立場，因此可以獲得一般國民或勞工、農民階層，幾乎是全部的資訊。兩方面的資訊明顯不一樣。

　　泰國現在是軍事政權，但是我也聽非軍事政權方面的意見。因為政權移轉給他們的可能性很大。印尼、菲律賓等其他地區也是一樣。以將來會領導該國的人才為中心，我正在努力下去。

日本人為何會令人討厭

　　戴：中江局長在投稿的最後寫著，在蘇哈托總統面前，居留印尼的日本女性合唱印尼語歌，局長聽了感慨萬千。據我的殖民

地體驗來說，局長那樣的描寫方式屬於樂天派，他不知道那不過是在上層社會裡特別集會的情景而已。一般民眾毋寧正如剛才老師所說，天天累積些微的不滿過日子。尤其亞洲民眾，還有沉重的歷史包袱，基本上忍耐力甚強。沒看到這種堅強忍耐力量，以為萬事進行順利，或是唱唱印尼語歌，印尼人民就會歡喜，如果事情這麼好辦，也無需勞煩老師辛苦努力了！

這位中江局長我未曾見面，身為日本最高負責任人之一，所說的雖然都是事實的一部分，可是在亞洲與日本的關係上，他看漏了所面臨真實，亦即更為本質的部分。

穗積：這麼說雖然對他有點不好意思，他對印尼應並無確切的認識。

我們有一個職員到曼谷，雖然大學畢業但腦筋轉得較慢，他凡事都與泰國人商量。泰國人也都幫助他，因而工作進行極其順利。這個日本人得到泰國人的信賴，有時一起喝茶，一團和氣地談笑。可是一旦話題轉到泰國人所服務的日本進駐企業時，泰國人的臉色就突然變了。通常泰國人在該日本人面前，都不說日本企業的壞話，其實心裡所累積的怨氣已經到了不吐不快的地步。於是關於日本人的壞話就講不完了。我們的職員說，他經驗了好幾次這樣待不下去的場面。這些話只在職場中的泰國人互相談論，通常日本人不會知道。為了生活不得不在日本企業服務，被拘束契約綁住，受日本人輕視，百般不願也得忍氣吞聲，還要若無其事地裝出笑容。如有工會即可主張權利，但也沒有這樣的組織。生計被人家掌握，因此也都只好忍耐下去，可是總有一天會爆發。這樣的事並不限於泰國。

他們具有做人而生存下去的核心。有些優秀的留學生與研修生告訴我，日本人腦筋好，生財有道，算數也很快。可是問他持有什麼樣的人生觀？好像沒有！至於他的宗教可能是什麼？這也沒有！因此長久交往之後會生厭，覺得沒有吸引力。正如一口淺水井，平常供水順利，但是一旦水源乾涸，即不再想要汲水了。

戴：其實我從以前就懷有疑問。田中首相也好，福田首相也好，出國時都一定要帶禮物出去。例如援助某個國家100萬美元等。我以為這是屬於中國或日本等東亞的作風，必定要帶伴手禮。但也感覺如此作法未免太現實，並非外交上策。有一天與朋友談到這件事，朋友說因為你長期居住日本，所以想以善意來理解，其實我們的首相們都無法發表具有哲學內涵或治國理念的演說，到了那邊沒有人理睬，報紙也不登消息。可是如果帶了禮物，人家就會重視，新聞也出來了。所以要帶去。可是朋友也歎道有時「福田」與「園田」會被混錯。

歐洲的合理主義也令人擔心，但這時就會覺得「原來如此」，不過從我們中國人來看，如毛澤東、周恩來等超級大人物，都有其特殊風格，在某種情況之下會出現其不單純的個性。但在日本則一直天下太平，恕我失禮直言，除了戰後就上任的吉田首相多少有不單純的個性之外，其餘的都只妥當地盡了職責而已。這樣到底是好還是壞，當屬另外問題。不過正如老師的理念所秉持的，為了使亞洲民眾的每個人，能夠真正的心連心相處，重要的就是每個人最好具有堅固的人生觀與哲學。我想不知多好。

穗積：與我們有關係的留學生、研修生，已有一萬數千人回

去了，因此有各式各樣的人。其中尤以東南亞文化圈的人們，就各種意義而言與我們的意識溝通很快。但是一到印度感覺就不一樣，非洲的人也許反而比較接近，這真是不可思議。所謂接近，就是人們能夠相互有默契之意。可是印度和中東、近東的人們，由其歷史與社會培育所產生的心態，比起東南亞的人們，好像與日本人有難以溝通之處。關於這點，地位高的人難得接觸到。所謂心連心相處的關係，具體上並不是那麼簡單。例如，因為沒有可供留學生住的房間，大家靠打工買了大約可住十人的住家一棟。對於這件事，東南亞的留學生由打工得來的生活費內撥付，但是印度以西的人們卻置之不理。

戴：他們以為別人為他們付出是理所當然嗎？

穗積：因為他們單純地認為你們想做的人就做吧，就隨便你們去做，與我無關，反正將來會不會利用也不曉得。但是東南亞的人們，認為即使自己不住進去，也是大家為自己所做的，豈有不同心協力之理？因為這樣日本人與東南亞的人可以相互理解。

祈求中越關係的正常化

戴：關於越南與中國的關係，有一個問題就是，中國對援助問題以所謂八原則來處理，被評為很好的典範，我也以身為中國人一分子認為很好。無償、無息而且長期的好條件令人高興。不幸這次中國和越南兩國變成骨肉相殘的關係。尤其涉及援助的協議中，中國說明是在自己那樣困難狀況下的援助，但是越南無法了解。而且要求更多的援助，連周恩來也困擾不已。也就是被美

國以及有心人士都評為典範的中國八原則，經過這次曲折，到底會演變如何？還有一點就是，正如老師剛才所說，亞洲人本來就是可以互相理解這件事。況且越南與中國之間，混血也很多，而且都在同一漢字文化圈內。為了趕走美國，長久以來同心協力，如今卻起衝突。關於這些請教老師的高見。

　　穗積：從結論來說吧，如果是周總理的話，不會那樣處理。胡志明總統向來就說不與蘇聯交惡，並言明希望中國也不要與蘇聯對立。中國也將此立場銘記在心來打交道。我也贊成這個三角關係，因為中國與蘇聯是否會永遠對立的問題姑且不論，我確信中國與越南兩國相爭，對雙方都不利。希望都當作內部矛盾的問題來努力解決，同時我也將這件事寄望於中國相關人士。

　　戴：這個問題記憶猶新，而且資訊也不多，就我所聽到範圍內的情形如下。毛澤東、周恩來與胡志明交往似乎很久了。其間他們做了種種協議，在其過程中，包括前華僑之軍人、黨幹部的親中國派人士開始掌握勢力，河內當局的權勢自胡志明的世代轉移到年輕的世代，年輕世代中尤其屬於北越的人士基於與莫斯科的關係，一部分想要脫離中國而自由闊達地行事了。因而堪稱中國派的集團乃成為他們的眼中釘。他們將中國的援助不單用於復興，也挪用於軍事增強而擬使自己坐大，藉以擺脫中國的操控，據說這就是問題的所在。可是在日本的越南研究者不承認有此事。反而是美國、歐洲系的雜誌提到這件事。

　　還有一個問題就是，對於援助，結果從理念的觀點，大方地協建坦尚鐵路以及無償無息地貸款等，可能是毛澤東的時期憑他一聲令下決定的。又因發生了唐山大地震以及四人幫等事件，至

今辛辛苦苦勉強熬過來。戰時是莫可奈何，戰後還伸手要嗎？中國正在發怨言。中國當局所以吐苦水，其實可能受到來自民間的壓力。已經夠了吧，你教我們自己怎麼辦？這樣的情形是與往昔不同的，現在民眾的聲音無法壓制，同時與現今的四個現代化方針也有關聯，因此工作極其困難。

話說回來，本來我們就是太拘泥於「經濟援助」。因此以為中國方式是有趣的實驗而期待之，可是到此無法順利進行，我們的理念要往何處去？要追求什麼才好？請老師指示。

穗積：就所說所寫範圍，我想可能是如戴先生所講的，不過我毋寧認為越南的路線似乎已經向蘇聯靠近了。內部的人事也幾乎將中國系都去掉了。

戴：其排除的方法似乎也還有另外一面。通稱越共的南越解放民族戰線，其幹部現在幾乎都不出面。對於現在的越南，日本的理解狀況，一般仍停留在日內瓦協定以後的17度線以北和以南的感受。其實這個期間並不長。由越南歷史的通史來看，舊交趾支那（舊西貢、堤岸為中心），乃是所謂安南民族，即現稱越南民族的人們，毋寧借了明末逃亡中國人的力量侵略柬埔寨的結果，這就成為其後的華僑社會。在越南，另有舊東京、安南、交趾支那等地區的感覺持續地存在著，這點可能出乎意料地被忽略了。因而我的看法是，這方面歷史感覺的差距，以及南越解放民族戰線與河內，要之就是包含舊東京與安南北部堪稱「小中華思想」者，這些東西的糾葛似乎可能仍存在現今的越南。這種糾纏在社會主義改造的大義名目之下被剷除，這樣子過於官僚主義的作法可能正引發大麻煩吧！

穗積：這是可能的。有一個例子，越南的男學生與中國裔女性產生感情，但是最後還是分手了。因為有如您所知歷史背景，中國人難以在越南的社會中住下。

戴：往昔是相反的。以往中國人男性和越南女性的結婚，是越南方面所憧憬的，但是法國進來之後就改變了。我認為越南民族是非常自負的民族。

穗積：的確是。

戴：回顧歷史的話，現在所常說中國與越南關係交惡的歷史，的確某時期可能如此。這樣的話，最重要的就是不要忘記，捨棄具體歷史狀況下之越南和中國，而將2,000年前的歷史直接連上現在，亦即二、三年前的狀況，這樣子來考慮是很危險的。就以越南與柬埔寨的關係來看，從大處著眼，越南侵略柬埔寨的歷史顯得比較貼近而真實。雖然現在是柬埔寨與中國交好，可是一旦柬埔寨人開始覺悟的話，就會猜疑原來越南人和中國人一路來共同在欺負我們，這種話也可能被提到。但是舊事重提也無濟於事，一起站在民眾的立場來考量如何為明日而活下去才是重要的事。

穗積：如果越南設定全然不同的路線而與蘇聯走在一起，就另當別論，但我認為尚未走到那個地步。首先越南不可能又踏上那樣的路線吧！經過長期的戰亂之後，越南人再好戰也不會輕易走重啟戰端的路線。

戴：與美國戰爭的期間，老師照顧了許多越南來的留學生，我們完全無法分辨出身河內的人與出身南方的人，他們之間會因出身地不同而有感覺的差異嗎？

穗積：來日本的留學生幾乎都是南方出身的，其中混有來自北方家庭的子弟。南方人來日本之後，才知道阮文紹政權是美國的傀儡，喪失越南民族的榮耀，他們從此改變了。他們說在國內沒有任何資料可供這方面的思考。

就目前的問題而言，雖然不是直接聽來的，但據說華僑不跟隨越南的政治方針走。

戴：不過這次的問題有個疑問，就是回去中國的人以北方人居多。北方二十幾年間都與新中國交往，採納社會主義，即使在轟炸北越最激烈時也沒有回去。那麼為何最近突然大量回去？這是最令人搞不懂之處。

穗積：我也沒有獲得很多消息，希望中國與越南能避免戰爭。

企業進駐是經濟合作？

戴：另外這是日本政府或財界的問題，就是政府一路來都與政情不穩定的政權打交道，都以資本主義的軍事政權為中心。不過現在中南半島成立了三個社會主義政權，都是以社會主義為目標。這樣一來，日本的政府、財界究竟要以什麼原則來進行經濟合作，這就搞不懂了。

穗積：我認為沒有原則。如果有的話，就是資本主義的原則，只要是利益所在，都會去做的全方位外交。

戴：對於二個體制可能都以Give and Take去做，我認為無法用如同以往的單線方式來說明清楚。

穗積：確實無法說明清楚。連與中國也是一樣，對於《中日和平友好條約》、對於河內，進行著根本無法說明動向的人很多。就是因為有行為無節操的人在，所以說也說不清楚。但是與經濟界人士見面聊聊的話，他們還有道理好談。理論上就是有利益的事都會去追求。但也不僅止於物件的買賣，早晚都會受思想的影響。

就與歐洲共同體（EC）或美國的關係來看，雖說日本的GNP是世界第二位，但國民的生活是第23位，既然你勤勉努力，就應該吐出黑字，這樣的說法有欠公平。但是從另一方面即世界經濟的立場來看卻不能這樣講，所以不得不吐出來。其實還有同樣的矛盾，不，更大的矛盾在於日本與亞洲南方國家的關係。只是南方國家沒有經濟的力量，所以採取反日、排斥日貨或殺日本人的方式；北方國家有力量，所以日本被壓制，對南方則看扁他們。田中首相去之前後，有各種反日的行動，大部分未見改善。不過日本的態度稍有變好，那邊的人卻不高興。認為日本人一心想賺錢，只會做些表面功夫，他們覺得不舒服。

戴：不論戰前或戰後，有許多亞洲人都曾受幫助。不過說到使您痛心之事，我不懂一再勞苦至今，究竟為的是什麼？另外今後的展望是什麼？

穗積：看看周遭，日本與亞洲的關係一片黑暗，亞洲不論反日或抵制，總會好好地活下去吧！現今日本與亞洲的關係走到底，日本遭眾人討厭的可能性很大，但是不盡最大努力是不行的，與亞洲的人們也談好，有約在先。而且我認為造成這樣的原因，幾乎全部都在日本。日本不好才會有這樣的結果，所以日本

必須改正不好的地方。真的對不起亞洲的人們了。

戴：對於老師這樣的心意，亞洲的年輕人是如何看待？時常會覺得他們可以那麼依賴嗎？

穗積：那就好比要不要組黨的情形，在做決定之前考量現實的效果，其動作也會有所不同。

我們在亞洲做了相當過分的事，因此盡可能努力為亞洲做事，至於依賴不依賴，那是他們的事。我沒有理由加以批評。我打從心底認為日本人做得再多，比起日本人所闖的禍，是微不足道的。朝鮮、台灣、滿洲不用說，在亞洲到處傷害人，戰後又搞恐怖的經濟進駐。如果我是亞洲人，一定會切齒扼腕。戰後赴亞洲的日本人，幾乎都沒想到戰前日本人做了什麼事。

不論哪一國的人，父親被殺，母親或姊妹受辱，家被燒毀的事實，幾乎人人都有切身的體驗。也有日本人說我是戰後生的，戰爭的事我不知道，亞洲人很親日啊，有這樣想法的，還算是人嗎？從受害者的立場來想，哪有那麼簡單就忘了的。我甚至覺得日本一般人的人生觀未免是奇怪的。

戴：我對留學生們說，只會責怪日本人，不批判自己而自我包容的話，是不會有好結果的。當時，在某階段我注意到一件事。日本人中與體制接近的人，心理上有兩種矛盾。一是不喜歡被批判，無法忍受批判者之存在而討厭他們；而不加批判向其討好的話，他也會覺得討厭。而老師在這方面的對應是全然不同的。最好的辦法可能是凡事都說「對、對」，故作好好先生狀。

穗積：留學生或研修生中，有人說，都沒有被誰忠告的話就會流於依賴，所以說要多要求他們。然而大家一起進行具體的工

作，這樣就能相互減少過於依賴的事。

　　不過最近，出現了日本企業進駐乃經濟合作的厚顏理論。為了獲得利益而進駐，　並非什麼經濟合作，這點亞洲的人們知道得最清楚。當然進駐的企業如果真正進行經濟合作，是會受歡迎的。透過合作，北方國家可以提供南方國家必要的協助，但是附帶著「拘束契約」的話，只會損及研修生而招致對立，這樣還是請免吧。

　　日本企業進駐視為經濟合作，出現這樣的想法，可說已到末期症狀了。

　　戴：打擾您這麼久，真是感激。

本文原刊於《現代ビジョン》第15卷第9號，東京：経営ビジョン・センター，1978年9月，頁16～22。爲「日本の援助はなぜ非難されるか」（日本的援助爲何要受責難）特輯內文章

思考亞洲與日本
——飯田經夫vs.戴國煇

◎ 劉俊南譯

時間：1978年11月13日

對談：飯田經夫（名古屋大學教授）

　　　戴國煇（立教大學教授）

聯合國安理會落選的衝擊

戴國煇（以下簡稱戴）：這次日本在聯合國安理會非常任理事國的選舉中敗選，我有一些感想。首先也許算是對報刊的批評吧，是關於報社是否做了分析的問題。我認為日本的報刊應該對安理會相關動向有所關注。

我去年〔1977〕9至10月去了美國，日本的報刊是怎樣報導的，我不太清楚，是怎樣的情況？

飯田經夫（以下簡稱飯田）：報導的內容是，選舉有些危險，所以木村前外相等人趕去了。這麼一來大致沒問題了。

戴：這讓我想起，當初田中前首相的印尼訪問之行，最後也

是莫名其妙、不了了之。

這樣的話可能有兩個問題。一是日本的資訊蒐集與分析方法應如何評價的問題。這是日本國際關係觀察方法的基礎性問題。

還有一個問題，就是剛才說的報社問題。在大學經常感受到報刊與電視的可怕，現在的學生幾乎不讀書，而受這兩者的影響。一個報刊的重要性，與這個報社本身的定位當然有關係，例如非常任理事國落選的結果出來了，社論出來了，然後就會演變成「一億總懺悔」之類的，令人覺得有些擔憂。

從與新聞記者有交往的立場來看，報刊也總是有誤報或者偷懶的情形。因此，我是以這樣的心情看報的，但是學生以及一般民眾，會有所謂「鉛字信仰」吧，亦即看到鉛字印刷的就會認為都是正確而接受。

在這個意義上，外務省與報社應有的姿態，我覺得就會成為思考日本與亞洲問題時的一個素材，您怎麼看？

飯田：我認為您談到一個非常重要的問題。研究都市問題的人說，所謂都市，就是從各地方蒐集資訊進行加工而發出指令的地方。在東京蒐集的是來自日本各地方與來自世界各地的兩種資訊。因此，我透過各種各樣的事情感覺到，是不是這種資訊功能出了問題？

我不太喜歡東京。大手町與霞關的人們每天好像都很忙，可是焦點卻偏離了。僅僅是在各自的圈圈裡轉動，似乎並沒有真正發揮應有的功能。

亞洲的問題也是這樣，去年此時我感受到的，正好是日圓升值，吵著編列大型預算，牛肉自由化吵得很凶，可是，我說編列

大型預算對於減少黑字幾乎沒有作用。說到牛肉，從減少黑字的金額來說，也是微不足道的。可是，當時正在興頭上，其他意見很難接受。因此，我認為如果日圓升值，黑字又不能減少的話，就必然增加日本向海外的投資。並指出這是很重要的，應該展開討論。結果沒用，不接受意見的氣氛很濃厚。好像殫精竭慮地忙前忙後，但實際上讓人覺得偏離得很離譜。

這恐怕是東京太大、太了不起造成的弊病吧。因此，就讓人盼望，理論上至少應該要有另一個資訊中心吧。

另外，您談到報刊上有的事件有報導、有的卻沒有，完全是那樣的。學生相信報刊這是沒有辦法的事，但非學生族群也是這樣。經營者與企業人士，對社會中的事情應該最清楚的人們，只要報刊稍微報導一下，就氣得不得了。我對他們說那麼點程度又何妨，但他們不以輕鬆的心態看報。

戴：因此，「必須了解亞洲的心」這句話大家都欣然地接受了。可是什麼是亞洲的心，完全不明白。雖然不明白卻接受，其中有心情上的對應，像這次從日本所付出的援助或聯合國的負擔費用來看，是當然應該被選上安理會理事國的。可是，卻是很慘的結果。針對這種結果認為「應該反省」，是當前報刊的論調，但是否應該趁這時候整理一下比較好呢？

一個是日本方面的資訊流通很快，另一方面，議論與心情的部分全無關係地各行其是。是日本的內部不清楚嗎？其實是清楚的。雖然清楚，卻非常難發出聲音來。如果不能就此進行整理，今後還會發生類似的情況。

左右扭曲的「中國觀」

如果說與安理會問題有關係的，就是《中日和平友好條約》的事情。例如，釣魚台的問題。上次鄧小平訪日已經明確地談了意見，卻毫無相關的報導。完全好像什麼事也沒有發生過似的。與園田外相從中國歸來時那嚴肅認真的表情與狀況對照來看，像我怎麼看那新聞都看不懂，而現在議論已經停止了。很有意思。

第二，和平條約是不是對於中日關係不幸歷史的清算，這個意義消失了，報刊也幾乎都不認為這是一個問題，就這樣過去了。也有很多希望認真整理這些問題的日本人，可是沒有發聲，也沒有變成鉛字。大潮流就是「中國的近代化」與「擺脫蕭條」。認為中國這樣做的目的是為了取得對近代化的援助，這占輿論的九成。我認為，製造出這種氣氛的原委與安理會落選結果氣氛的原委是一致的。

飯田：說起日本人對中國的思考方式，我也不太清楚。今年夏天我第一次去了中國，這是當時的事情。主辦單位要求出發前一天就來東京住宿，所以我來了。晚上聚會時，有人很認真地提醒這個不能做、那個不能做。不能說「支那」、不要離開團體一人行動、購物時不要趾高氣昂地露出鈔票等各種事情。我非常反感，如果去東南亞及美國也有同樣注意事項的話還可以，為什麼只有中國有這些規定呀。日本人對於中國有一種特殊的、高人一等的原則。持這種原則的人也許是真心的。

戴：在商業上也許是真心的。

飯田：也許是。總之那樣的事情是非常不幸的。

　　另外，也是同樣的事情，就是在中國沒有言論的自由。符合規定的意見可以說，否則就會出現麻煩。為什麼會這樣呢，真是不可思議，也許是認為對方是曾使自己獲益良多的老師，另外也有對於戰爭的贖罪意識，這是原則與真心兩者都有；還有一個是社會主義信仰。有各種因素，即使是一般的議論也不被允許，讓人非常困擾。

　　戴：對於飯田先生談到的「社會主義信仰論」我有同感。以中國方式來說，就是天道與地獄。就是認為中國社會是天道與殘虐地獄的看法，只有這兩種。可是，好壞先不談，包括文化大革命——四人幫的問題，對於中國人而言，很明確是不幸的，但是可以肯定的是，在天道與地獄之間還有一個「人間」。在中文「人間」的意思，就是既不是神的世界，也不是鬼的世界，而是人的世界，其實，中國迄今所做的事情，包括社會主義的實驗，都是在人間世界發生的。中國人必須回歸到人間的原點來重新審視自己，世界也應該這樣來看問題。

　　但是，日本的情況正如剛才所說的有三個要素。因此當前是否可以這樣看：在中國所做的事情，既不是天堂也不是地獄，而只是人間的活動，因此會有差錯與怪事發生。和平條約已經簽署了，就由此開始起步如何？飯田先生在《日本經濟新聞・經濟論壇》上寫的〈中國近代化的觀點〉〔〈中国近代化への視点〉〕我也很有興趣地拜讀了，如果不從這裡出發就不好。

　　最近，一個不是反中國，但在心情上也不是親中國的中國研究團體以不訪問北京的形式訪中，其中一個人老說為難。所到之處，人們說「日本近代化萬歲」，使人很尷尬。這就需要日本人

進行一些交流，說明日本近代化也有多方層面，就此做出意思溝通的努力。如果對方讚美日本近代化，日本也跟著進行自我讚美，就要出問題了。

　　飯田：對於中國是以最糟糕的形式出現，日本人似乎拙於處理涉外事務。要不就是情人眼裡出西施式的讚美對方，要不就是禮讚日本，都是非常極端的。有關韓國的議論就是這樣，一年半前還說如此差勁的國家在世界上只此一國，如今卻改口說是美好到令人害怕的國家。日本老是這樣走極端，我也不知道為什麼會如此搖擺。即使是在日本看這些議論，日本論、日本人論、日本文化論很盛行，開始我也以為是必要的，可是現在，我感覺說是「日本式」的其實都是「非日本式」的。例如，所謂「做事前工作」，這是任何社會都會做的事。所謂「終身僱用」，事實上美國比日本做的還多。日本是無論好的或壞的，都喜歡走極端。

　　戴：一般比較缺乏放在普遍的人的邏輯中，進行思考的作業吧。

　　飯田：只有天道與地獄，沒有「人間」。日本人既然也是人的話，並沒有什麼特別，國家也並不特殊。就是普通的認識不足，所以事情全變得很奇怪。

不愉快的中國旅行

　　戴：去年和在日本的中國人團體去了美國，洛杉磯的中華街又舊又髒，很不好；中國人自不待言，外國人與日本人真是人山人海。可是，像「小東京」、「日本中心」等某種意義上是為來

自日本的遊客娛樂與購買禮品的商店，其他國家的人很少來。可是很乾淨。應該怎樣看待這兩者的差異呢？一個是吃飯的問題。日本的料理缺少普遍性，而且價格較高；中國的料理很便宜，種類也多。這就會吸引人們前來。還有一點，如果問「小東京」、「日本中心」等真有日本的東西嗎（說沒有是太極端），其實並沒有什麼，這是反映日本的近代。即本田、索尼（Sony）、豐田等企業的商品就算不到「日本中心」也可以買得到。而中華街則是新舊俱全，中國的東西應有盡有，非常有個性。

　　我問團體裡的中國人太太——當然是有中國人太太也有日本人太太，百老匯這麼髒是否介意，回答是不介意。可是日本人太太看到「小東京」、「日本中心」等就說乾淨；看到中華街髒，臉色就不好，這也還好。去了紐約後，看到紐約也髒，美國人也髒，她們就放心了。一看表演，見到銀髮美女她就說「真漂亮！」我不像個大學教師地對她說：「太太，好好看一下，白人也有小胸部的女人。」這位太太沒聽懂我說話的意思，對我說：「老師真變態！」其實我是很明確地就日、美或日本與歐洲的比較而言的。白人也有小胸部的女人，因為這也是人間社會。什麼銀髮、胸部大等都不必特別吃驚。

　　到了溫哥華，這些太太們就喊：「貂皮，貂皮！」我也跟著一起去，晚上八點半，一個二十來歲的女孩子在飯店附近走著。我立即就明白了，這是應召女郎。就問日本人太太說：「太太，知道那個女的是幹什麼的嗎？」她回答說：「真是，都是很漂亮的。」我說：「她們是應召女郎呀。」她不相信：「哪裡，老師。她們那麼年輕漂亮。」於是，我們向那個女孩子打招呼，女

孩子用日語說：「你不想玩玩嗎，○○就可以呀！」日本人太太
才終於明白了。就是這種感覺。

　　總之，中國人的太太就不覺得驚訝，而日本人由於有美化歐
美現代的情況，雖然丈夫是中國人，卻非常冷眼地看中華街。

　　還有一個例子，我們的團體有旅行社的導遊陪同。日本人太
太只要聽了導遊講解「今天的行程是……」一回就全記住了；而
中國人太太，都是個別晚上打電話問導遊。這種個人與組織的關
係及對應方法全然不同。

　　所謂近代化的條件，我認為並不是善意或簡單地可以由左至
右適應各種變化，而是只能在一定的積累中，就已知的條件做出
對應。

　　飯田：非常有意思。

　　我後來意識到，我是非常尊敬中國的，我以為中國是一個已
經進行了更近代化國家建設的地方。我這樣的想法，是因為台灣
做得很好。韓國也已經完全起飛了；新加坡也順利推展；馬來西
亞雖然有民族問題，但也利用中國系人的能力發展到現在的水
平。所以我以為，中國這個大本營也一定發展到相當的水平了。
當然才兩個星期，既沒有讓我們參觀工廠，也沒有統計資料，我
不能準確地說什麼，但根據我的觀察判斷，現在的中國還很窮。
聽說美國的學者表示國民年所得在二百五十美元左右。這樣的話
就和印尼差不多。我想與東南亞最窮的國家處於同樣水平，這樣
說比較恰當。沒有乞丐確實是不得了的事情。但其他方面實在是
令人吃驚。

　　在日本到鄉村去，人們也會盯著看，但在北京也是這樣被盯

著看。到蘇州、西安，特別是到了西安我們想看看黃河，就乘坐麵包車前往。到了幾乎連民房都沒有的郊外，當我們走下堤防時，那裡的人們不分老幼一下子都擁上來，在離我們一兩公尺處一直盯著看。那種眼神，就像在上野動物園看熊貓或看火星人的感覺。這可能是失禮的說法，他們使人感到好像一直就沒有什麼娛樂似的。我很驚訝其精神上的極度貧乏。

　　還帶我們去了友誼商店，什麼也沒有。我覺得好像就是為了取得外幣的手段，這還無可厚非，居然還帶我們去名為文物商店的古董店。在那裡也是人一下子都擁上來，讓人感到很不舒服。不要那樣圍著人嘛。

　　戴：到哪裡都一樣嗎？

　　飯田：在蘇州和西安感覺特別嚴重。其後在北京、上海沒有這樣的事，不過在北京與上海也總是被人盯著看。

華僑與日本移民

　　戴：我還沒有去過中國大陸，所以不太清楚。我對美國持有的關心，是美國的少數民族問題與中華街或者華僑的問題。基於發達國家的華僑與東南亞的華僑兩相對照，可以觀察出什麼來的課題。這兩年去了美國，看過當地的中華街，讓我覺得中國的政治家真辛苦。中華街有100年的歷史。在紐約、溫哥華以及洛杉磯都是這樣，而且那裡幾乎是個孤島。商品有新中國的東西，但對事物的思考方法不是新中國式的。儘管如此，華僑因為都是中國起源因而具有共通性，這是非常不得了的事情。但不知能否摧

毀孤島，創造出新天地。

　　我以前說過，實際上，新加坡的住宅政策也與其有密切關係。李光耀政權一直利用強權力量，徹底摧毀了透過同業公會形成的華僑居住地區，成功地實現了人種的調和，這就是李政權的近代化。有關台灣，無論從好、壞意義來說，日本殖民地時代50年給予台灣極大的衝擊。可是，美國由於是移民國家，可以自由選擇。生活窘困的人匯集到中華街。對白人而言，是基於稀奇而感到有興趣。因為中國菜好吃，所以才去那裡。

　　就我們中國人的立場而言，問題在於為什麼耗費100年還不能好好地實現近代化？為什麼不能趕上時代的潮流。在美國華人第二、三代中最有知識的那部分人，知道不走出中華街就不會有前途。

　　在這個意義上，雖然我並沒有為中國大陸政權辯護之意，但鴉片戰爭以來，中國受到很大的屈辱，正如被規定為反封建、反殖民地那樣，必須自己就這些衝擊的接受方式做出對應。因為是不徹底地被帝國主義及列強干預。例如，後藤新平是以軟硬兼施的毒辣手段。說到台灣，國民黨也是非常強權的；韓國也是如此。這樣一來，中國那麼徹底地接受毛澤東思想的話，該如何妥善汲取來自下層的能量？正如毛澤東自己經常說的，人的意識不會那樣簡單地變化的。這樣看來，我認為飯田先生所說的是現實，至少要從中創造出一些什麼來吧。在中國沒有什麼娛樂，這個我很能理解。

　　飯田：我只有從書本得來的知識，日本也有前往美國及巴西的移民，在移民的時點時間就停止住，明治的日語還殘留至今。

幾年前我在美國到美術館，一個第一代移民叫住我，看起來怪怪的，可能進過集中營吧，受太多苦了，整個人變得非常怪，甚至讓人覺得其人格也被破壞了。移民大都是因為貧困才出國的。

戴：在洛杉磯我看了日系的報刊，還殘留著古日語。另外，在溫哥華與檀香山也都有很古老的中文報刊，令人感覺時間似乎凍結住了。

飯田：開始時您談到的日本中心很乾淨，但沒有人來，日本中心那一帶原來也是貧民窟，後來又重新開發，所以以前可能也和中華街一樣吧。

戴：可是，小東京不是這樣的。

飯田：我沒有去過巴西，但我常聽說早期移民過去的日本人與最近因大企業進入而去的日本人之間相處得不好。這種問題是普遍存在的吧。

戴：東南亞的情況與此有所不同。剛開始，因為不懂當地的語言，所以利用留在那裡的日本人，到了另一個時期就改用另一套方法，換成利用從日本留學回來的當地人。

飯田：因此，結果是相同的。我也在去印尼時，和一個日裔人士有過來往，那個人是戰時從拓殖大學出去的。敗戰後在日本的企業或大使館工作，後來被解僱了。因此，就開始將當地報刊記事中有趣的內容翻譯成日語，以蠟版印刷成報刊銷售，出版兩三期就倒閉了。我覺得對於這些人可以考慮更加善用，或一起工作，這個方向是可行的。

戴：我倒覺得有困難。即使是華僑，早期來的第一代與各自在居留地受教育的人，以及戰爭中或戰後因國共內戰出國的新華

僑，很難在一起共事。在這個意義上，以為血濃於水什麼事都可以做到的想法似乎不對，他們完全合不來。

大眾與近代化與批毛

飯田：可是，戴先生如何看待剛才所說的鄧小平路線呢？

戴：我有點擔心像這樣往前衝是否會出問題。但是，我理解必須要這樣往前衝的理由。大眾對於社會主義，如果借用飯田先生的話，可能是一直抱有「幻想」的，為了克服中國大陸的貧困情形，只有這種手段，可能是可以接受的，因此辛苦地做過來。就此意義而言，由於文革──四人幫那種錯誤的不良影響，由此導致莫可奈何的貧困，透過引進外國技術，與其說是單純的接受一種技術，不如說是接受一種激勵動力。希望向前走的心情我理解，但加快速度是否可行？又是否能夠充分消化？如果做得不好，可能會出現難以逆料的反動力，這個我比較擔心。

在這個意義上，剛才也談到了，不僅是日本表面高度成長成功的部分，同時應就其反面、負面，希望有像飯田先生般的學者能夠提出來，告訴大家還存在這樣的問題，中國也會接受吧。

飯田：我覺得中國好像沒有中間力量。幫我們做口譯兼監視人的導遊中地位最高的人，真的很優秀，可是在街上的行人多數是窮人。近代化沒有中間力量是不能成功的，我擔心這一點。

另外，希望您告訴我的是，蘇州有高官貪污的錢蓋的庭園。從那裡出來後，都是平民住家。往裡面看看，房子很小，小得可一目了然。沒辦法，好像比戰時中的日本的差距還要大。是不是

可以認為，就是這樣大的階級差距，一直發展過來的呢？

戴：經濟上可能是這樣吧。不過，與日本不同的是沒有身分制度。中國本土的情況是城市與鄉村都經過了土地改革，沒有以此形成中產階級，而是往前衝，衝進了把這些人包括進入人民公社制度。社會主義的作法只有這樣。

但是，有關沒有中間力量的問題，我對於飯田先生所說的問題感興趣，看來美國的封鎖政策以及與蘇聯的對立，對於中國真是很不幸的狀態，一直持續了15年。這意味著什麼呢，留學生幾乎是一個都沒有，這是我從以前開始就擔心的事情。雖然留學生有正、反面的作用，但沒有交流肯定是不好的。無論怎樣忠實於毛澤東思想，但對外界渾然不知還是不行的。這一點，鄧小平對日本也提出送500名留學生的要求，這是非常重要的大事。

飯田：最近報刊上的毛澤東好像也成了犯錯的人了。

戴：哪裡，還沒有到那個程度。日本報刊的報導方式很極端。簡單地說，毛澤東也是人，因此也是會犯錯的，於是，就提出了一個問題：有關劉少奇也應該階段性地給一個政治評價，這並不是最近的事情，是很早期就說過的。

毛澤東也會犯錯是當然的。另外，鄧小平說「中國因文革倒退了十年」，但我認為也不是完全否定文革。從世界觀點來看，全面否定與全面肯定都是不對的，這樣一個邏輯是易於接受的。

飯田：我去中國時，到哪裡都有學習毛主席語錄的儀式。對於這些進行調整或是再研討，由此會有人受到衝擊吧。中年人是歷經了各種時代，因而有一定程度的差異，可以清醒地看清楚。但是，三十多歲只知道毛澤東的一代菁英，會如何接受「毛澤東

也是人」之語，我對此非常感興趣。

戴：如果從我身為中國人的感覺來說，應該不會出現像日本敗戰時收聽「玉音」切腹自殺那樣的事情。中國人在傳統上來說，即使是皇帝，也不是天皇，或者說宗教上沒有絕對的信仰。如果從總是要推翻皇帝統治的傳統觀念來看，也構成不了什麼很大的衝擊吧！

飯田：原來如此。我認為即使在日本企業中，個性比較強的豐田汽車與松下電器好像也採用了毛澤東主義。簡單說就是洗腦，想藉以推動下層員工。豐田與松下是幾萬人的單位還推動得了，8億、10億人可是大工程呀。

戴：我有時重新閱讀毛澤東與埃德加・斯諾的對話，覺得毛澤東好像已經意識到這個問題了。不是晚年的毛澤東，而是再前一段時期的毛澤東，他很討厭個人崇拜。可是，據我的理解，為了更加合理地組織國家整體的能量，亦即他是立足於一種達觀的境地而不得不加以利用。

因此，在某種意義上，毛澤東也是直至八十多歲還被大家所利用，真是可憐。

飯田：即使是一國的領導人，經常會有發動獨立的人與其後推動建設的人之間的換班問題。從蘇卡諾到蘇哈托轉移也可以算是其中之一。所以，毛是當時一起搞革命的人們的首領，周恩來做為實務家是做得很好的，不過，還是有以不好的方式利用毛澤東權威的勢力呀，這就糟糕了。

戴：我認為，不是毛澤東可能就壓不住陣腳了。若能公開他退居第二線的詳細情形就好了，毛澤東真的是從權力鬥爭中敗退

的嗎？還是他讓大家去幹，自己本來想好好寫寫書、寫寫詩的，偏偏後來變得一團糟，只好再站出來。這種情況也不無可能，真正的情況不明朗。但是，這是很重要的。今後也會發生，不僅中國、越南或其他國家等都可能會發生。

從大西洋時代走向太平洋時代

戴：由於《中日和平友好條約》，在南北韓特需、越南特需之後，現在被說是中國特需呀。另一方面，越南與蘇聯聯手對付中國、柬埔寨。這些，包括中國特需日本對亞洲問題會有什麼關係呢？今後會有怎樣的發展呢，請您談一談。

飯田：我只能說說大致的看法。我覺得歐洲現在已經搖搖欲墜了，包括國家的經濟能力，除了西德與瑞士都不太穩定。美國在一定意義上已經不太順利了，但傷腦筋的是，究竟到什麼程度還無法預測。如果是像當時英國動盪的情況，現在在美國開始的話，那對於國際社會將是非常不安定的要因。現在已經表現在貨幣上，美國如果不認真處理，會很困擾的。但是，以稍稍偏袒的眼光來看，美國畢竟比歐洲要年輕。加拿大、澳洲也比較年輕。經常被議論，過去是以大西洋周邊地區為中心，但今後將以太平洋周邊地區為中心。這就是太平洋經濟論，各種人都在以不同的感覺討論這個話題，但我認為，不是因此就建立什麼團體或是趁機賺點錢之類，即使是從一般來思考，確實也是那樣的。

從南北問題來思考的話，南部的國家已經起飛或是正在準備起飛的，都集中在東亞與東南亞一帶，其他地區還差的很多。這

樣看來，還是亞洲以及太平洋地區，在這10年、20年中，會有一個很好的發展吧。

　　從日本人的利己主義而言，日本正處在非常有利的地位上。只是日本與其他亞洲各國的關係還很困難，至今還在做一些很不聰明的事情，但是在進行南北問題的團體交涉時，東南亞是穩健派。也就是說，與其他地區相比，東南亞是可以交流溝通的。因此，我的基本認識是：在前述情況中亞洲還算好，至於如何在其中發展下去，應該就個別問題的累積狀況而做出決定。

中國在欺負越南嗎

　　戴：我擔心的是蘇聯、越南的條約與中國及柬埔寨的關係。可是，如果從相互逐漸接近的情況來看，這二、三十年會成為世界安定的重要基礎條件，一旦局勢混亂就麻煩了。

　　就中國人而言，不希望追求霸權，也沒在追求。新加坡是特殊情況，華僑也不想追求霸權。

　　飯田：在亞洲，曾經最追求霸權的是日本。一到韓國，到處可看到文物被日本破壞了的說明。擔任我嚮導的韓國人說：「韓國這樣對待過日本嗎？沒有呀。」可見，日本是最追求霸權的。不過話說回來，中國為什麼那樣欺負越南呢？

　　戴：那是不是欺負呢？

　　飯田：一個小國，怎麼想也是中國比較強。稍微再和平相處該多好呀，這樣想是不是有點多愁善感呀。

　　戴：這麼一來，就是柬埔寨與越南是怎麼樣的問題了。這裡

最大的問題還是在於民族國家至上主義，現在即使是社會主義也無法踰越這個問題。因此，華僑問題只能拐個彎處理。中國已經看出與河內及莫斯科會成為這樣的狀態，所以才停止援助的吧。

最麻煩的是資訊流不進來。另外，還有我們對經歷了中南半島戰爭與越戰的越南，在心情上有一種同情與支持的感覺吧。

飯田：包括我，都感覺是欺負越南。由於資訊少，很難得出其他的結論。因此，對於中國是很大的損失吧。

戴：得失就另當別論，越南現在拚命否定的「中南半島聯邦」是謊言。在日本曾與參加越南獨立同盟的越南人，於西貢淪陷後想要慶祝，我說：「這下好了呀！」他卻說：「不，這只是開始。」我心想什麼意思，結果他說：「我們要建立中南半島聯邦。」這是實際存在的情形。我不是說這樣不好，但問題是社會主義體制愈大愈好是大家都有的構想，這實在沒辦法。

毛澤東也與斯諾議論過能不能形成統一的國家，但就是不容易。我想主張首先中國自身建立比較寬鬆的聯邦制。

我現在的結論是，今天中國與越南的問題當然是中蘇關係問題，越南與柬埔寨的問題只是一個反映而已。但是，其根本是民族國家至上主義這種法國革命以來的綱領，依然是難以超越的。而且社會主義體制也持擴張的構想，這個我們也是脫離不了的。唯有將這些一起來思考，此外恐怕沒有什麼辦法吧。

本文原刊於《現代ピジョン》第16卷第1號，東京：経営ピジョン・センター，1979年1月，頁22～29

譯者簡介

李尚霖

1971年生。輔仁大學日文系畢業，日本一橋大學言語社會學博士，現爲開南大學應日系助理教授。譯有：《單身寄生時代》（新新聞文化）、《伊斯蘭的世界地圖》（時報）、《陰翳禮讚》（臉譜）等。

李毓昭

1961年生。中興大學社會學系畢業。曾任出版社編輯，現爲專職譯者。譯有：《銀河鐵道之夜》（晨星）、《顏面考》（晨星）、《霍去病》（實學社）等。

蔡秀美

1981年生。台灣師大歷史學系博士候選人，專攻日治時期台灣社會史。譯有：〈殖民地統治法與內地統治法之比較：以日本帝國在朝鮮與臺灣的地方制度爲中心的討論〉、〈關於《隈本繁吉文書》——殖民地教育資料之介紹〉等。

劉俊南

1930年生。日本中央大學經濟系畢業，曾任中國通信社總編輯，現爲日本中國語翻譯社董事長。譯有：《周恩來傳》（上下，岩波書店）、《周恩來與我》（NHK）、《毛澤東側近回想錄》（新潮社）。

劉淑如

1970年生。淡江大學日文系畢業，日本北海道大學文學研究所博士。研究領域爲日治時期台灣文學、日本近代文學，現任南台科技大學應日系助理教授。譯有：《夢境366天——現代解夢手記》（遠流）、《透析

企業價值組合策略》（遠流）；〈動畫／動作／物語〉等。

劉靈均

1985年生。現爲台灣大學日文所碩士生，專攻日本殖民地時期詩歌，並
任中國文化大學推廣教育部、台北市立成淵高中等兼任講師，兼職日語
口譯及筆譯工作。譯有：《第九屆亞洲兒童文學大會論文集日文版》
（共譯，台東大學）、《歐洲統合史》（共譯，五南）。

蔣智揚

1942年生。台灣大學外文系畢業，美國西海岸大學電腦學碩士。曾任職
大同公司，現專業翻譯。譯有：《不老——新世紀銀髮生活智慧》（遠
流）、《閒話中國人》（馥林）等。

（以上依姓氏筆畫序）

日文審校者・校訂者簡介

◆ 日文審校

于乃明

1953年生。東吳大學東方語文學系畢業，日本筑波大學歷史、人類研究科博士課程修畢，同大學社會科學系法學博士。曾任政治大學日文系系主任、外文中心主任，現爲政治大學土耳其語文學系代理系主任、外語學院院長。研究專長爲日本歷史、日本近代史、中日外交史。

著有：《小田切萬壽之助的研究——明治、大正時期中日關係史的一面》、《現代日文》等；〈中日韓歷史、文化名詞的譯與不譯〉、〈翻譯與跨文化研究——以《蹇蹇錄》中文譯文爲例〉、〈中日関係史の一側面——近刊盛承洪『盛宣懐と日本』の新史料を中心に（1908.9.2～1908.11.25）〉、〈歷史經驗與文化衝突——談日本首相參拜靖國神社〉等。

吳文星

1948年生。台灣師範大學歷史研究所博士。曾任美國哈佛大學及史丹佛大學訪問學人，東京大學、京都大學等校外國人客員研究員及招聘外國人學者，歷任台灣師範大學進修部教務主任、歷史學系主任、文學院長，現爲台灣師範大學歷史學系教授、台灣教育史研究會會長。研究專長爲台灣近現代史、中日關係史。

著有：《日據時期在台「華僑」研究》、《日治時期台灣的社會領導階層》、《台灣史》等；〈東京帝國大學與台灣「學術探檢」之展開〉、〈札幌農學校と台灣近代農學の展開——台灣總督府農事試驗場を中心として——〉、〈京都帝國大學與台灣舊慣調查〉等論文一百餘篇。

林水福

1953年生。日本東北大學文學博士。曾任輔仁大學外語學院院長、日文系主任、所長；高雄第一科技大學副校長、外語學院院長；興國管理學院講座教授；東北大學客座研究員等，現為台北駐日經濟文化代表處台北文化中心主任。專攻平安朝文學、近現代文學，兼及台灣文學、翻譯學。

著有：《他山之石》、《現代日本文學掃描》、《源氏物語的女性》等；譯有：遠藤周作《影子》、《沉默》等；谷崎潤一郎《夢浮橋》、《細雪》等。並於《文訊》雜誌開設東京見聞錄，《聯副》開設東京文化現場專欄。

林彩美

1933年生。中興大學農經系畢業，日本東京大學農經系博士課程修畢。旅日長達40年，中華料理研究家，曾主持梅苑中華料理研究室（日本）二十餘年。致力於梅苑書庫的保存與研究，長期投入《戴國煇全集》的編譯工作。

著有：《中菜健康瘦身法》（文經社）、《新灶腳的健康料理》（文經社）等；主編：《戴國煇文集》；策劃：《戴國煇全集》等。

徐興慶

1956年生。日本九州大學文學博士，現為台灣大學日文系教授兼系主任、所長。專長及研究領域為中日交流文化史、日本近現代思想史、日本文化史。

著有：《東亞知識人對近代性的思考》、《東亞文化交流與經典詮釋》、《朱舜水與東亞傳播的世界》、《近代中日思想交流史の研究》（京都：朋友學術叢書）等。

（以上依姓氏筆畫序）

◆ 校訂

何思慎

1965年生。政治大學國際事務學院東亞研究所博士，現爲輔仁大學日文系教授、輔仁大學日文系教授、台灣大學日文系兼任教授、當代日本研究學會理事。研究專長爲日本外交（台、日、美、中四邊關係）、日本政治、亞太國際關係、當代日本思潮。

著有：《擺盪在兩岸之間：戰後日本對華政策1945～1997）》、《台灣主權論述論文集》（共著）、《當前「中」日關係之研析》（共著）、《敵乎？友乎？冷戰後日本對外交思路的探索》等；〈後冷戰時期台灣與日本政黨政治發展之比較〉、〈日『中』雙方有關中東與朝鮮半島政策之比較研究〉、〈當代日本學界對安保問題之研究現況〉等論文百餘篇。

戴國煇全集 22

【採訪與對談卷五】

著 作 人　戴國煇
策劃／總校　林彩美

編 輯 製 作　財團法人台灣文學發展基金會
　　　　　　10048台北市中山南路11號6樓
　　　　　　02-2343-3142
編 輯 委 員　王曉波　吳文星　張錦郎　張隆志
　　　　　　陳淑美　劉序楓（依姓氏筆畫序）
主　　　編　封德屏
執 行 編 輯　江侑蓮　王為萱
美 術 設 計　不倒翁視覺創意

出　　　版　文訊雜誌社
發 行 人　王榮文
發 行 所　遠流出版事業股份有限公司
　　　　　　10084台北市中正區南昌路二段81號6樓
　　　　　　（02）2392-6899
　　　　　　http：∕∕www.ylib.com

排　　　版　浩瀚電腦排版股份有限公司
印　　　刷　松霖彩色印刷事業有限公司
初　　　版　民國100年（2011）4月
定　　　價　全27冊（不分售）精裝新台幣16,000元整
ISBN　978-986-6102-05-9（全集22：精裝）
　　　　978-986-85850-4-1（全套：精裝）

國家圖書館出版品預行編目（CIP）資料

戴國煇全集．18-26，採訪與對談卷／戴國煇著．
　--　初版．--　台北市：文訊雜誌社出版；遠流
　發行, 2011.04
　　冊；　公分
ISBN　978-986-6102-01-1（第1冊：精裝）.--
ISBN　978-986-6102-02-8（第2冊：精裝）.--
ISBN　978-986-6102-03-5（第3冊：精裝）.--
ISBN　978-986-6102-04-2（第4冊：精裝）.--
ISBN　978-986-6102-05-9（第5冊：精裝）.--
ISBN　978-986-6102-06-6（第6冊：精裝）.--
ISBN　978-986-6102-07-3（第7冊：精裝）.--
ISBN　978-986-6102-08-0（第8冊：精裝）.--
ISBN　978-986-6102-09-7（第9冊：精裝）

1. 史學　2. 文集

607　　　　　　　　　　　　　　　100001715